EL LOBO

ROMANS

Otages des Andes, Altipresse, 2006.
Vengeance à l'est, Cheminements, 2004.
Fréquence Crash, avec René Baldy, Cheminements, 2003.
Les Cierges de l'Apocalypse, Cheminements, 2002.
Trajectoire collision Crash, avec René Baldy, Vaugirard, 1991.

ESSAIS

L'Internationale terroriste, Plon, 1977.
Mourir au Pays basque. Le combat impitoyable de l'ETA, Plon, 1976.
Angola, indépendance empoisonnée, sous le pseudonyme de Georges Lecoff, Presses de la Cité, 1976.

JACQUES KAUFMANN

EL LOBO

roman

l'Archipel

www.editionsarchipel.com

Si vous désirez recevoir notre catalogue
et être tenu au courant de nos publications,
envoyez vos nom et adresse, en citant ce
livre, aux Éditions de l'Archipel,
34, rue des Bourdonnais 75001 Paris.
Et, pour le Canada, à
Édipresse Inc., 945, avenue Beaumont,
Montréal, Québec, H3N 1W3.

ISBN 978-2-84187-946-5

1

Il était nu, une serviette serrée sur la taille, recroquevillé comme un animal peureux. Les coups de fouet résonnaient encore dans ses oreilles. Le vieil homme cacha son visage dans ses bras décharnés, puis ferma les yeux et colla son dos contre le mur, comme pour disparaître dans la pierre par la seule force de sa pensée. Une image de la Vierge accrochée au plâtre pendait de guingois au-dessus de selles de cheval et la pièce puait l'odeur du bétail et la sueur des vachers.

Un rouquin avait marqué son dos de longues stries ensanglantées, pendant qu'une radio hurlait une mélodie d'amour, des rythmes chaloupés d'accordéon nasillard :

Je veux que tu saches que c'est moi qui t'aime...

Puis un autre homme, le chef, avait poussé la porte. Luis Ortega avait une calvitie naissante, un visage rond, des joues proéminentes, une peau blanche marquée d'urticaire au niveau du cou et un début d'embonpoint. Un homme presque ordinaire, en complet veston bleu marine. Ses yeux enfoncés sous des sourcils broussailleux lui donnaient l'air d'un animal.

Le supplicié avait l'arcade sourcilière ouverte et des plaies sanguinolentes aux mollets. Ortega l'observa quelques secondes puis se pencha à l'oreille du rouquin, qui hocha la tête.

Il fallait que le vieil homme parle : ses mains calleuses avaient caché, il y a bien longtemps, dans un cimetière de Buenos Aires, des sacoches de cuir fauve dans le mur d'un édifice. C'était en fin de nuit, dans l'aube froide et brumeuse de l'hiver austral. Et il avait juré, prêté serment sur la Madone aux hommes qui l'avaient accompagné qu'il ne révélerait jamais ce qu'il avait fait.

Le maçon écarta ses mains, regarda le ciel blanchâtre à travers la fenêtre grillagée, et la radio enchaîna sur un rythme des Caraïbes :

Le destin est contre nous, mais je saurai te rendre heureuse,
Tes yeux, tes yeux assassins me fixent dans le noir...

Le rouquin augmenta le volume, esquissa un pas de danse et poussa un seau sous un robinet. Dans l'autre pièce, Luis Ortega s'impatientait.

Le prisonnier était ridicule : ceux qui avaient loué ses services ne débourseraient pas un peso pour recouvrir sa bière de fleurs ou équiper son cercueil de poignées en cuivre.

Luis aussi s'était laissé abuser par des grands discours, mais maintenant il avait compris. Un peu tard, certes, puisqu'il venait d'atteindre la cinquantaine, mais sa vie n'était pas finie. Il allait rattraper le temps perdu, quitter ce foutu pays et partir au Brésil. On construisait en Amazonie, pour une bouchée de pain, des bateaux ventrus dans lesquels les pêcheurs ramenaient des dizaines de poissons sans même se donner la peine de regarder où ils jetaient leurs filets. Il en achèterait un, le convoierait vers le sud, s'installerait à Salvador de Bahia et promènerait les touristes.

Luis adorait la mer et la pêche. Il regarderait la houle et oublierait le passé, avec des millions de dollars sur son compte en banque pour ne plus penser à rien ; il mourrait peut-être en regardant les flots, allongé sur la plage, les jambes reposant dans l'écume des vagues.

Ce déchet humain qui hurlait dans l'autre pièce parlerait donc tôt ou tard, même s'il fallait lui arracher les ongles, lui couper les oreilles et les doigts un à un. Pourquoi diable s'entêtait-il ? N'avait-il pas compris à qui il avait affaire ? Que les hommes sont stupides avec leurs grands sentiments, leurs promesses et leurs obstinations ! Pourquoi abrutit-on les cerveaux avec toutes ces balivernes ?

Luis termina sa tasse de Nescafé à demi froide et poussa la porte qui conduisait dans la salle de torture. Le vieillard entrouvrit les yeux en l'entendant entrer dans la pièce et son corps fut agité de tremblements.

— Trop long, laissa tomber Ortega. Beaucoup trop long.

Le rouquin travaillait chez Protector, l'agence de sécurité d'Ortega, et obéissait comme un automate à son patron. Luis s'était souvent demandé d'où pouvait bien lui venir cette dévotion. Il en avait conclu que ce n'était pas une affaire d'argent – le rouquin gagnait un salaire de misère – ni de charisme – Ortega savait pertinemment qu'il n'en avait aucun –, mais simplement un problème de cervelle.

Patricio, le rouquin aux gros poings qui sentait la sueur, aimait le foot, les femmes et se bourrait de crème glacée. Il détestait raisonner. Il avait cogné sur le détenu comme sur un punching-ball et était soulagé qu'Ortega le dispense de réfléchir.

Ortega examina le maçon, attrapa une chaise en bois pour s'asseoir à califourchon et posa ses bras sur le dossier. Puis il fit un signe de la tête : le travail pouvait recommencer. Patricio attrapa le vieil homme par les cheveux et le tira vers le seau d'eau comme une branche morte.

Le prisonnier avait compris. Il réunit ses dernières forces, hurla et s'accrocha à une corde qui pendait au mur, mais le rouquin lui donna un violent coup de pied dans l'estomac. Comme les deux hommes lui avaient cassé des côtes, le vieux avait l'impression que tout son corps était écartelé. Sa vue se brouilla.

Patricio approcha le seau. L'homme le dégoûtait : ses intestins s'étaient relâchés et une odeur d'excréments montait maintenant dans la pièce. Il attrapa sa tête, la tira vers le haut, puis plongea violemment son visage dans le liquide. Le prisonnier ferma les yeux, sentit le contact de la tôle et commença

11

à étouffer ; il chercha à résister puis entrouvrit la bouche en tentant de remonter à la surface, tandis que l'eau s'engouffrait dans ses poumons.

Le rouquin tourna un visage hilare vers Ortega :

— Ça me rappelle chez ma grand-mère, *jefe*, on coursait les poulets avec mon frère pour leur mettre la tête dans l'abreuvoir. Elles se débattaient, ces vermines, j'vous l'dis ! Et la raclée qu'on recevait ensuite, j'vous raconte pas… Sales bêtes, ces volailles !

Il enfonça encore le crâne du supplicié de quelques centimètres.

— Vous avez vu son cou et son nez crochu ? Une vraie tête de poulet, *jefe*, il lui manque juste la crête ! J'pourrais lui tordre la figure d'une seule main, comme ça !

Il mima le geste puis regarda le seau.

— Tiens, on dirait que la vieille saloperie a trop bu…

Le chef consultait son chronomètre. Il attendit encore un petit moment puis fit signe au rouquin de relever la tête. Le vieil homme ouvrit les yeux et tenta de remplir rapidement ses poumons d'air, mais le rouquin lui enfonça de nouveau la tête.

Ortega commençait à devenir nerveux. Combien de temps allait-il tenir ? Le maçon avait soixante-dix ans et risquait d'avoir un infarctus. Il faudrait alors tout reprendre de zéro. Dans ce genre de situation, on appelait jadis le médecin de service, pour qu'il donne son avis. Mais c'était une autre époque, il n'y avait même pas d'infirmier à l'*estancia*, juste des vachers et des milliers de bœufs qui broutaient la pampa.

Il se leva et saisit le crâne du prisonnier.

— Laisse-moi faire !

Patricio n'avait pas le doigté nécessaire, mais Luis avait étudié le comportement des crustacés plongés dans l'eau bouillante. Exactement comme les êtres humains, ils gigotaient au début, puis les soubresauts diminuaient.

Là résidait toute la finesse de l'exercice. Faire parler n'est pas chose commode : il convient de ne pas appliquer trop de puissance pour bien sentir les mouvements du crâne. C'est toute une technique, un mélange subtil de force et d'écoute. Tant qu'il y a de la résistance, on continue, mais quand ça commence à mollir, méfiance : cela pourrait mal tourner. Il faut alors de la dextérité et surtout de l'expérience, puisque ces choses-là ne s'apprennent pas dans les livres.

Il attrapa les cheveux du maçon et replongea son visage. La tête du vieillard cognait contre les bords du seau, ses jambes se tendaient, ses pieds gigotaient à quelques centimètres au-dessus du sol.

— Vous voulez que je lui tienne les pieds, *jefe*?

— Il va se calmer, ne t'inquiète pas !

Ortega était satisfait d'avoir retrouvé ses vieux réflexes. Qu'importaient quelques corps martyrisés en plus ou en moins ? Certains étaient tortionnaires par sadisme, mais Luis avait toujours considéré que c'était une spécialité comme les autres, pas plus horrible que de jeter des bombes au napalm sur des villages... La différence était qu'aujourd'hui il travaillait à son compte.

Les mouvements faiblirent. Ortega ressortit la tête de l'eau et la secoua comme une serpillière.

Le vieux hurla d'une voix rauque et vomit, puis Ortega lui enfonça encore une fois le front dans le seau. Il fallait maintenant accélérer le rythme, le pousser jusqu'à ses dernières limites. Il répéta le mouvement, de haut en bas, vite, toujours plus vite, comme on le lui avait appris. Puis il sentit que la tête devenait molle comme un torchon gorgé d'eau. Il la sortit du seau et s'agenouilla près du vieux pour que leurs visages soient à la même hauteur.

— Où est-il ?

Les muscles du détenu avaient disparu. Son corps était devenu une masse informe qu'il ne contrôlait plus. Les blessures que lui avait infligées le rouquin ne le faisaient même plus souffrir. De l'eau remonta dans son tube digestif et il s'étrangla. Ortega lui flanqua une gifle.

— Personne ne viendra te demander des comptes, ils sont morts ou en fuite. Oublie donc le passé et dis-moi tout !

Les lèvres du vieux remuèrent comme s'il voulait parler ; Ortega tendit son oreille pour écouter ce qu'il murmurait et son visage s'éclaira soudain.

— À quelle hauteur ? Sur la droite ou la gauche ?

Le prisonnier balbutia encore quelques mots et s'écroula. Il respirait faiblement, la peau grisâtre, l'œil gauche recouvert de sang. Patricio lui avait cassé plusieurs dents et sa lèvre inférieure était ouverte.

— Termine-le, dit Luis au rouquin.

Et il lui tendit un revolver. Patricio prit l'arme sans savoir qu'en faire. Ce n'était pas ainsi qu'il s'imaginait la suite. Torturer le vieillard était une chose, le tuer en était une autre. Bien sûr, le maçon aurait pu avoir un arrêt cardiaque. Ç'aurait été, comment dire... un accident de parcours, non une exécution planifiée. Seigneur Jésus Marie Joseph bon Dieu ! Patricio était chrétien !

Ortega le regarda avec un sourire amusé. Observer un être humain dans ces circonstances était un régal. Pousser quelqu'un à ses limites, le voir s'affoler et perdre tout contrôle était chose passionnante. Les mains du rouquin tremblotaient sur la crosse, et son pouls, il en était sûr, battait de plus en plus vite. Allait-il se décider à enlever le cran de sécurité et à pulvériser la tête du vieux ?

Ortega eut finalement pitié et tendit le bras.

— Donne-le-moi !

Le rouquin évita son regard et lui rendit le revolver. Ortega tira immédiatement deux coups à bout portant sur la tête du maçon, puis remit le pistolet dans sa poche ; des morceaux de cervelle sanguinolente avaient giclé sur ses souliers. Luis prit un torchon pour les essuyer.

— Nettoie le sol de la pièce et creuse un trou pour jeter le corps. Tu peux mettre la radio si ces chansons stupides te donnent du courage !

Il poussa la porte du bâtiment, sortit et prit une profonde inspiration. Ils étaient en Argentine, en plein milieu de la Pampa, dans une *estancia* de plusieurs milliers d'hectares. La maison des propriétaires, une vaste demeure à colombages dont tous les volets étaient clos, semblait abandonnée. Pas d'autres bruits que le ronronnement d'un avion et le moteur d'une Jeep, des meuglements d'animaux et des cris de *gauchos*. L'air était revigorant, plein de senteurs d'herbe fraîche malgré l'été brûlant. Soudain, un hurlement déchira le silence.

Ortega se précipita. Une grosse araignée noire montait sur les chaussures de Patricio. Le rouquin, paralysé par la peur, avait lâché sa pelle et restait debout, sans oser faire le moindre geste, observant l'animal qui grimpait vers son mollet, une bête velue à longues pattes, sortie de la terre fraîche jetée sur le cadavre du vieux.

Ortega s'approcha et écrasa la bête avec la paume de la main, puis haussa les épaules et laissa le rouquin continuer son travail.

De gros nuages gris gonflaient le ciel, et Luis sentit quelques gouttes sur son front. C'était la saison des orages. Si le maçon avait dit la vérité, tout serait fini dans une semaine, mais il lui fallait encore trouver l'oiseau rare qui lui permettrait de gagner sans encombre le Paraguay, terre d'accueil de tous les trafiquants du sud de l'Amérique latine. Quelqu'un qui ne se méfie pas...

2

Tout sentait l'iode, même le blouson du conducteur. La bise s'engouffrait par les fenêtres ouvertes. On était au nord de la Patagonie, patrie de la pluie et du vent. Les prairies étaient parsemées de villages bavarois. Des volcans se dressaient au bord des lacs. Plus au sud s'élevaient des monts arides, puis des glaciers qui mouraient lentement dans les eaux du Pacifique. Le soir, dans leurs maisons de bois, les pêcheurs se racontaient des histoires de sorciers et de femmes nues qui dansaient sur la grève.

Roy Kruger releva son bonnet de laine. Le pick-up Chevrolet arriva en grinçant à l'aéroport de Puerto Montt, à mille kilomètres au sud de Santiago du Chili. Un policier ouvrit la barrière et la camionnette pleine de cageots de poissons et de fruits de mer se gara à côté d'un bimoteur Beech 200.

L'Américain avait beau jongler avec l'argot de Buenos Aires, émailler ses propos de *boludo*[1] et de *guita*[2], prononcer les deux *ll* comme des *che*, rien n'y faisait : il était et resterait *gringo*, parce qu'il avait des yeux bleus et des cheveux blonds, mais surtout parce que cela se sentait, *che*[3] ! qu'il n'était pas latino-américain. Il en avait pris son parti.

---

1. « Con », « idiot ». Expression amicale entre amis, insulte pour un étranger.
2. « Argent ».
3. Interjection. ¡ *Che boludo* ! signifie par exemple : « Eh, crétin ! »

Les Latino-Américains avaient un autre regard sur la vie que les *gringos* de Washington ou de cette lointaine Europe dont Kruger descendait par son grand-père, émigré allemand. Du Río Grande à la Terre de Feu, on était plus insouciant, parfois plus cynique aussi, mais on mordait avec enthousiasme dans la vie, même si elle avait parfois un goût amer. Alors, Roy s'était habitué. *Gringo* il était, *gringo* il resterait. De toute façon, on vivait mieux dans cette région du monde que quelques milliers de kilomètres plus au nord.

Un mètre soixante-dix-huit, un visage aux traits réguliers, plutôt beau garçon malgré quelques millimètres superflus à la taille, Kruger avait commencé son parcours chez Tropical, une ligne aérienne des Caraïbes qui assurait des allers et retours entre Miami et les îles, mais sa carrière avait tourné court. Les navettes entre Miami et Puerto Rico n'avaient rien d'exaltant, et Kruger n'était pas resté longtemps sous l'uniforme bleu ciel de la compagnie. Excédé d'attendre au parking l'autorisation de rouler, il avait un jour décroché sa ceinture et quitté son 727 en suggérant aux passagers de faire de même. Vingt-quatre heures après, il recevait sa lettre de licenciement.

Quelques années plus tard, il débarquait en Argentine. Le peso venait d'être dévalué, le pays était ruiné. C'était le moment de faire des affaires, avait pensé Roy, qui aimait se lancer dans des aventures un peu folles. Et il ne s'était pas trompé : tout était à vendre pour quelques dizaines de milliers de dollars. C'est ainsi qu'il avait débarqué dans cette région du monde.

L'Américain sauta du pick-up et aida l'homme qui l'accompagnait à décharger. C'était un gaillard aux cheveux noirs, bâti comme un roc, une force de la nature, chaleureuse et pleine d'entrain. Hector vous remontait le moral rien qu'en vous regardant, et il courait derrière toutes les filles !

Il souleva les dernières caisses de palourdes comme fétu de paille, les entassa près du bimoteur et sortit une liasse de billets crasseux pour payer le conducteur. Pendant la débâcle économique, Kruger avait acheté un restaurant à Buenos Aires, que son propriétaire ruiné lui avait vendu pour un prix ridicule, y joignant son Beechcraft 200 et un Cessna amphibie avec lequel il s'amusait le dimanche, sur le delta du Paraná.

Le coin abritait de somptueuses villas et de vieilles demeures patriciennes cachées par d'immenses saules pleureurs penchés sur le fleuve.

L'Américain fit le tour de l'avion, vérifia qu'il n'y avait pas de fuites d'huile et observa un Boeing de Lan Chile au décollage. Le trafic était réduit, mais l'aéroport de Puerto Montt était rutilant. Le Chili croulait sous les devises grâce à la flambée des cours du cuivre et se modernisait à toute allure. Un îlot de prospérité en Amérique latine, qui faisait dire fièrement à ses habitants qu'ils n'étaient pas latino-américains. De fait, il y avait presque autant de différence entre les Chiliens et leurs voisins qu'entre l'Europe et l'Afrique.

Kruger enleva les cales qui bloquaient les roues de l'avion et regarda le ciel blanc laiteux. Le Beech était pressurisé, mais il fallait toujours prendre garde à la météo, surtout à l'approche d'un front orageux. Le pilote d'un avion léger, même quand celui-ci, comme le gros Beech, est doté de puissantes turbines, regarde toujours le ciel.

On ne voyait pas souvent un patron de restaurant de Buenos Aires débarquer chaque semaine à Puerto Montt pour y faire ses emplettes de fruits de mer. Mais Kruger adorait passer chaque lundi la cordillère des Andes pour se poser dans cette région verdoyante du Chili, truffée d'îles et de bras de mer. On y trouvait d'incroyables *mariscos* qui faisaient les délices de son restaurant : des oursins dont on dégustait les langues par bols entiers avec du citron vert et de la coriandre, de gigantesques moules, d'énormes araignées de mer et d'autres mollusques si forts en iode qu'ils en devenaient parfois écœurants.

L'Américain alla récupérer dans le cockpit sa mallette Jeppesen[1] puis gratifia d'un clin d'œil Hector, qui rangeait dans la soute une caisse de congres.

— Fais les pleins pendant que je vais au bureau de piste... et prépare-toi au pire !

---

1. Les manuels Jeppesen, qui publient toutes les cartes et informations utiles au vol aux instruments, sont la bible des pilotes du monde entier.

Il éclata aussitôt de rire en voyant le visage de l'Argentin se décomposer. Hector, lui, sentit une crampe au ventre. On ne savait jamais si Roy s'amusait ou s'il parlait sérieusement, et Hector mourait de peur en avion. Même dans un gros-porteur, le décollage lui crispait l'estomac, et chaque changement de régime l'inquiétait.

« Prépare-toi au pire… » Kruger disait-il vrai ou s'amusait-il ? Hector n'eut pas le temps de scruter son visage : Kruger était déjà parti en direction du bureau météo.

L'employé était un petit bonhomme au regard si alerte qu'on cherchait toujours à savoir s'il ne se moquait pas de vous. Roy n'eut même pas besoin de lui demander le dernier TAF[1] de Buenos Aires ni la carte Temsi[2] : tout était prêt. Le prévisionniste, dont le torse dépassait à peine le comptoir d'accueil, lui glissa le dossier avec un sourire, sans rien dire, ce que Roy trouva curieux. En général, les gens de la météo trouvaient toujours un petit commentaire, donnant même parfois l'impression qu'ils regrettaient de ne pas être derrière le manche plutôt que d'effectuer les relevés de visibilité et de plafond.

La situation s'était dégradée, le front orageux avait avancé plus vite que prévu. Kruger étudia la carte, la confronta au TAF de l'Aeroparque, le city-airport de Buenos Aires, et réprima une grimace. Vent de 210 degrés pour 25 nœuds avec des rafales à 40 nœuds (21025G40KT). Visibilité horizontale de 700 mètres. Temporairement, en fin de journée, un plafond de 300 pieds avec de la pluie… et, le pire pour un avion en finale BKN 010 CB, une barrière de cumulonimbus : des nuages d'orage capables de casser les gros-porteurs, 747 ou autres, lesquels évitent soigneusement ces gros joufflus en forme de champignons, qui montent parfois à plus de 30 000 pieds.

L'employé scrutait chaque trait du visage de l'Américain. Partira, partira pas ?

— Pas fameux, laissa tomber Kruger.

---

1. Terminal Airport Forecast : prévisions météo des aéroports.
2. Temsi : carte indiquant le temps prévu pour une heure fixe.

Mais cela donnerait un peu de piquant au vol retour. Il ne connaissait rien de plus ennuyeux que de survoler la gigantesque Pampa et ses millions d'hectares de plaines herbeuses, ponctuées d'immenses ranchs à bétail où les bœufs grossissaient d'un kilo par jour. Vu d'avion, cela ressemblait à un épais tapis de laine jaunâtre un peu sale où de rares espaces boisés faisaient de grosses taches sombres.

— Et pas d'espoir que ça s'arrange avant plusieurs heures, compléta le météorologue. En début de soirée, peut-être...

Roy fit un rapide calcul. Il était 14 heures, et le vol sur Buenos Aires durait un peu moins de trois heures. D'ici là, le Río de la Plata commencerait à être en ciel de traîne et, jusqu'à la descente, le Beech au niveau 300 se moquait de la plupart des orages, qu'il pouvait en général éviter.

— On se déroutera en cas de problème. Ce ne sont pas les terrains qui manquent, dans le coin ! Mes oursins ne seraient pas contents de rester au chaud.

— ¿ *Erizos*[1] ?

Le prévisionniste regretta son air narquois. Un *gringo* qui aimait les *erizos* et en achetait de telles quantités ne pouvait être qu'un ami du Chili. D'ailleurs, il n'était pas argentin, ce qui était une qualité aux yeux des Chiliens !

— Jetons un coup d'œil aux TAF de Rosario pour avoir une idée plus précise de l'avancée du front.

Il disparut derrière une porte, et Roy se tourna vers la baie vitrée. Hector avait fini de charger les caisses de fruits de mer et surveillait les employés qui faisaient les pleins de carburant.

Chaque fois qu'il regardait son avion, Roy lui trouvait un air sympathique. Deux turbines PT6 de 850 chevaux, une carlingue dodue qui pouvait accueillir fret ou passagers. Les avions ressemblent aux êtres humains : il y en a de franchement laids – Kruger détestait les avions à aile haute, sauf son hydravion Cessna, qu'il bichonnait chaque week-end – et d'autres qui accrochent immédiatement le regard.

Ce Beech volait au-dessus du mauvais temps et se posait sur des pistes de terre de quelques centaines de mètres. 544 km/h

---

1. « Des oursins ? »

de vitesse de croisière, trois mille cinq cents kilomètres de distance franchissable. Il y avait toutefois un hic, qui procurait des sueurs froides à l'Américain : certaines aiguilles donnaient des indications erronées. Mais il fallait que ça tienne car Kruger n'avait ni les moyens d'acheter un bimoteur neuf, ni de changer tous les instruments de radionavigation.

Le TAF de Rosario confirmait les prévisions : quand ils arriveraient près de Buenos Aires, le gros de la perturbation se serait décalé sur l'Atlantique et l'approche ne poserait pas de problème.

Le prévisionniste lui demanda où il achetait ses oursins et hocha la tête en connaisseur quand Kruger lui répondit que c'était chez le *guatón*. On aime en Amérique latine dénommer familièrement autrui par sa morphologie : le mince, le noir, le petit, le grand… Le *guatón* était « le gros », un mareyeur qui flirtait avec les 120 kilos et passait pour le meilleur vendeur de mollusques du coin. Il servait dans une annexe du ragoût de porc au poulet et aux fruits de mer.

Le météorologue aurait pu lui tenir la jambe encore une demi-heure, mais Roy rangea les cartes météo dans sa mallette et prit congé.

L'avionique des 727 qu'il pilotait chez Tropical leur permettait de se poser presque par n'importe quel temps. Les cyclones étaient le seul véritable danger, mais on suivait leur trace plusieurs jours à l'avance et, comme les autres compagnies, Tropical annulait ses vols si nécessaire.

Kruger, avec son bimoteur, avait plus de contraintes, mais il était plus amusant de faire son marché au bout du monde que d'assurer dix allers et retours par jour entre la Floride et les Caraïbes.

L'Américain se sentait bien en Amérique du Sud. Les Chiliens avaient beaucoup d'humour et les pêcheurs des mers glaciales lui rappelaient les pilotes de brousse. Ils sentaient le vent, observaient les éléments et éprouvaient un pincement au cœur en revenant au port. Les Argentins détestaient les Chiliens et se prenaient pour les rois du continent ; les Péruviens estimaient qu'ils parlaient l'espagnol le plus pur, mais les Colombiens prétendaient que ce titre leur revenait ; les

Brésiliens promettaient depuis des décennies qu'ils allaient devenir une grande puissance… Tous ces pays se querellaient tout en se faisant de grandes déclarations de fraternité, mais du Mexique à la Terre de Feu régnait une extraordinaire joie de vivre.

Kruger marcha vers l'avion où Hector s'était déjà installé, écœuré par l'odeur de marée qui emplissait la cabine. L'Argentin détestait tout ce qui provient de la mer. Pour lui, rien n'égalait, au panthéon des délices culinaires, un quartier d'entrecôte à la braise. On est *porteño*[1] ou on ne l'est pas.

Hector, né à Buenos Aires, ne pouvait imaginer habiter ailleurs que dans ce paradis latino-américain amoché par la crise économique, mélange de vieille Europe et de fougue latine, estimant avec raison que la viande argentine était la meilleure au monde. Mais Roy, c'est vrai, avait eu du nez en ouvrant ce restaurant de poissons.

La Posada del Mar : l'Auberge de la mer. Quand l'Américain lui avait proposé le job, Hector n'y avait pas vraiment cru, mais le salaire était tentant : deux fois plus que ce qu'il touchait comme maître d'hôtel à la Biela, la meilleure terrasse de Buenos Aires. Le *gringo* comprenait vite. Ils avaient discuté deux fois en tête à tête, et Roy lui avait vendu son nouveau poste. Adjoint du *gringo*!

Quarante tables, ambiance brasserie chic, fermeture le lundi pour aller faire les emplettes de l'autre côté des Andes. Le restaurant ne désemplissait pas. Hector se disait que le poisson était une nourriture de mauviette, mais qu'il remplissait mieux les caisses que les pièces de viande. Oui, Roy avait eu raison.

Un curieux personnage, ce *gringo*! Hector avait réussi à savoir que son grand-père, natif du Baden-Würtemberg, avait quitté l'Allemagne entre les deux guerres, mais un halo mystérieux entourait le reste. Pourquoi diable un pilote américain travaillant aux États-Unis pour une compagnie régulière avait-il renoncé à un avenir assuré pour venir s'installer sur le Río de la Plata ? Chaque fois que l'Argentin avait cherché une réponse, Kruger avait esquivé.

---

1. Habitant de Buenos Aires.

Une seule chose était sûre : le pays lui plaisait. Hector l'avait souvent vu fermer la Posada avec Jane, un mannequin anglais aux cheveux courts, dont le frère, Marc, était correspondant d'Europa News, une agence de presse européenne.

Kruger grimpa à bord du Beech, verrouilla la porte et s'installa derrière le manche. L'Américain se sentait toujours du baume au cœur au moment de monter dans l'appareil. Il caressa la manette de puissance, jeta un coup d'œil aux instruments. Les sièges du pilote et du copilote sentaient le vieux cuir, comme la reliure du premier manuel Jeppesen que son père lui avait offert pour fêter sa qualification de vol aux instruments. Roy se sentait chez lui dans ce cockpit.

Le ciel avait viré au gris et des gouttes de pluie commençaient à tomber. La température avait baissé en quelques minutes. En place droite, la ceinture attachée, Hector n'en menait pas large.

— Ne t'inquiète pas, lui dit Roy en affichant la fréquence sol pour demander la mise en route, ce ne sont pas des nuages d'orage !

Inutile de l'effrayer en lui précisant qu'à l'arrivée à Buenos Aires la situation serait plus compliquée…

Roy se reprochait parfois d'aimer se jeter ainsi dans le pétrin. Cela lui avait d'ailleurs joué des tours par le passé, mais il s'en était toujours tiré. Peut-être avait-il une bonne étoile, un talent spécial pour en sortir indemne ? En tout cas, le jour où la chance l'abandonnerait, du moins mourrait-il avec le sentiment d'avoir vécu pleinement, en remettant les gaz dans une existence sans cesse renouvelée.

Pour l'heure, tout était parfait : les fruits de mer étaient une denrée rare à Buenos Aires, le restaurant marchait bien, les filles étaient charmantes et le vin rouge de Mendoza, bien charpenté, sans oublier ce bel avion blanc qui dévorait ses dollars.

Le contrôleur de Puerto Montt lui donna l'autorisation de se mettre en route et Kruger afficha les fréquences radio. 118,1 pour la tour qui gérerait son roulage jusqu'au décollage, l'approche sur 123,7, puis il passa aux aides à la radionavigation, le VOR[1] de

_____
1. Moyen de radionavigation.

24

Puerto Montt, qu'il identifia par son indicatif morse, puis celui de Bariloche, à l'est, première balise en Argentine. De là, il remonterait vers le nord, au-dessus de la couche de nuages, vers Bahia Blanca et Buenos Aires.

Dans les avions de la Tropical, les plans de vol étaient gérés par ordinateur. Le commandant de bord vérifiait seulement qu'ils correspondaient bien aux conditions du jour. Avec ce vieux Beech, c'était du pilotage aux instruments de base, plus amusant – plus stressant aussi, puisque les fonctions n'étaient pas toutes automatisées. Mais c'était le pilotage qui intéressait Roy ! Il ne faisait jamais ses approches au pilote automatique, mais maintenait l'avion sur l'axe de l'ILS[1] avec de petites pressions sur le manche. Du grand art, et le plaisir de se remettre perpétuellement en question.

Ce dernier point le fascinait. L'avion était une école de vie. Ne jamais s'endormir sur ses acquis, toujours chercher à s'améliorer… Mais c'était également son point faible : repousser perpétuellement ses limites et s'aventurer sur des terrains inconnus pouvait coûter très cher dans des pays où les plaies du passé demeuraient sanguinolentes.

L'Américain commença sa check-list. Commandes dans le bon sens, poussoir de frein enclenché, manettes de puissance au ralenti, commandes d'hélice en drapeau, switch de carburant sur auto. Il connaissait le manuel de vol presque par cœur, mais le suivait pourtant du doigt ligne par ligne pour être sûr de ne rien oublier.

D'une pression sur le bouton de démarrage, la turbine du moteur droit commença à siffler. Carburant à 12 % de N1[2], switch de démarrage sur off à 50 %. Un coup d'œil sur le tableau de bord. Tous les paramètres étaient OK. Kruger appuya sur la touche de son micro.

— Prêt à rouler Zoulou Romeo Tango.

— Roulez vers la 35 Romeo Tango, et rappelez au point d'attente.

---

1. Instrument Landing system : système d'atterrissage aux instruments.
2. Vitesse de rotation turbine.

L'Américain collationna[1] et poussa la manette des gaz. Le vent venait du nord. Kruger obliqua vers le taxiway alpha et s'arrêta pour copier la *clearance*[2] avant de s'engager sur la piste.

— Montée dans l'axe, virage par la gauche sur Mike Oscar November, puis direct Calbu. Rappelez atteignant 2 000 pieds.

Kruger aligna le Beech sur la 35 et poussa la manette des gaz.

C'était toujours un moment magique. La piste. Le ciel. Les rugissements des moteurs qui vous arrachent du sol. Roy ne se lassait jamais, quand le ciel était sombre, de voir l'avion percer la couche grise et déboucher sur un déluge de ciel bleu.

Hector, qui pouvait parfois se montrer franchement inquiet, serra sa ceinture et écouta les moteurs prendre de la puissance. Il se souvint de ce soir où l'Américain avait traîné avec lui dans l'avenue Rivadabia en direction d'une boîte de nuit. Deux loubards les avaient attaqués, armés de couteaux. Roy avait tordu le bras du premier puis cassé d'un coup de pied les incisives du second. Les malfrats avaient pris la fuite sans demander leur reste. Hector en était resté bouche bée.

Pour quelqu'un qui n'aimait pas le stress, Roy Kruger se débrouillait décidément comme un expert dans les environnements dangereux. Qui était vraiment ce *gringo* aux yeux bleus ?

---

1. Répéta les instructions. On répète toujours les instructions des contrôleurs pour éviter des erreurs d'écoute.
2. Instructions de vol.

3

Le ventilateur soufflait un air tiède. Dans la vieille Renault, l'atmosphère était étouffante. La route traversait la Pampa sur des centaines de kilomètres, et les pâturages s'étiraient à perte de vue, parfois coupés par des chemins de terre qui formaient des figures géométriques.

Installé sur la banquette arrière, Luis confectionna un petit oreiller avec la cagoule qui avait emprisonné la tête du vieux, puis il ferma les yeux pour se concentrer sur la suite des opérations. Si le maçon avait dit vrai, il serait bientôt riche, mais il lui faudrait quitter le pays sans tarder. Depuis plusieurs jours qu'il se répétait la même chose, il ne trouvait pas de solution.

L'odeur rance du tissu de jute et les caprices des vieux amortisseurs de la voiture exaspéraient Luis. Il essaya plusieurs positions, puis, écœuré par l'émanation de suint, jeta la cagoule par la fenêtre et enleva sa veste pour en faire un coussin.

Tous les policiers d'Argentine allaient être à ses trousses – et pas seulement les policiers, d'ailleurs. À cette pensée, Ortega eut un petit sourire. Oui, tous les Argentins allaient lui courir après, mais personne ne le rattraperait et ce serait sa revanche, un mémorable pied de nez à ce pays qui lui avait gâché la vie.

Luis, qui avait servi les militaires pendant la dictature, estimait avoir été grugé. Il avait torturé pour eux, il avait tué, mais qu'avait-il gagné, sinon plusieurs années d'exil, alors que des milliers de personnes aussi coupables que lui s'étaient rempli

27

les poches ? Heureusement que la Hermandad, une association de bienfaisance créée pour venir en aide aux gens comme lui, l'avait soutenu. Il avait ainsi pu monter cette agence de sécurité qui le faisait vivoter depuis quelques années.

Les deux hommes s'arrêtèrent pour prendre de l'essence et boire un café. Ortega y ajouta un petit verre de cognac. L'alcool le plongea dans un demi-sommeil.

Depuis qu'ils avaient pris la route, le rouquin, derrière le volant, n'avait pas fait de commentaire sur le vieux, ni cherché à savoir ce qu'il avait dit à l'oreille de Luis. Il avait rendez-vous avec une fille et hâte de rentrer à Buenos Aires pour prendre une bonne douche. Son pantalon taché de sang sentait la vache.

— Il doit pas peser plus de 50 kilos, s'était-il contenté de dire en jetant son corps dans un trou.

Puis il avait fait le signe de croix en balançant la dernière pelletée de terre. Un mort est toujours un mort. Le chef, lui, s'était assis à l'ombre d'un arbre, une cigarette aux lèvres, et avait ricané quand Patricio avait esquissé une génuflexion.

La radio beuglait les commentaires d'un match de football entre Boca Juniors et Independiente, et une attaque manquée de Palacio réveilla Ortega au moment où la voiture entrait dans les faubourgs de Buenos Aires.

De petites maisons sales et tristes voisinaient avec des bidonvilles où les policiers n'osaient plus pénétrer. Des panneaux publicitaires géants sur lesquels posaient de magnifiques blondes garnissaient les bas-côtés. Comme une carriole de chiffonniers leur coupait la route, le rouquin déversa un tombereau d'injures sur le grand escogriffe qui fouettait son cheval. Comme ces dizaines de milliers de récupérateurs de déchets qui sillonnent les rues de Buenos Aires, l'homme était à la recherche de papier et de plastique.

Ortega ouvrit les yeux :

— Dépose-moi au bureau. Et garde la voiture.

Il fouilla dans sa poche, lui tendit dix pesos[1], et le rouquin se confondit en remerciements tandis que la Renault continuait

---

1. Un peu plus de trois dollars au moment où se déroule l'action, c'est-à-dire assez pour se payer une entrecôte et deux bières…

sa route en direction du centre-ville. Il allait se trouver une fille et la sauter sur la banquette arrière avant de se taper un bon steak et quelques bières.

Les Argentins étaient des noctambules. Le quartier de Corrientes, passé de mode au cours des dernières années, attirait encore les amateurs de théâtre et de cinéma. Les trottoirs illuminés par les fast-foods et les boutiques de fringues grouillaient de monde. Luis avait son bureau dans Florida, une artère piétonnière coupant l'avenue à angle droit.

Ortega détestait la faune qui envahissait la rue, pavée de petits carreaux noir et blanc qui commençaient à se dégrader. Les grandes marques vendaient en Argentine trois ou quatre fois moins cher que dans le reste du monde, de sorte que les étrangers se ruaient dans les magasins, tandis que les vendeurs à la sauvette pourchassaient des hordes de touristes croulant sous les achats.

Construit dans les années 1970, l'immeuble d'Ortega était orné d'une entrée monumentale encadrée de deux colonnes doriques en marbre. Les bureaux étaient loués par des professions libérales de seconde zone – comptables, avocats ou courtiers d'assurance – qui n'avaient pas les moyens de s'installer dans les immeubles ultramodernes de Puerto Madero, le nouveau quartier d'affaires construit sur les anciens docks.

Luis passa à côté d'un groupe de danseurs de tango qui démarraient un spectacle de rue, puis poussa le portail en verre de l'immeuble, barré de motifs en cuivre. Protector était au 4-34 – quatrième étage, bureau 34. Sur la porte figurait un écusson doré, un glaive entouré de deux ailes d'aigle. Le palier aurait eu besoin d'un bon coup de peinture, et les portes des bureaux, en bois sombre, étaient elles aussi sinistres.

L'ascenseur s'arrêta dans un hoquet. Ortega se renfrogna en refermant la grille. Un grand gaillard l'attendait sur le palier : Bruno Casaletti, un flic de la police de Buenos Aires auquel il versait régulièrement des pots-de-vin.

Avec son mètre quatre-vingt-deux, dans son costume pied-de-poule avec pochette, Casaletti, trente-cinq ans, dont les arrière-grands-parents avaient émigré de Calabre, affichait une parfaite dentition, un sourire éclatant et des yeux bleus. Il riait souvent, avait tendance à taper sur l'épaule de son interlocuteur, à faire des plaisanteries.

Mais Ortega détestait les familiarités. Hormis les vagues sur la mer et les poissons qui gigotent dans les filets, Luis n'aimait personne.

— Je passais, dit le flic.

Ortega déverrouilla la porte et fit signe à Bruno d'entrer. Son bureau se trouvait au bout d'un petit couloir de linoléum marbré. Les murs étaient garnis d'étagères où s'alignaient d'énormes ouvrages juridiques reliés en cuir noir que personne ne consultait jamais. Accrochés au mur, des diplômes sous verre certifiaient que l'agence bénéficiait de toutes les autorisations légales.

Un énorme poisson empaillé, d'une dizaine de kilos, trônait sur un classeur. Luis regardait souvent dans les yeux ce *dorado* du Paraná et lui trouvait, selon les jours, une expression hostile ou chaleureuse ; parfois même, le tortionnaire lui exposait ses états d'âme, et il lui arrivait de penser que le poisson compatissait ou, au contraire, lui battait froid. Un jour que Luis lui avait trouvé un air moqueur, le *dorado* avait failli atterrir dans la poubelle.

Luis n'avait pas l'intention de moderniser ses installations : il ne travaillerait plus longtemps dans ce gourbi, et surtout ses clients n'avaient pas besoin d'un cadre high-tech pour lui confier leurs problèmes. Il traitait des dossiers de filatures, menait des enquêtes de respectabilité, recrutait des vigiles pour des maisons particulières ou de petites entreprises et, avec le rouquin et d'autres gros bras, assurait la protection rapprochée d'hommes d'affaires.

— Assieds-toi, grogna Luis en mettant en marche le climatiseur, qui démarra dans un bruit de ferraille. Je reviens de province.

Casaletti l'avait immédiatement compris : de petites taches de boue maculaient le bas de son pantalon et ses chaussures n'étaient pas propres. Avec tous les cireurs qui proposaient leurs services rue Florida, Luis devait être sacrément pressé ; or, un homme pressé, tous les policiers le savent, est un homme tracassé.

Ortega alluma le néon et descendit le store. La fenêtre donnait sur une cour, et, comme Buenos Aires fourmillait d'organisations de droits de l'homme qui cherchaient à mettre la main sur des gars comme lui, il valait mieux être prudent : quelqu'un était peut-être posté derrière l'une de ces lucarnes pour le prendre en photo au 300 mm et comparer ensuite le cliché avec des documents d'archives.

Casaletti, qui donnait toujours l'impression d'être gêné par sa grande taille, déplia ses jambes et gratifia Luis d'un généreux sourire. Ses dents étaient-elles naturelles ou bien s'était-il fait visser de superbes implants ? Luis n'avait jamais osé poser la question, mais elle lui brûlait les lèvres chaque fois qu'il retrouvait le flic.

Bruno réajusta sa pochette de soie rouge.

— Du nouveau ?

Casaletti venait à la pêche. On l'appelait commissaire, mais il était en réalité commissaire adjoint, et touchait un salaire de misère, tout juste de quoi financer ses achats de fringues. Cravates Hermès, pull-overs en cachemire et costumes sur mesure arrachés à quelque boutique de la ville avec 50 % de réduction en contrepartie de quelque passe-droit.

Dans la police argentine, les commissaires palpaient ; les autres ramassaient et prenaient un pourcentage. Casaletti avait bien monté quelques affaires à part, mais sans jamais aller bien loin. Il habitait un trois-pièces miteux de San Telmo, passait ses vacances à Mar del Plata, chez sa vieille tante, et n'était jamais allé plus loin qu'en Uruguay, à une demi-heure d'avion.

Ortega lui avait laissé entendre quelques semaines auparavant qu'il aurait besoin de lui. En général, il lui disait tout de suite ce qu'il souhaitait, souvent des renseignements sur les expatriés qui s'installaient à Buenos Aires et à qui il proposait une protection rapprochée. Là, comme il n'avait rien dit, Casaletti était intrigué.

— Ça avance, dit Ortega en apportant une bouteille de cognac et deux verres.

Luis, qui était naturellement avare de ses mots, avait en outre été pris de court par l'arrivée impromptue de Bruno. Il comptait l'appeler le lendemain ou le surlendemain, après

31

avoir réfléchi à ce qu'il allait lui dire, mais l'autre avait débarqué sans lui laisser le temps d'étudier un scénario.

Casaletti risqua un sourire complice, mais Ortega le fixa avec une expression glaciale. Bruno s'arrêta net. L'homme le mettait mal à l'aise, d'autant qu'il avait en vain cherché à savoir qui il était : les archives de la police demeuraient muettes à son sujet. Tous les patrons des agences de sécurité étaient pourtant soigneusement répertoriés dans un fichier informatique : âge, lieu de naissance, adresse, professions exercées, tout y passait. Mais rien concernant Ortega. Juste son nom, le numéro de sa licence et l'agrément de Protector.

Le fichier informatique avait été établi quatre ans plus tôt sur la base de fiches papier. Bruno avait eu beau descendre aux archives, il n'avait rien trouvé là non plus. Plusieurs Ortega étaient recensés, mais pas de Luis, comme s'il n'avait pas eu d'existence légale avant la numérisation des données. Son identité avait été comme oubliée, avant de réapparaître par miracle sur les disques durs.

Il y a une magouille, s'était dit Casaletti. Mais un pays sans magouilles n'aurait pas été propice aux affaires…

— J'aurai besoin de toi bien sûr, pour cette affaire, ajouta rapidement Ortega.

Le tortionnaire n'avait pas le choix : il avait fait la connaissance de Casaletti à l'occasion d'une affaire d'escroquerie aux assurances, et c'était le seul flic qu'il « tenait ». Luis assurait le gardiennage d'entrepôts de chaussures régulièrement dévalisés par leurs propriétaires pour toucher les primes d'assurance, et Casaletti, chargé de l'enquête, avait accepté contre un pot-de-vin de mettre ces attaques sur le compte d'une bande de Paraguayens. Les propriétaires, deux Argentins d'origine syrienne, n'avaient pas été inquiétés.

Désormais, Luis tenait donc le flic, mais il s'était bien gardé de le lui faire sentir, s'efforçant même de le persuader du contraire. Casaletti, content de lui, était tombé dans le panneau, convaincu qu'il tenait Ortega et que Luis ne pourrait que l'inviter à participer à toutes les affaires juteuses dont il aurait vent.

— Imaginons, commença Ortega, que j'aie besoin de sortir rapidement quelque chose du pays.

— Travailler à Ezeiza[1] est devenu compliqué, si c'est ça qui t'intéresse. Les Américains voient des islamistes partout et les collègues mènent parfois des opérations coup-de-poing pour leur faire plaisir. Par contre, s'il s'agit de fric, je connais un changeur sur Corrientes qui peut t'arranger ça. Il prend 10 % pour te virer l'argent à Hong Kong sans aviser la Banque centrale.

Comme Luis ne réagissait pas, Bruno reprit :

— Ça serait plus simple si tu me donnais quelques détails…

— Peu importe la marchandise. Disons que ça devrait tenir dans deux ou trois sacs. Et pas question de les expédier en bagage accompagné, je les convoierai moi-même.

— Avec une chaînette au poignet ? Je plaisante, bien sûr ! Redonne-moi donc un peu de cognac. Tu n'en reprends pas ?

— Non, j'ai du travail.

— Je comprends. Pour ton affaire, j'opterais plutôt pour un aéroport de province, mais il me faudrait un délai pour organiser tout ça. Les gars me demanderont de quoi il s'agit, pour évaluer leur pourcentage…

Ortega le coupa net.

— Combien de temps ?

— Comment ça ?

— Ma question est pourtant claire : en combien de temps tu pourrais préparer le terrain ?

— Une quinzaine de jours au minimum, à condition de ne pas avoir d'a priori sur l'aéroport.

— C'est beaucoup trop long ! Je vais récupérer la marchandise dans un jour ou deux et, entre le moment où je toucherai le chargement et celui où il quittera le pays, il ne devra pas s'écouler, disons, plus de six heures.

Soudain, un coup de tonnerre claqua dans la nuit et une bourrasque de vent ouvrit la fenêtre. Des déluges d'eau s'abattaient sur la ville, des cris résonnèrent dans la cour, des portes claquaient, des vitres se brisaient.

Ortega se leva pour refermer les vantaux et baisser le store.

---

1. Principal aéroport international de Buenos Aires.

— Six heures, pas plus !

La lumière diminua.

— Parce que toute la ville sera bloquée dès que la nouvelle sera connue...

Ortega jubilait intérieurement. Ce crétin de flic ne pouvait pas imaginer de quoi il s'agissait : s'il s'était douté de quelque chose, il aurait immédiatement déclaré forfait.

— Tu n'as quand même pas l'intention de t'attaquer au Banco de la Nación ? Encore que, dans ce cas précis, ça ne vaut peut-être pas le coup de courir après les malfrats...

Les *Porteños* racontaient en effet que les braqueurs de banque étaient au chômage puisque les coffres étaient vides. La plaisanterie, à la mode dans les rues de Buenos Aires depuis quelque temps, ne dérida pas Ortega.

Casaletti commençait à être agacé : Gordito – le « petit gros », le surnom qu'il donnait à Ortega – était visiblement sur un coup énorme, mais il n'arrivait pas à le faire parler. Si Luis avait été un pickpocket interrogé au commissariat, il se serait détendu en lui flanquant des gifles, mais cet homme trapu enfoncé dans son fauteuil n'avait rien d'un petit voleur à la tire. Ortega lui faisait même peur, parfois.

Pour la première fois de sa vie, le flic eut une vision horrible. Peut-être n'était-il finalement qu'un minable, juste assez malin pour se financer une belle garde-robe, alors que des tas d'escrocs roulaient en BMW... Pourtant, il avait pris récemment du galon. Il avait été muté au commissariat de Recoleta, l'un des quartiers chic de Buenos Aires, pour élucider les braquages d'appartements, et Santos, le ministre de l'Intérieur, l'avait reçu en grande pompe avec d'autres officiers de police pour les féliciter de leur lutte contre la corruption.

— Tout Buenos Aires sera bloqué.

Et Casaletti passerait à côté de cette affaire...

— Qu'est-ce que tu marmonnes ?

— Je réfléchissais, *che*, à ton problème. Tout Buenos Aires bloqué, des flics partout, les sorties sud, nord, ouest, est avec des barrages, les aéroports sous surveillance. Il resterait le port, mais bon, *che*, tu as dit six heures, pas plus, alors un cargo qui partirait le jour dit avec un équipage, un transitaire ou je ne

34

sais qui, que l'on pourrait motiver... Autant chercher une aiguille dans une botte de foin !

Casaletti tenta de sourire pour prouver qu'il avait la situation bien en main, mais le mouvement se bloqua. Il étira sa jambe.

Bon Dieu ! pourquoi ne trouvait-il pas le moyen d'entrer dans l'affaire ?

— Le port ? Tu as parlé du port ?

— Oublie, Luis. C'est trop compliqué, trop long à mettre en place. Pourquoi tu repenses à ça ?

— Mon oncle a plus de quatre-vingts ans.

Cette fois, Casaletti était complètement dans le brouillard. Son oncle ? Pourquoi diable Luis lui parlait-il de son oncle ?

Ortega maintenait son regard baissé. Il tapota machinalement son verre de cognac, puis la table. Cinq coups en séquence, trois rapides et deux plus espacés, comme s'il était excédé et souhaitait en finir rapidement. Il releva la tête :

— Il vit dans une villa sur les bords du Paraná, a cinq cents kilomètres au nord de Buenos Aires. Son unique préoccupation consiste à regarder sous les jupes des domestiques. Bref, il ne se posera aucune question si je débarque chez lui pour vingt-quatre ou quarante-huit heures afin d'organiser mon passage au Paraguay.

Le Paraguay, Bruno, le Paraguay ! Pour gagner du temps et lui tirer les vers du nez, Casaletti fit semblant de comprendre où Ortega voulait en venir. Une chose était sûre : s'il espérait négocier sa « marchandise », le Paraguay était l'endroit idéal. Armes, drogues, cigarettes, on trafique de tout, dans ce pays ! Les États-Unis perdaient chaque année des dizaines de millions de dollars à essayer d'y mettre un terme.

— La villa est en bordure du fleuve, construite par des Allemands, dans le style chalet bavarois, avec des murs en adobe recouverts de bois blanc. La chaleur est étouffante en été.

Ortega donnait l'impression de réfléchir sous hypnose. Le policier se dit qu'il allait peut-être finir par lâcher un élément sur ce « quelque chose » qu'il voulait exfiltrer en quelques heures de Buenos Aires, mais Luis s'arrêta net.

— Il faudrait trouver un moyen d'arriver rapidement là-bas, mais il n'y a pas d'aéroport dans les environs. Reste le fleuve, le Paraná.

Casaletti approuvait de la tête, comme s'il écoutait une leçon de géographie.

— Tu n'as pas compris ?

— *Che !* Luis, que veux-tu que je fasse ? Je n'ai pas de bateau ! Et même si je pouvais en trouver un, je ne pense pas que tu acceptes de perdre quinze jours à remonter le fleuve.

Il hésita sur le ton à prendre.

— Avec ton chargement...

Tout allait trop vite. Il passa un doigt sous son col de chemise et se leva pour jeter un coup d'œil par la fenêtre. La pluie continuait de ruisseler, et il n'avait pas de parapluie. Il était pourtant important de ne pas mouiller ses escarpins en veau.

— Tu as réfléchi ?

— À ton problème ?

— Bien sûr ! De quoi on parle, tu crois ?

Casaletti eut envie de lui claquer la porte au nez. « As-tu une idée ? As-tu une idée ? » C'est énervant, d'être traité comme un écolier le jour d'un examen !

— Eh bien ! moi, j'ai trouvé ! dit Luis. J'aurai besoin d'un avion... non... d'un hydravion, avec un pilote assez crétin pour m'embarquer avec la marchandise. Débrouille-toi pour m'en trouver un !

Ces engins volent à moins de 200 km/h, du moins les plus petits d'entre eux : en trois heures de vol, il serait sur place. Pas besoin de piste d'atterrissage, on se poserait sur le fleuve. À cet endroit, le Paraná n'était pas très fréquenté, et le pilote n'aurait même pas à refaire le plein pour retourner à Buenos Aires. On retrouverait son cadavre sur les berges, à côté des débris de son appareil, et personne ne saurait jamais dans quelle direction Ortega avait pris la fuite.

— Débrouille-toi, conclut Luis, et tu auras ton pourcentage.

Le flic rengaina son amour-propre et le gratifia d'un grand sourire. Bien sûr, il allait se débrouiller pour lui trouver un pigeon, mais il était quand même gênant de ne pas savoir ce qu'il tramait ! Il se leva, fit quelques pas en direction de la porte, puis se retourna en entendant les déluges de pluie qui frappaient la vitre.

— J'oubliais, Luis... C'est idiot de te demander ça, mais... tu n'aurais pas un parapluie ?

4

Le Beech ronronnait à 30 000 pieds au-dessus de la cordillère des Andes. Neiges éternelles, pics glacés perçant les nuages, l'impression de faire du rase-mottes sur les montagnes. Les turbulences secouaient le bimoteur comme fétu de paille.

Puis ce fut la Pampa : cap vers Buenos Aires. Pas un seul relief sur des centaines de kilomètres, tout au plus quelques marécages ou de petits lacs que l'on ne distinguait même pas du cockpit, sauf quand le soleil se réfléchissait sur l'eau.

Depuis le décollage à Puerto Montt, le temps s'était dégradé : un trou noir, battu par l'écume de petits cumulus crasseux, avait remplacé l'immense plaine sous les ailes de l'appareil. L'aiguille du VOR d'Ezeiza oscillait sans aucune explication depuis plusieurs dizaines de minutes sur le cadran. Roy s'énerva. Cette maudite aiguille n'avait aucune raison de bouger, surtout pas à ce rythme ! Mais elle bougeait de droite à gauche, de gauche à droite, alors qu'elle aurait dû rester bien au centre, asservissant le pilote automatique qui maintenait l'avion sur les voies aériennes.

Le VOR semblait être un instrument de navigation tout simple quand on en expliquait le mécanisme aux passagers, mais Roy se souvenait encore des dizaines d'heures passées au simulateur pour maîtriser son fonctionnement : l'aiguille du cadran reste centrée si l'avion ne dévie pas de sa route, mais, plus on approche de la station, plus elle « gigote », et plus les corrections de cap doivent être faibles. Mais Kruger était encore loin de la station, en l'occurrence le VOR de l'aéroport d'Ezeiza. Pourquoi l'aiguille s'affolait-elle ainsi ?

Hector, aux aguets, avait perçu que quelque chose énervait son patron.

— On a un problème ?

— Le VOR numéro 1, mais on se débrouillera !

Roy surveillait en permanence un cadran rond sous l'horizon artificiel, une rose des caps avec l'indication de la route suivie par l'avion et deux boutons de réglage, l'un pour le cap, l'autre pour l'axe magnétique.

Le technicien de la station de maintenance radio avait suggéré à Kruger de changer tout l'équipement, moyennant plusieurs milliers de dollars pour un seul appareil – et encore, pour du matériel reconditionné... L'Américain lui avait demandé de tout repasser au banc d'essai.

Quand il apprend que quelque chose ne fonctionne pas, un passager dans le cockpit, à côté du commandant de bord, a deux possibilités : soit il fait l'autruche et cherche à en savoir le moins possible – les explications techniques lui échapperaient de toute façon –, soit il bombarde de questions le commandant pour essayer de se rassurer. Hector, qui hésitait entre les deux options, choisit finalement le silence. Il avait effectivement envie d'en savoir le moins possible, mais, surtout, Roy s'énervait quand on le dérangeait dans des phases délicates.

Le Beech n'était plus de première fraîcheur. Les turbines avaient encore trois cents heures de potentiel, mais le reste donnait des signes de faiblesse. Il aurait fallu tout changer – l'avionique, le pilote automatique... –, mais il avait déjà fait une belle affaire en achetant l'avion avec le restaurant : récemment, il avait vu dans *Plane and Pilot* un avion de la même année en vente à plus d'un million de dollars !

Certes, on ne peut pas gagner sur tous les tableaux, mais la situation était tout de même rageante. Si ça continuait, l'avion allait être immobilisé, et Roy refusait de penser à cette éventualité. Non seulement il n'avait jamais pu envisager sa vie sans avion, mais il n'acceptait pas qu'un obstacle puisse venir contrecarrer ses projets. Ainsi, dès qu'il avait été lassé de la Tropical, il était parti, et, quand il avait voulu refaire sa vie en Argentine, il l'avait fait. Il était hors de question que le Beech lui claque dans les mains sans crier gare : c'est lui qui conduisait sa vie comme il l'entendait, et les aléas de l'existence ne lui feraient jamais renoncer à quoi que ce soit. D'une manière ou d'une autre, il réglerait le problème !

Hector observait désespérément les cadrans.

— Pourquoi tu fais cette tête ? demanda Kruger, soudain ragaillardi par l'aiguille de nouveau immobile.

Un terrible casse-tête, ces pannes aléatoires ! *Porquería de tiempo*[1] *!* on aurait pu attendre que le front se dégage... Le Stormscope[2] était constellé d'échos d'orages signalés sur l'écran par des taches sombres. Le front froid au-dessus de Buenos Aires avait avancé moins vite que prévu et, dans une vingtaine de minutes, le Beech serait obligé de descendre dans la crasse. Sale temps, décidément.

Les « rampants », ceux qui n'ont jamais piloté, pensent souvent que les pilotes n'ont jamais peur. « Oui et non », répondait Kruger chaque fois qu'on l'interrogeait. En fait, ils n'ont pas le temps d'avoir peur, occupés qu'ils sont à résoudre les problèmes. C'est au parking, au moment d'éteindre les moteurs, que les pilotes se disent parfois qu'ils l'ont échappé belle.

Kruger afficha sur l'une des radios la fréquence de l'ATIS[3] de l'Aeroparque. « Piste en service 13, visibilité 800 mètres, plafond 300 à 200 pieds, 3 huitièmes de CB – des nuages d'orage... » Pas facile de tout noter, avec le contrôle de Buenos Aires en arrière-fond qui égrène ses instructions aux avions en approche. On appelle ça « écouter en transparence », mais il faut une longue expérience avant d'y comprendre quelque chose.

---

1. « Quel sale temps ! »
2. Radar embarqué indiquant la localisation des décharges électriques, donc des orages.
3. Service automatique d'informations de zone terminale qui transmet sur une fréquence propre à chaque aéroport des informations météo, la piste en service, etc.

En raison du mauvais temps, les avions qui volaient dans cette zone demandaient des changements de cap.

— Austral 412, pourrait-on prendre 20 degrés à droite pour éviter un cunimb[1] ?

— Austral 412...

Le contrôleur réfléchissait devant son écran.

— Ça devrait aller, mais j'ai un autre trafic... Prenez plutôt 30 degrés à droite.

— 30 degrés droite, Austral 412.

Hector, la tête enserrée dans son casque Clark, n'en perdait pas une miette. Il ne comprenait pas grand-chose, mais savait que, quand Kruger arrêtait de plaisanter, c'est que les choses se compliquaient. L'Américain avait l'air tendu. Hector voulut lui parler, mais Roy l'interrompit d'un mouvement de la main.

— Zoulou Romeo Tango, descendez niveau 200, rappelez atteignant !

C'était l'indicatif du Beech.

Roy collationna, régla le pilote automatique sur un taux de descente de 2 000 pieds-minute, et l'avion baissa le nez, secoué par de sérieuses turbulences.

Hector vérifia que sa ceinture était bien serrée et décida de ne plus regarder par le hublot. Le plus angoissant était ces nuages noirs qui entouraient l'avion, et le Stormscope constellé de taches ne lui remontait pas le moral. L'appareil permettait de lire sur son cadran les altérations de cap nécessaires pour éviter les cumulonimbus, mais tout était bouché par le front orageux.

Les yeux toujours rivés sur ses cadrans, Roy ne disait rien, écoutant la météo qui diffusait un Sigmet, un message d'urgence : « Sommet de la ligne d'orage à 40 000 pieds, averses de pluie, risque de grêle et rafales locales atteignant 50 nœuds. Givrage et forte turbulence avec intensification jusqu'à 0 h GMT. »

Précisément l'heure à laquelle ils avaient prévu d'atterrir à Buenos Aires... La ligne d'orage se déplaçait vers l'est à 35 nœuds et l'avion entra dans la couche juste au moment où

---

1. Abréviation de « cumulonimbus », les nuages d'orage.

le contrôleur demandait à Roy de poursuivre sa route sur le radial 263...

Hector eut l'impression que l'appareil était soulevé comme fétu de paille pour retomber ensuite comme une pierre. En quelques secondes, l'appareil atteignit sa vitesse limite avant désintégration et l'alarme désengagea le pilote automatique. Kruger réduisit immédiatement la puissance, mais l'avion donnait l'impression de ne plus répondre aux commandes.

Roy avait engagé le Beech dans une zone moins sombre que les autres, pour passer à côté du cœur du cunimb, mais le front était si compact qu'il n'avait pu éviter le choc : une rafale de vent souleva l'avion sur la droite et l'horizon artificiel bascula. Kruger manœuvra pour remettre l'appareil à l'horizontale, mais les commandes étaient molles comme si l'avion était proche du décrochage. Comme la vitesse avait chuté, Kruger redonna de la puissance, puis l'avion se redressa peu à peu, revenant à l'horizontale.

Roy était furieux : les prévisions météo étaient en deçà de la réalité ! Certes, cela se produisait parfois, mais jamais à ce point. À son heure d'arrivée, le gros du front orageux aurait dû être passé !

L'aviation est le reflet de la vie : ceux qui se lancent dans des aventures qu'ils ne maîtrisent pas sont brisés par le destin. Kruger avait du moins l'avantage de l'expérience, de milliers d'heures de vol dans des conditions souvent précaires, d'une connaissance parfaite de sa machine et d'un sang-froid à toute épreuve face aux dangers. Un environnement hostile, à 30 000 pieds comme sur terre, décuplait même ses capacités.

La voix du contrôleur grésilla dans les écouteurs et le Beech continua sa descente.

— Niveau 100, Zoulou Romeo Tango !

L'avion approchait du point Asada, qui délimitait l'entrée dans la zone de Buenos Aires. Tous les appareils suivaient les mêmes routes, les uns au-dessus des autres à quelques centaines de mètres de distance, mais beaucoup s'étaient déroutés vers d'autres aéroports ou bien restaient à une altitude qui leur épargnait le mauvais temps. Un 747 d'Aerolineas faisait des ronds autour du point Arso en attendant que l'orage se calme ; un 727 de Lan Chile s'était dérouté sur l'aéroport de Rosario, passé à l'arrière de la perturbation...

Quand le Beech sauta dans un trou d'air, Hector attrapa un sac pour y vomir, seulement rassuré par la vision de Roy derrière le manche. Comme si de rien n'était, l'Américain changeait les fréquences radio, affichait les aides de navigation et réglait les paramètres moteurs.

— Direct ENO, Zoulou Romeo Tango !

Roy aligna l'avion sur l'axe magnétique conduisant à la station et jeta un coup d'œil sur le Stormscope. L'atterrissage était proche. Les instruments indiquaient une distance de 13 miles sur ENO, et le contrôleur lui donnerait sans doute un cap pour rejoindre l'axe de piste de l'Aeroparque.

Le Stormscope montrait que l'avion volait dans une zone grisâtre ; les taches noires, le cœur de l'orage, étaient sur la gauche.

Kruger poursuivit au cap, mais des coups de marteau commencèrent à résonner sur la carlingue. Des milliers de grêlons s'abattaient sur la tôle ! À en juger par le vacarme qui perçait les écouteurs du casque, certains devaient être agglomérés, la faute aux violents courants verticaux des cumulonimbus qui propulsent la pluie vers le sommet du nuage à des températures voisines de – 50 °C. Les gouttes se congèlent avant de se précipiter vers le sol, frappant comme de véritables boulets les avions de particules de glace.

L'avion était basculé de droite à gauche. Kruger réduisit la vitesse, sortit le train et les volets, puis demanda une directe au contrôleur en expliquant le problème. Le gros de l'orage, avec la tempête de grêle, était à gauche ; vers la droite, en revanche, en direction de l'aéroport, la couche de nuages était moins sombre. Le Stormscope confirmait ces observations visuelles, mais les grêlons continuaient de s'abattre sur l'avion, comme si des géants armés de cailloux s'acharnaient sur lui.

— Direct San Fernando, Zoulou Romeo Tango, 2 500 pieds QNH 1 010.

La balise de San Fernando était le dernier point de report avant l'axe de percée sur la piste en service.

— Plafond 200 à 300 pieds, avec des rafales de 40 nœuds en finale, annonça le contrôleur. Voulez-vous poursuivre?

Roy n'allait pas remonter dans la mélasse alors que la piste était à quelques minutes! De toute façon, l'orage s'abattait sur l'Aeroparque et il risquait de retrouver des conditions météo bien pires s'il faisait demi-tour. Les prévisionnistes allaient l'entendre, dès qu'il aurait atterri! Néanmoins, Kruger savait déjà ce qu'ils allaient lui dire : la météo n'est pas une science exacte, il y a toujours une marge d'incertitude...

— Affirmatif, Zoulou Romeo Tango. On peut prendre le LOC?

— Roger, Zoulou Romeo Tango, rappelez établi[1].

Cela raccourcissait encore la procédure. Le *localizer*, aiguille matérialisant l'axe de piste, est couplé à une autre aiguille qui permet de visualiser le taux de descente de l'appareil. Si les deux symboles sont en croix, bien au milieu du cadran, tout va bien. Si l'un dévie, il faut immédiatement corriger.

Le Beech était en finale, train et volets sortis, avec une vitesse indiquée de 130 nœuds. L'aiguille matérialisant l'axe de descente se rapprocha du centre de l'instrument.

— Établi.

À 238 pieds, Roy devait voir la piste : l'Aeroparque était à 7 miles de la position.

Dehors, dedans, dehors, dedans. Roy passait successivement du cadran de l'ILS au pare-brise de l'avion pour apercevoir dans la crasse les feux de seuil de piste. Une rafale poussa l'appareil sur la gauche. Il corrigea très légèrement le cap pour rester centré sur l'axe de descente. Plus on se rapproche de la piste, plus les corrections doivent être fines.

Un éclair zébra le ciel sur la droite et une nouvelle averse de grêle s'abattit sur le pare-brise de l'appareil. Le bimoteur était en finale sur la 13, mais il volait encore dans la couche. Les grêlons martelaient le nez de l'avion et les ailes, et une bourrasque plus forte que les autres souleva le Beech sur la gauche. Une sangle lâcha, deux cageots d'oursins glissèrent

---

1. Se dit quand l'avion a bien accroché l'axe de descente.

vers l'avant pour venir se fracasser contre la cloison des toilettes. Hector se retourna, inquiet. D'autres caisses, empilées les unes sur les autres, commençaient elles aussi à vaciller.

Le bout des ailes de l'avion disparaissait dans les rafales de glace, et l'appareil, malgré ses trois tonnes et demie, se balançait de droite à gauche.

— Train sorti, trois vertes contrôlées, altimètres réglés.

Roy égrenait à voix haute sa check-list avant atterrissage.

— Synchronisation hélice sur *off*, dégivrage des freins *on*.

L'avion approchait l'*outermarker*, la balise située à 3,8 miles du seuil de piste, mais la 13 n'était pas en vue.

— Dehors, dedans, dehors, dedans...

C'était la procédure : un coup d'œil sur l'ILS et un coup d'œil vers le pare-brise pour tenter d'apercevoir quelque chose dans la mélasse.

L'altimètre indiquait 1 300 pieds. Si le seuil de piste n'apparaissait pas à la hauteur de décision, ce serait obligatoirement une remise de gaz, une manœuvre terrifiante pour les débutants, qui consiste à rentrer le train et les volets, à afficher les paramètres de montée et les fréquences de radionavigation, puis à remonter à 3 000 pieds et à suivre les instructions du contrôle pour une nouvelle approche au milieu de la tempête. Très vite, sans hésitation, en vérifiant tout.

L'*outermarker* émit son signal caractéristique, et Roy contrôla l'altitude : l'avion était bien à 1 220 pieds, comme stipulé sur la fiche de percée. Roy appuya sur la touche transmission de son micro.

— On passe l'*outer* en finale, Zoulou Romeo Tango !

— Poursuivez, Zoulou Romeo Tango, rappelez en vue !

L'Américain relâcha la touche. Dehors, dedans.

— *Shit !*

Le *glide*, l'aiguille matérialisant le plan de descente, venait de disparaître. Il ne manquait plus que ça ! La panne recommençait dans l'une des phases les plus délicates du vol... Roy le savait, « panne de *glide* » signifie qu'il n'est plus possible de se fier à l'aiguille horizontale pour vérifier qu'on ne descend pas trop vite. Il faut verrouiller son taux de descente et suivre son chronomètre. Mais le problème n'était pas là : avec le *glide* en panne, la remise de gaz intervenait beaucoup plus tôt, à 675 pieds très exactement, au lieu d'attendre 238 pieds comme dans une approche ILS normale. Or, l'avion passait déjà 900 pieds en finale !

Dehors... dedans... dehors... dedans...

Ils volaient toujours en IMC[1], sans aucun repère visuel, quand Roy vit à l'horizon des lueurs d'éclair zébrer le ciel noir. S'ils remettaient les gaz, ils remonteraient dans l'orage.

800 pieds : on approchait la hauteur de décision ! Roy vérifia son taux de descente, son altitude et sa distance par rapport au seuil de piste.

L'Aeroparque était au bord du Río de la Plata, il n'y avait pas d'obstacle sur l'axe de percée, entre l'*outermarker* qu'il venait de passer et la piste 13. Le seul pylône dans le secteur était sur l'aéroport, à droite du macadam.

Kruger connaissait parfaitement le terrain, l'aérogare, les hangars et les aires de stationnement sur la gauche, et puis, ce ne serait pas la première fois qu'un pilote « boufferait » les minima, descendrait un peu plus bas que prévu sur les fiches de percée pour tenter de voir la piste et se poser. À vrai dire, l'un de ses instructeurs les lui avait souvent fait bouffer, ces minima, quand ils s'entraînaient aux percées dans la mélasse. Il ne voyait pas la piste, mais l'instructeur la voyait, et elle finissait toujours par apparaître.

600 pieds : bouffés de 75 pieds, les minima !

500 pieds.

400 pieds.

Roy sentit des fourmillements dans les doigts. Dans quelques dizaines de secondes, il allait devoir prendre une décision.

350 pieds.

Dehors... dedans...

L'Américain maintenait la main sur la manette de puissance, prêt à redonner du moteur et à annoncer à la tour qu'il remettait les gaz.

---

1. Instrument Meteorological Conditions : conditions de vol aux instruments, par opposition aux conditions de vol VMC, conditions de vol à vue.

La grêle avait cédé la place à la pluie, qui ruisselait maintenant sur l'avion. Il le savait, les gros-porteurs qui traversaient des cunimbs en sortaient parfois avec des bosses, et Roy se demandait comment il allait retrouver la carlingue du Beech s'il réussissait à se poser, quand les feux du seuil de piste jaillirent soudain devant le pare-brise, estompés d'abord par la crasse, puis plus clairs.

300 pieds. Une dernière vérification.

Train sorti, pleins volets, vitesse vérifiée.

— Piste en vue, Zoulou Romeo Tango !

Hector n'avait pas ouvert la bouche au cours des dernières minutes, mais ses nerfs lâchèrent subitement. Il sortit un mouchoir de sa poche, se moucha, et essuya ses larmes, honteux d'avoir craqué.

L'Américain arrondit doucement et l'avion se posa comme une plume. L'atelier qui avait révisé l'électronique allait l'entendre ! Il freina, prit le premier taxiway sur la gauche et roula vers son parking habituel. De là, un tracteur tirerait le Beech vers le hangar.

Au sol aussi, le déluge d'eau était impressionnant. Les gouttes rebondissaient par terre en formant un brouillard.

— Il y a du monde qui nous attend, dit Roy en apercevant dans le bâtiment des silhouettes qui se protégeaient de la pluie.

On ne voyait pas grand-chose, juste une dizaine de personnes dans des cirés.

— C'est votre ami le barbu ! dit Hector. Le journaliste.

Roy reconnut en effet le visage de Marc Barrington, correspondant d'Europa News en Argentine, et frère de sa petite amie Jane.

Aussi laid que sa sœur pouvait être attirante, Marc était facilement identifiable. Trente ans, toujours dépenaillé, avec une barbe rousse mal taillée et une tendance à abuser du whisky Jameson. Il parlait avec plusieurs autres personnes, parmi lesquelles un cameraman, matériel à l'épaule.

Comme Kruger éteignait les moteurs, Marc s'approcha immédiatement de l'avion pendant que les employés du hangar sortaient le tracteur. Roy déploya l'escalier :

— Qu'est-ce que vous venez faire ici ?

— Tu n'es pas au courant? Un avion d'Austral s'est écrasé avec quarante personnes à bord. Coupé en deux par la foudre. Tout le monde a rappliqué à l'Aeroparque pour en savoir plus, et les gars de la tour m'ont dit que tu étais toi aussi dans la mélasse.

Une bourrasque souleva soudain son imperméable et, comme une rafale de pluie s'abattit sur son pantalon, Marc dit :

— Allons dans le hangar, on sera au sec.

Roy hésita devant la meute des journalistes.

— J'ai entendu le pilote d'Austral demander un changement de cap, mais j'ai changé de fréquence ensuite.

— Les contrôleurs l'ont subitement perdu sur leurs écrans. Quelques minutes après, il s'écrasait dans un champ de maïs. C'est si dangereux que ça, la foudre?

Roy prit Marc par le bras et se pencha à son oreille.

— Je n'ai pas très envie de parler avec cette bande de scribouillards...

— Mais... ce sont des copains!

— Copains ou pas, ce sont des journalistes, et vous racontez toujours n'importe quoi quand il y a un accident d'avion.

Hector, la tête protégée sous un ciré, arriva par-derrière :

— On l'a échappé belle, *jefe*! Vous avez vu le nez de l'appareil?

Roy se retourna pour faire quelques pas en direction du Beech. La grêle avait en effet décapé une partie de la peinture. Il prit Marc par le bras et lui montra les dégâts.

— Voilà du « factuel », comme tu dis!

Deux photographes mitraillaient l'appareil sous toutes les coutures. Roy voulut les empêcher de continuer.

— Laisse-les donc travailler! contesta le barbu. Ils doivent ramener du matériel à leur rédaction. Donne-moi seulement deux ou trois éléments, je me débrouillerai pour mon papier...

Suivi de la meute des reporters, Roy marcha vers le hangar.

— Je n'ai rien à vous dire, si ce n'est que les orages sont très dangereux et que les courants ascendants dans un cumulonimbus...

Une journaliste de TV13 lui coupa la parole :

— Avez-vous traversé le même orage que l'avion qui s'est écrasé ?

Roy lui tourna le dos, excédé.

— Laissez-moi travailler, maintenant !

Hector observait la scène, gêné d'être photographié. Kruger le prit à part.

— Remontons dans l'avion. Et toi, viens avec nous, continua-t-il en direction de Marc. Rends-toi utile en nous aidant à sortir les caisses d'oursins, et je te donnerai d'autres tuyaux. Ça t'évitera de te ridiculiser en écrivant des âneries...

Les journalistes tapaient déjà leur reportage sur leurs consoles portables, tandis que d'autres décrivaient la scène en direct.

5

Dans la Biela déserte, le grand café-restaurant de la Recoleta, un garçon astiquait le bar en bois verni. Dehors, sous les arbres à caoutchouc qui secouaient leurs gouttes de pluie, des étudiants promenaient des troupeaux de chiens pour financer leurs études. Casaletti, installé sous un grand ventilateur, commanda une orange pressée.

Comme toute une partie du quartier, l'établissement avait perdu son faste d'antan. Les murs étaient toujours ornés de gravures et de photographies de voitures anciennes, mais une fraction du plafond s'était détachée sans que personne se presse de le réparer. Bruno y passait toujours le mercredi, avant de faire la tournée des grands hôtels pour prélever sa dîme sur les chauffeurs des limousines.

Ce n'était pas grand-chose, pensait-il chaque fois qu'il commençait son périple, mais quelques dizaines de dollars supplémentaires étaient toujours les bienvenues. Surtout en ce moment : il n'y a plus de vraies bonnes affaires.

L'attitude d'Ortega l'avait énervé. Pour qui se prenait-il pour lui parler de la sorte ? Il finit son orangeade et songea au bureau poussiéreux de Gordito. Que pouvait-il donc avoir trouvé pour être si mystérieux ? Un chargement de coke sur le port ? Non, il était déjà trop vieux pour être dans le coup. Le trafic de drogue à Buenos Aires était contrôlé par deux maffieux qu'il connaissait, et les hommes de main qu'ils employaient étaient de jeunes voyous qui tétaient encore leur biberon quand Ortega avait commencé à travailler. Un paquet de dollars ? Voilà qui était dans le domaine du possible, puisque Gordito assurait parfois la protection d'officines de change. Mais le vieux avait dit que toute l'Argentine serait en émoi une fois qu'il aurait fait son coup, et ce n'était pas quelques dizaines de milliers de dollars de plus ou de moins dans un bureau de change qui allaient pousser les gens dans la rue.

Bruno piqua une olive verte. Non, décidément, c'était autre chose. À moins qu'Ortega ne s'illusionne ! On devient parfois mythomane à partir de la cinquantaine, et Gordito se croyait peut-être seulement sur la trace d'un gros coup qui n'aurait été que le produit de son imagination.

Après avoir avalé une boulette de fromage, Bruno s'essuya la bouche avec une serviette. Pas question, en tout cas, de perdre du temps avec cette affaire tant que l'autre n'aurait pas abattu toutes ses cartes. Que croyait-il, au juste, quand il lui avait presque intimé l'ordre de lui trouver un moyen de s'échapper rapidement de Buenos Aires ? Que Bruno Casaletti était à sa botte ?

Il paya l'addition et sortit. Une bouffée d'air chaud le prit à la gorge. Les trombes d'eau qui s'étaient abattues la veille avaient rafraîchi l'atmosphère dans la nuit, mais le thermomètre se remettait à grimper allègrement. Il allait certainement encore monter jusqu'à 32, voire 34 °C dans le courant de la journée, pour transformer Buenos Aires en fournaise. C'est pourquoi la ville commence à se vider en cette période : ceux qui ont de l'argent partent en vacances dans le sud du pays, où il fait plus frais.

Casaletti jeta sa veste sur l'épaule et se dirigea vers l'hôtel Alvear en sifflotant. L'orage avait dévasté les terrasses des cafés et renversé les tables de la Biela. Les garçons balayaient les trottoirs couverts de terre, le vent avait déraciné un tilleul, et les employés de la municipalité découpaient ce qui restait du tronc. Plusieurs voitures avaient vu leurs vitres se briser, soit sous la force des grêlons, soit par des chutes d'objets.

Bruno commençait toujours sa tournée par l'Alvear, le palace le plus luxueux de Buenos Aires, situé dans un quartier d'immeubles haussmanniens qui faisaient dire aux Argentins que leur ville ressemblait comme deux gouttes d'eau à Paris. Pourtant, Casaletti n'avait jamais mis les pieds dans l'hôtel, où il ne se serait pas senti à l'aise. Et puis, la seule chose qui l'intéressait était les *remises*, les voitures de place qui attendaient les clients, garées le long de la rampe menant à l'entrée de l'hôtel.

Leurs chauffeurs étaient toujours à la merci de la bureaucratie argentine, et Bruno pouvait leur éviter de perdre leur licence ou de passer des heures à faire la queue pour obtenir les tampons officiels. En Amérique latine, plus les formulaires à remplir sont nombreux, plus la corruption est grande. De ce point de vue, l'Argentine était maintenant dans le peloton de tête.

La Mercedes 500 qui stationnait près de l'hôtel avait sans doute une dizaine d'années, mais le moindre de ses chromes semblait tout droit sorti d'un atelier de polissage. Casaletti toqua à la vitre avant de s'installer, sans dire un mot, à la droite du chauffeur. Le petit homme ventru, atteint d'un lourd bégaiement, avait ajouté un coussin sur son siège pour pouvoir conduire. Bruno posa sa veste sur les genoux et, après avoir passé la main dans ses cheveux, orienta le miroir du pare-soleil pour vérifier qu'aucune mèche ne dépassait.

— Tu as ce qu'il me faut ?

Malgré l'air conditionné, le chauffeur avait la peau luisante. Le soir, il vendait de la coke aux jeunes gens de bonne famille et payait pour qu'on le laisse tranquille. Casaletti reversait la moitié des sommes perçues à son supérieur.

— Vous ne me croi... croi... croirez peut-être pas, co... coco... missaire, mais la semaine a été ca... ca... tastrophique. On dirait que personne n'a plus d'argent dans ce pays, même dans le *ba... babba... barrio norte*[1]. Je n'ai rien vendu, uniquement des broutilles, un peu d'herbe, et encore, les ga... ga... gamins discutent les prix...

Casaletti caressait le cuir des sièges en l'écoutant. On se sentait vraiment au-dessus du commun des mortels, dans ces

---

1. Le quartier nord, qui comprend les arrondissements chic de Buenos Aires.

fauteuils ! Ah ! c'était autre chose que la vieille Opel qu'il avait fait repeindre pour lui donner un air plus pimpant. Il ne fallait pas désespérer, toutefois : il finirait bien par dénicher un jour le gros coup qui lui permettrait de se payer ce genre de voiture. Alors, à lui les belles filles ! Pour le moment, il se contentait de les influencer avec sa carte de police...

Ces gros lards de chauffeurs se démenaient toujours pour payer le moins possible, gigotant et levant les bras pour attester leur bonne foi, allant même jusqu'à taper sur l'épaule de leur interlocuteur pour prouver leur sincérité. Mais Casaletti les connaissait bien. Tous des menteurs, des voyous, des pickpockets, des taxis véreux qui trafiquent leurs compteurs ou emmènent leurs clients dans des quartiers peu sûrs, où ils les dévalisent ensuite avec des complices.

— Je n'ai rien ven... ven... vendu depuis plusieurs jours. Crois-moi, Bruno. Crois-moi, je suis dans une mau... mauvaise passe.

Casaletti l'arrêta d'un geste de la main.

— Vingt pesos, comme chaque semaine.

Le chauffeur s'essuya le visage avec un mouchoir puis renifla en se trémoussant sur son coussin.

— Impo... popo... impossible, Bruno, sincèrement. Je viens de payer le tri... trimestre de ma fille à l'uni... université, et je n'ai plus un peso !

Comme le visage du chauffeur de taxi s'était empourpré, Casaletti eut du mal à garder son sérieux.

— Fernando !

— Oui ?

— Ils deviennent de plus en plus pointilleux, à la municipalité. Contrôle antipollution, ceintures de sécurité homologuées, tu n'as rien de tout ça ! Imagine les trésors de persuasion que je dois déployer pour les amadouer...

Oui, les flics devenaient de plus en plus voraces. On ne pouvait plus circuler en province sans se faire rançonner, le pire restant de tomber sur une patrouille complètement sonnée à la bière.

Casaletti s'approcha et pinça le bas de la joue de Fernando.

— On n'est pas... pas... pas à l'école, Bruno ! Arrête de plai... plaisanter !

54

Ce sale type lui faisait mal. S'il avait pu le dénoncer, il n'aurait pas hésité une seconde, mais son supérieur était peut-être encore plus pourri que lui... On ne savait jamais sur qui on pouvait tomber à la police de Buenos Aires.

— Vingt-cinq pesos pour t'apprendre à mentir !

Casaletti serra plus fort. La joue écarlate et la tête penchée, le conducteur de la remise avait l'air ridicule.

— Relâ... lâ... relâche-moi, Bruno ! Laisse-moi le temps de ré... réfléchir.

Bruno lâcha la joue de Fernando et s'enfonça dans son siège tandis que le chauffeur sortait son portefeuille.

— Tiens ! dit-il en lui passant deux billets de dix pesos.

— Il en manque cinq.

Écœuré, le conducteur ne chercha pas à discuter. Il sortit de sa poche cinq pesos supplémentaires.

— Je pourrais te demander de m'amener quelque part, mais je ne veux pas gêner tes affaires. Chacun doit travailler, pas vrai ? Et j'espère que tu apprécieras cette marque de considération.

Bruno lui tapa sur l'épaule et ouvrit la porte.

— ¡ Hijo de puta[1] ! grogna le chauffeur une fois qu'il fut tout seul. ¡ Hijo de puta !

La rage avait provisoirement mis un terme à son bégaiement. Casaletti avait déjà traversé l'avenue Alvear en direction de l'un des restaurants qui bordaient le petit parc de la Recoleta. Parfois, des amazones y offraient des prestations gratuites pour qu'on ferme l'œil, ou des pickpockets y œuvraient, que l'on pouvait ramener au commissariat pour justifier sa journée de travail.

Bruno s'installa dans une *parillada*[2], demanda un journal et commanda un *bife de chorizo*[3] avec un cocktail de crevettes en entrée.

Depuis la crise monétaire, le quartier s'était bien dégradé. Les employés ne prenaient même plus la peine d'enlever les cartons des sans-abri qui dormaient, la nuit, sous les arbres.

---

1. « Fils de pute ! »
2. Restaurant spécialisé dans les grillades de viande.
3. Énorme morceau de faux-filet.

Des papiers sales traînaient sur le gazon à côté de vieilles bouteilles de Coca-Cola, et un groupe de sans-papiers péruviens vendait des pêches et des fruits rouges.

La Razón consacrait sa une à l'accident du 727. Une photo montrait le nez du Boeing enfoncé dans la Pampa. Selon le journaliste, l'orage avait été l'un des plus forts de ces dernières années, et le pilote d'un Beech 200 y avait échappé de justesse en revenant à l'Aeroparque. La grêle avait décapé la coque de son appareil et son pilote avait entendu le dernier appel radio du commandant de bord d'Austral. L'article était accompagné d'une photo de Kruger, d'un encadré sur les cumulonimbus et d'un portrait de l'intéressé au titre prometteur : « Le patron de la Posada échappe à la mort. »

Bruno connaissait le restaurant de Roy, mais il ne le fréquentait pas. La Posada était trop huppée pour lui, trop risquée aussi : on y côtoyait la haute société de Buenos Aires, des hommes politiques et peut-être même des gradés de la police, qui se seraient demandé comment Bruno finançait ses déjeuners et auraient été capables, les bandits, d'exiger de sa part encore davantage de fric.

En tout cas, songea Casaletti en mâchant sa salade verte, le *gringo* ne se refusait rien ! Le flic ne connaissait rien à l'aviation, mais il savait qu'un avion privé, surtout un gros bimoteur comme celui-ci, coûtait une fortune en entretien.

L'Américain se la coulait douce pendant que les Argentins avaient du mal à joindre les deux bouts. Bruno n'avait pas assez d'argent pour le placer en fraude à Miami, et il jalousait les étrangers qui se gobergeaient à Buenos Aires. Ses économies avaient fondu du tiers pendant le krach, et il n'aimait plus les Américains, ni le Fonds monétaire international, ni tous ceux qui jouaient aux golden boys, coupables à ses yeux d'avoir coulé l'Argentine.

Il se resservit un verre de Montchenot rouge, aussi savoureux qu'un bon bordeaux et se coupa un morceau de *bife jugoso* saignant et parfaitement saisi au charbon de bois, qu'il mastiqua avec délice.

Oui, le libéralisme avait coulé l'Argentine, mais les Péronistes avaient fait bien pire : ils avaient ruiné le pays alors qu'il était l'un des plus prospères du monde à la fin de la Seconde Guerre mondiale. Alors, Casaletti n'avait plus aucune opinion politique : tous des pourris, *che !* et chacun pour soi !

En continuant de songer à l'Américain, Bruno prit un cure-dent et travailla soigneusement l'une de ses molaires. La journaliste de *La Razón* avait fait un papier de couleur avec les quelques éléments que lui avait livrés Roy : « La météo s'était trompée, et il a été pris dans l'orage. Un autre pilote que lui y serait certainement passé, mais Kruger a plusieurs milliers d'heures de vol dans une compagnie de Floride. »

Pauvre type ! pensa Bruno. Encore un de ces minables étrangers venus chercher fortune en Amérique latine. Pourquoi diable un pilote de ligne *gringo* aurait-il échoué dans ce coin s'il avait pu avoir une belle vie chez lui ? Tropical ? Jamais entendu parler de cette compagnie ! Y avait-il d'ailleurs vraiment travaillé ? Il pouvait avoir raconté n'importe quoi à cette fille pour se mettre en valeur…

Belle gueule, en tout cas, ce *gringo*. Il aurait presque pu passer pour un Argentin, mais Casaletti lui trouvait tout de même l'air un peu mou. Un patron de bistrot à la mode, voilà ce qu'il était, avec un peu plus de fric que les autres pour entretenir ce gros bimoteur. Sa facture de peinture allait lui coûter cher ! Même en Argentine, repeindre le nez d'un avion n'était pas donné. Bien fait pour sa gueule ! pensa Bruno en tranchant son dernier morceau de *bife*.

Casaletti allait refermer le journal et demander l'addition, quand la fin du papier attira son attention : « De quoi avez-vous eu le plus peur ? », voulait savoir le journaliste. « Roy Kruger a éclaté de rire et nous a répondu : "J'ai pensé à mon hydravion. J'espère qu'il n'a pas été renversé par un coup de vent ou que les flotteurs n'ont pas été endommagés." Le patron de la Posada a en effet une nouvelle passion. Il a restauré un hydravion Cessna avec lequel il s'amuse le dimanche. »

Tiens donc, un hydravion ? Bruno connaissait les Cessna qui atterrissaient sur les pistes de terre des *estancias*, mais il n'avait jamais entendu parler d'hydravions Cessna. La journaliste de *La Razón* ne pouvait pourtant pas s'être trompée.

Un *gringo* un peu mou, patron d'un restaurant à la mode, un type qui ne connaît rien à l'Amérique latine ni à l'Argentine en particulier, et qui ne doit se méfier de rien… Mais oui ! Le voici, l'homme à qui Ortega pouvait demander de transporter sa marchandise sur les rives du Paraná !

Casaletti commanda un nouvel expresso. C'était son jour de chance, d'autant qu'Ortega n'allait pas deviner que le flic n'avait rien vérifié à propos de l'Américain. Il sortit son cellulaire et composa le numéro de Luis.

— J'ai fait ma petite enquête, *che*, pour l'affaire qui t'intéresse…

Il s'arrêta quelques secondes. À ce moment, il devinait qu'Ortega contractait les traits de son visage, comme il en avait l'habitude lorsqu'il était sur ses gardes.

— Je t'ai trouvé quelqu'un. Tu veux que je vienne te voir ? Dans une demi-heure ? Parfait.

Après avoir raccroché, Bruno jeta un regard sur sa Rolex de contrefaçon et rafla l'addition pour la passer en note de frais.

Il se sentait en pleine forme. Ortega avait refusé de lui donner des détails sur le coup qu'il projetait, soit. Mais, dans ce cas, Bruno allait lui recommander quelqu'un qu'il ne connaissait ni d'Ève ni d'Adam ! De toute façon, le risque était minime, Luis n'étant pas homme à se laisser impressionner par cet Américain.

Et puis, ce serait une bonne leçon pour le *gringo*. Ils étaient tellement arrogants, ces Américains ! Et, au passage, ce serait aussi une petite vengeance à l'encontre d'Ortega pour le punir d'être si mystérieux. D'une pierre, deux coups. Casaletti était ravi de son esprit d'imagination.

Il héla un taxi Volkswagen pourri qui passait par là. Affalé sur la banquette arrière, il annonça en regardant le compteur :

— Pas d'embrouille. Je suis de la police.

Vingt minutes plus tard, il pénétrait dans le bureau de Gordito. L'équipe était au complet : la secrétaire, une ancienne caissière de supermarché, avec ses cheveux frisés et son visage osseux, s'affairait devant son écran d'ordinateur. Patricio, le rouquin, assis sur une chaise en bois, lisait un quotidien sportif en piochant dans un carton de glaces au chocolat. Il en mangeait tellement qu'il lui arrivait parfois de vomir. Alors, il redescendait immédiatement en acheter pour se remplir de nouveau l'estomac. Luis, qui potassait le soir des manuels de psychologie, avait expliqué qu'il s'agissait là d'un comportement compulsif, mais le rouquin lui avait rétorqué que la glace restait moins nocive que le tabac. Et puis, c'était de toute façon plus fort que lui : il avait besoin de sa ration quotidienne de crème glacée.

Ortega se leva d'un air mauvais en apercevant Bruno, mais celui-ci avait déjà poussé la porte du bureau. Debout, les bras dans le dos, Gordito fixait la tête du *dorado*. Les poissons nous tueraient tous s'ils pouvaient, songea Luis, mais nous sommes plus forts qu'eux. Les faibles sont toujours dévorés par les forts, chez les animaux comme chez les hommes. Puis Bruno interrompit sa méditation pour dire :

— Je n'ai pas chômé. Et ça n'a pas été facile !

Ortega se retourna et s'installa près de la table basse. Les cendriers étaient pleins, le bureau puait le tabac. Casaletti s'assit en face de lui et remonta soigneusement le pli de son pantalon.

— La Posada del Mar, ça te dit quelque chose ?

Ortega fit non de la tête. Casaletti l'agaçait, à toujours citer des endroits à la mode pour laisser entendre qu'il fréquentait le beau monde. Hâbleur, prétentieux, efféminé, Bruno l'exaspérait en permanence, mais c'était un malin. Voilà pourquoi Luis acceptait de supporter tous ses défauts.

— C'est un restaurant de fruits de mer et de poissons de Palermo.

Gordito fit un geste d'impatience.

— Je ne prépare pas un guide gastronomique, mais le patron a un petit hydravion. Si ton affaire tient toujours…

Bruno savait que, s'il voulait convaincre Gordito qu'il avait travaillé d'arrache-pied la veille au soir pour l'aider, il se devait de citer un chiffre :

— L'hydravion est une denrée rare dans le pays : il y en a quatre. Des gros et des petits, comme pour les avions. Tu vois ce que je veux dire…

Casaletti savourait son triomphe, mais Gordito restait de marbre. Se doutait-il de quelque chose ?

— Imagine la coïncidence. Il y a sa photo dans le journal.

Bruno déplia triomphalement l'exemplaire de *La Razón* et pointa l'article du doigt.

— Sacré orage, hier soir ! Eh bien, le *gringo* a failli y passer. Son avion a été décapé par la grêle, regarde ça !

La photo montrait le nez du Beech marqué par les impacts des grêlons.

— Le pigeon idéal ! Ces gars-là sont tellement contents de piloter qu'ils supplient leurs amis et connaissances de voler avec eux. Il ne te posera pas de question si tu lui demandes de t'amener quelque part, mais à toi de te débrouiller pour faire sa connaissance.

Ortega passa lentement la main sur la photo. Son hydravion était certainement basé dans un petit aéroport de Buenos Aires, et, Bruno avait raison sur ce point, il ne serait pas compliqué de l'arnaquer. Les Américains étant naïfs, celui-là serait certainement flatté qu'on s'intéresse à sa machine.

— Je suppose que tu as vérifié son identité ?

— Rien de plus classique. Il a acheté le restaurant pour une bouchée de pain avec ses dollars…

— Quel type de visa ?

— Un visa d'investisseur. Pourquoi tu mets ma parole en doute, tu n'as plus confiance ?

— Je m'informe, c'est tout.

Ortega baissa la tête pour se concentrer. Casaletti avait agi rapidement. Le hasard l'avait peut-être aidé, mais il n'y avait pas de quoi s'en formaliser. Cet étranger était une occasion à saisir.

— Évidemment, tout serait plus facile si tu m'avais dit ce que tu veux transporter, mais je comprends ta discrétion. L'essentiel est qu'on s'entraide, pas vrai ? À propos, tu pourrais me donner une avance ? J'ai dû graisser la patte à plusieurs employés de l'aviation civile pour avoir des renseignements.

— L'aviation civile ?

Ortega fut saisi d'un doute.

— Qu'est-ce que l'aviation civile a à voir avec son visa ?

Bruno hésita un très court instant. Quelle bêtise de citer l'aviation civile ! Elle n'avait effectivement rien à faire avec les étrangers qui s'installaient en Argentine.

— C'est un pilote, *che*!

— Et alors?

— Il faut un tas de paperasse pour piloter chez nous, tu sais. Alors, ils ont fait leur petite enquête avant de valider sa licence américaine. C'était donc plus rapide pour moi de leur demander ce qu'ils avaient trouvé plutôt que d'aller fouiller au fichier des étrangers. C'est bon, tu es rassuré?

— Peut-être.

Casaletti n'aimait pas les « peut-être » d'Ortega. Il accompagnait toujours cette formule d'un regard qui le mettait mal à l'aise.

— Alors, Luis, tu en penses quoi? Avoue que, sans moi…

Gordito plissa légèrement les yeux. Si l'abruti qui était en face de lui avait su de quelle affaire il s'agissait, il aurait certainement pris ses jambes à son cou! Mais il allait lui donner un peu d'argent, pour le calmer. Ainsi, il cesserait de fouiner.

— Je n'ai pas encore la marchandise, mais je peux t'avancer 400 dollars. Si c'est un tuyau pourri ou si le type refuse de m'embarquer…

— Je te les rendrai, Luis, bien sûr! On a déjà travaillé ensemble et tu connais mon principe : un climat de confiance est essentiel.

Ortega se leva et sortit de l'un des tiroirs de son bureau une caissette métallique. Il composa le code de sécurité, l'ouvrit et se saisit de quatre billets qu'il tendit à Casaletti.

— Moins tu en sauras, mieux ce sera.

Le policier empocha l'argent et disparut.

Ortega, qui était rarement de bonne humeur, avait désormais presque envie de faire la fête. Le poisson empaillé, lui aussi, se réjouissait d'un air complice. Cet abruti de flic ne lui demanderait même pas ses 10 % quand il apprendrait le fin mot de l'histoire, bien trop terrifié à la perspective de pouvoir être considéré comme son complice…

6

Tout le quartier de Palermo avait été restauré depuis qu'on avait réussi à maîtriser les inondations. Les prix de l'immobilier avaient décuplé, les maisons s'étaient transformées en boutiques de mode ou en galeries d'art, et des milliers de jeunes Argentins venaient chaque soir y faire la fête dans les pubs et les discothèques.

C'est là que Roy avait installé sa brasserie de la mer, la Posada del Mar. Avec ses guirlandes de fleurs stylisées qui grimpaient sur la façade de crépi rouge, le restaurant ressemblait, vu de l'extérieur, à une maison particulière de Séville. À l'intérieur, la salle à manger se prolongeait par un patio avec des jardinières d'orangers. Hector surveillait les opérations tandis que des cuisiniers péruviens s'activaient en cuisine. La spécialité de la maison, outre les fruits de mer, était le congre au court-bouillon de coriandre sur lit de tomates caramélisées.

L'Américain était d'une humeur épouvantable. Il avait reçu les premiers devis de peinture pour le Beech, les sommes étaient astronomiques. En outre, la révision des cent heures n'allait pas tarder, et les pièces aéronautiques valaient une fortune. Le moindre tuyau de caoutchouc coûtait des centaines de dollars. Certains propriétaires faisaient l'impasse, s'arrangeant avec les ateliers pour qu'ils tamponnent les papiers sans suivre à la lettre les programmes d'entretien, mais Kruger avait toujours refusé. L'aviation était une affaire bien trop sérieuse pour être prise à la légère.

Il était 22 heures, le restaurant était à moitié plein. Comme les Latino-Américains préfèrent souvent l'air conditionné, la terrasse était presque vide. Un groupe d'Anglais descendait des bouteilles de Don Matias, un rouge chilien aussi charnu qu'un vin de la vallée du Rhône, un couple d'amoureux se tenait la main devant un magnum de Moët argentin, et, à droite, seul à une table de quatre, un homme en complet veston bleu marine semblait s'ennuyer comme un rat mort.

La cinquantaine, le visage rond et les cheveux partagés par une raie, l'homme avait posé sur la table une liasse de journaux.

Kruger était le héros du jour. Quarante-huit heures après l'accident de l'avion d'Austral, les journalistes revenaient encore et encore sur l'orage qui s'était abattu sur Buenos Aires. Les bourrasques avaient renversé une dizaine d'avions légers sur l'aéroport de Mar del Plata et déraciné des tilleuls dans certains quartiers de Buenos Aires.

Quel casse-tête, ce restaurant! Certains jours, Roy en avait plus qu'assez. Il finit de classer les devis dans une chemise cartonnée et quitta son bureau pour aller saluer les clients. C'était vraiment la partie la plus désagréable de son travail. Il fallait faire de beaux sourires à tout le monde, rire aux plaisanteries les plus stupides et jeter des coups d'œil enjôleurs aux femmes les plus insignifiantes.

Les Anglais étaient déjà venus à la Posada. C'étaient des expatriés qui rognaient sur leurs dépenses pour financer leur retraite dans le Kent, exactement le type de personnages que Roy avait en horreur. En revanche, Roy trouva d'emblée tout à fait sympathique l'homme en bleu marine. C'était un passionné d'aviation.

— On dirait un flic, glissa Hector entre deux commandes.

Kruger haussa les épaules. Ils voyaient des policiers partout, dans ce pays! La junte militaire avait abandonné le pouvoir depuis longtemps et certains tortionnaires étaient sous les verrous. Et quand bien même ce serait un flic, où était le problème? Sa conversation serait peut-être plus intéressante que celles des expatriés, toujours à s'étendre sur leurs déboires avec leurs employées de maison.

L'Américain continua son tour de salle, passa dans la partie réfrigérée pour saluer un sénateur qui dévorait des araignées de mer puis ressortit dans le patio, où flottait une odeur de crevettes au charbon de bois. Le personnel s'affairait près d'un grand barbecue à ciel ouvert où l'on grillait les poissons.

L'homme en complet veston gratifia Roy d'un large sourire et agita la main comme s'il voulait lui dire quelque chose.

Roy s'approcha.

— J'ai piloté, quand j'étais plus jeune. Mais les difficultés économiques m'ont contraint à abandonner...

Ortega avait soigneusement préparé son entrée en matière. Sa seule expérience aéronautique consistait en deux heures de double commande sur Cessna 150, mais il fallait accrocher les hommes par leurs passions.

Le visage de l'Américain s'éclaira.

Dès qu'il a l'occasion de parler avions, un pilote est toujours ravi, surtout quand ses amis ne veulent pas l'accompagner en vol. Jane, sa fiancée du moment, la sœur du journaliste, refusait obstinément de monter dans le Beech 200, elle était morte de trouille, et son frère Marc trouvait que les moteurs faisaient trop de bruit. Pour l'hydravion, c'était pire : strictement personne ne voulait s'installer à bord. Mais il est vrai que Kruger ne possédait pas encore parfaitement toutes les techniques de l'amerrissage et qu'il se faisait parfois peur lui-même...

Vue de là-haut, la surface de l'eau paraît toujours accueillante, mais on perd toute sensation d'altitude en s'en rapprochant. C'est ce que les instructeurs appellent l'amerrissage sur « eau miroitante ». Les débutants fracassent parfois leurs machines en percutant la surface à trop grande vitesse ; d'autres, au contraire, parce qu'ils la réduisent trop tôt, décrochent à plusieurs dizaines de mètres du sol. Alors, leur hydravion devient incontrôlable, et ils tombent dans l'eau... Mais Kruger restait enthousiasmé par son Cessna. Ses flotteurs avec roues lui permettaient de se poser sur des surfaces dures, et l'hydravion lui offrait le spectacle de paysages aquatiques qu'il n'aurait jamais pu voir autrement.

L'homme en complet veston se lança dans un grand développement sur sa passion aéronautique. Il travaillait comme vendeur de polices d'assurance et avait grandi près d'une base de l'armée de l'air ; il était fasciné par les Mirage, et son rêve aurait été de descendre des bateaux anglais pendant la guerre des Malouines...

— J'ai peut-être fait une gaffe ?

— Ne vous inquiétez pas ! Je ne suis pas anglais, mais américain d'origine allemande, alors, les Falkland... ou les Malouines, comme vous les appelez...

Rassuré par cette réponse, Ortega poursuivit.

— Je suis trop vieux pour m'inscrire dans une école de pilotage, mais il me reste la pêche. Connaissez-vous le tigre du Paraná ?

— Le tigre du Paraná ? Non, je n'ai jamais entendu parler de ce poisson ! Permettez-vous que je m'assoie quelques instants à votre table ?

Kruger était toujours enchanté de partager de nouvelles expériences.

— Bien sûr, répondit Ortega, ravi de la tournure que prenait la conversation. Les *dorados*, avec leurs écailles dorées et brillantes, ont des dents tellement affûtées qu'on les appelle des Tigres. Certains dépassent 25 kilos, et il faut utiliser des bas de ligne en acier. Il y a aussi le *sorubi*, un poisson-chat tacheté de 60 kilos qu'on appelle le Taureau de la rivière. On pêche ces poissons sur le Nord-Paraná.

Roy l'écoutait, fasciné. Oui, c'était autre chose que de discuter avec ces crétins d'expatriés ou de vanter à ses clients tel ou tel cru français qui arrivait souvent piqué en Argentine.

— Si vous êtes chasseur, il y a de quoi faire, dans le coin ! Des loups à crinière, des singes hurleurs, des loutres, des cerfs...

Luis Ortega ne simulait plus son enthousiasme. La pêche et la chasse étaient ses seules passions, c'est d'ailleurs pourquoi il exposait dans son bureau l'énorme poisson qui intriguait ses clients. Quant au bateau qu'il ferait construire au Brésil une fois qu'il aurait réalisé son coup, il en refaisait les plans d'aménagement intérieur presque chaque nuit.

Roy le regardait.

Une « tête de flic » ? Hector n'avait peut-être pas tort, à en juger par sa coupe de cheveux un brin militaire, les oreilles bien dégagées par le passage de la tondeuse, sa façon un peu bourrue de parler et d'observer Roy... C'était peut-être un officier à la retraite qui ne tenait pas à l'afficher, dans un pays où l'armée avait laissé de si mauvais souvenirs. À moins que ce chasseur du tigre du Paraná fût tout simplement un grand timide qui attendait de mieux connaître les gens pour devenir expansif ? Bien sûr, on pouvait se demander pourquoi il avait ainsi engagé la conversation avec Roy, mais, après tout, qu'y avait-il de bizarre à ce qu'un client esseulé cherche à passer le temps avec le patron ?

Par ailleurs, l'Américain ne voyait pas pourquoi la police se serait intéressée à lui. Certaines périodes de sa vie n'étaient connues de personne à Buenos Aires, excepté de l'ambassade américaine, mais tous ses papiers étaient en règle, son visa d'investisseur lui donnait le droit de travailler, et il mettait dehors les clients qui sniffaient des lignes de coke dans les lavabos. La drogue faisait des ravages à Buenos Aires, et Kruger n'en voulait pas chez lui.

Ortega, de son côté, observait l'Américain.

Il correspondait bien à la description que lui en avait faite Casaletti : un grand gaillard au rire chaleureux, décomplexé comme le sont beaucoup de *gringos*. Quand le pilote lui avait offert un whisky pour terminer le repas, Luis avait pourtant saisi dans son regard de très courts temps d'arrêt. Mais peut-être était-il simplement intrigué par ses expériences de pêche au gros sur le Haut-Paraná. Comment aurait-il pu deviner autre chose ? Le contact était noué, et c'était l'essentiel.

Un groupe d'Argentins s'étaient assis quelques mètres plus loin pour commander des assiettes de *machas*[1] au citron vert et des palourdes au parmesan, ainsi que plusieurs douzaines de petites huîtres plates. Hector passa devant la table où Roy discutait avec Ortega et jeta un coup d'œil en direction de l'inconnu.

---

1. Mollusques ressemblant aux couteaux.

Tout en meublant la conversation, Luis échafaudait des plans. Il pouvait attendre quelques semaines pour faire plus ample connaissance avec l'Américain, mais il devrait alors remettre son opération à plus tard. Le maçon lui avait donné tous les détails dont il avait besoin, mais d'autres personnes étaient peut-être au courant. Que se passerait-il si ce qu'il cherchait était transporté ailleurs et s'il découvrait une cache vide ? Il lui faudrait tout reprendre de zéro, mais remonter la filière qui l'avait conduit au vieil homme lui avait déjà pris dix ans de sa vie. Non, il était inenvisageable de retarder l'opération. Il n'y avait pas des dizaines de pilotes d'hydravion à Buenos Aires, et c'était là la seule manière de prendre rapidement la fuite avec le butin sans tomber sur un barrage. Pour accélérer les choses, Ortega aurait pu proposer de l'argent à Kruger, mais cela aurait éveillé ses soupçons, et l'Américain n'avait certainement pas envie d'aider un trafiquant.

Le couple d'amoureux avait quitté le patio, les Anglais réglaient leur addition, Ortega sentait que la conversation touchait à sa fin.

Il devait tenter quelque chose maintenant, car l'Américain ne s'attarderait peut-être pas si longtemps à sa table la prochaine fois… C'était un passionné : voilà la carte qu'il lui fallait jouer. Au pire, si la conversation ne prenait pas le tour souhaité, si le pilote ne mordait pas à l'hameçon, il serait toujours temps de se retourner, de trouver un autre moyen de le persuader de l'emmener en hydravion à quelques centaines de kilomètres au nord de Buenos Aires.

Roy sortit un havane de sa poche de chemise et remonta ses manches. Il portait une marque au poignet gauche, mais Ortega n'arriva pas à voir si elle entourait tout le bras. L'Argentin connaissait bien ce genre de traces : certains prisonniers torturés avec des menottes garnies de pointes de fer restaient ainsi marqués pour la vie. Comme il avait noté le regard curieux d'Ortega, Roy expliqua :

— Un accident de ski. Les chirurgiens ont posé des broches, mais les douleurs n'ont pas entièrement disparu.

L'Argentin fut soulagé. Si ces marques avaient eu une autre origine, il lui aurait fallu procéder à d'autres vérifications. Mais

Casaletti avait vérifié sa fiche, et il ne serait pas passé à côté d'un élément si important. Ortega finit son verre de whisky et alluma une cigarette.

— Si ça vous tente, je peux vous montrer les zones de pêche. J'ai lu dans *Noticias* que vous aviez un hydravion. On se pose partout, avec ce genre d'engin ?

— Bien sûr ! répondit l'Américain, piqué au vif.

C'était un sujet sensible. Kruger avait dépensé une grosse somme pour remettre l'amphibie en état, ses amis estimant qu'il avait jeté l'argent par les fenêtres. Ils avaient en partie raison puisque l'appareil était lent – un peu plus de 100 nœuds en croisière, environ 200 km/h –, mais l'hydravion, pour Kruger, n'avait pas de prix : il représentait la liberté et la possibilité de découvrir des endroits inconnus. Aussi Kruger devenait-il intarissable quand on lui parlait de son Cessna.

— C'est comme pour les avions, on a besoin d'une certaine distance pour amerrir et pour décoller. 400 mètres au minimum pour décoller, mais je prends toujours une marge. Vous seriez partant ?

Ortega n'en croyait pas ses oreilles. Il pensait devoir déployer des trésors d'imagination pour persuader l'Américain de l'emmener avec lui, et voilà que Kruger le lui proposait de lui-même !

Roy salivait déjà. Décollage à l'aube, le Paraná dans la brume, et amerrissage dans les marais. Il faudrait se tenir solidement sur l'un des flotteurs pour ferrer le poisson, mais l'Argentin avait l'air de connaître son affaire. Cela serait un vol superbe et presque inaugural : l'appareil sortait tout juste des ateliers, et l'Américain n'avait que quelques dizaines d'heures en solo[1].

— Où se trouve la zone de pêche ?

— Au nord de Santa Fe…

Roy fit un rapide calcul. Le Cessna amphibie avait une autonomie de trois heures quarante à 80 % de la puissance, ce qui

_____

1. Vol comme seul pilote à bord, par opposition aux vols en double commande avec un instructeur.

lui donnait sans vent une distance franchissable de 430 milles nautiques[1]. C'était amplement suffisant pour amerrir sur le Paraná, pêcher et refueler dans un aéroport du coin.

L'Argentin avait de la famille sur place, l'hébergement ne devrait donc pas poser problème. Ils reviendraient le lendemain. Bien sûr, il aurait été plus agréable d'aller là-bas avec des amis, mais personne n'avait envie de se faire secouer en 172, et ce type-là devait connaître des endroits magnifiques. Il ne fallait pas rater l'occasion…

— J'en profiterai pour amener des pièces de rechange à mon oncle, ajouta Ortega. Il a un bateau, mais on ne trouve pas grand-chose sur place. Deux ou trois sacs… à moins qu'on ne puisse rien embarquer, dans votre engin ?

Kruger haussa le ton. Toujours ces maudits préjugés…

— Il est prévu pour 91 kilos de bagages, vous aurez de la marge !

Ortega se demandait s'il n'était pas en train de rêver.

— Dans deux jours, ça vous irait ? Je ferai le plein dès demain pour éviter de perdre du temps avant le décollage. Quelle est la localité la plus proche de la zone de pêche ?

— Esquina, une petite bourgade à mi-chemin entre Santa Fe et Corrientes.

— Il y a un aéroport ?

— Je ne sais pas, répondit Ortega, pris de court.

— Peu importe, je regarderai la carte. Si besoin, je mettrai un autre terrain sur le plan de vol.

Incrédule, Luis nota le numéro de portable de Roy et promit de rappeler pour le rendez-vous. On partirait tôt le matin pour profiter de la journée.

Roy le raccompagna à la porte et retourna dans son bureau pour vérifier où se trouvait Esquina. Le hasard faisait bien les choses : il y avait longtemps qu'il voulait aller pêcher dans le nord de l'Argentine. Cet agent d'assurances tombait donc à pic, mais pourquoi diable avait-il été intrigué par la cicatrice autour de son poignet ?

---

1. 1 mille nautique = 1 852 mètres.

70

On lui avait proposé de repasser sur le billard pour effacer ces traces, mais il avait refusé. C'était le passé. L'Argentin n'avait pas bronché quand Roy lui avait raconté cette histoire d'accident de ski, mais il avait tout de même regardé cette ancienne blessure d'un œil bizarre, comme s'il avait deviné la vérité.

Après son licenciement de chez Tropical, Roy avait été contacté par la Drug Enforcement Administration, la DEA, l'agence antidrogue des États-Unis. Il avait tous les critères requis, une parfaite condition physique, la pratique de plusieurs langues étrangères dont l'espagnol et l'allemand, ainsi qu'un plus aux yeux des recruteurs : il n'aimait pas la routine et savait tenir un manche. L'agence lui avait proposé d'infiltrer un réseau de trafiquants colombiens, et Roy, qui détestait la drogue et aimait les défis, avait accepté.

Il avait commencé par se faire embaucher chez Aero Barranquilla, une compagnie pourrie de la côte colombienne qui effectuait des navettes sur Bogotá et Medellín. Le salaire était misérable, mais l'agence lui versait chaque mois plusieurs milliers de dollars sur un compte aux États-Unis.

L'attente avait été longue. La ville était un cloaque à l'atmosphère étouffante, dans une région connue depuis longtemps pour ses plantations de marijuana et son trafic de cocaïne. Au bout de quelques semaines, un homme d'affaires du coin lui avait proposé de travailler pour lui. Il s'agissait d'un travail « sans histoire » : voler de nuit à basse altitude vers la Floride et balancer près des côtes des colis de drogue équipés de flotteurs, que les trafiquants américains récupéreraient avec des vedettes rapides.

Au début, tout avait marché comme sur des roulettes. Par radio, Roy avertissait la DEA de l'endroit où il lâchait les paquets, puis l'agence filait les trafiquants. Mais bientôt les Colombiens s'étaient rendu compte d'une anomalie : leurs acheteurs américains « tombaient » les uns après les autres. Leurs soupçons s'orientèrent immédiatement vers Kruger. Un jour qu'il sortait d'un café Internet d'où il venait d'envoyer un message codé à ses employeurs américains, quatre maffieux l'avaient enlevé. L'Américain avait passé quatre semaines dans la citerne d'une station-service désaffectée, enchaîné par le poignet gauche avec une menotte garnie de pointes qui lui rentraient dans la peau. Mais Kruger avait nié comme un beau diable, gagné du temps en lançant ses geôliers sur de fausses pistes, jusqu'à ce que les forces spéciales colombiennes, aidées par la DEA, le libèrent. Il était né sous une bonne étoile.

Mais son poignet était resté marqué et il avait perdu dix kilos. Rien à voir avec un accident de ski, donc, mais c'est ce qu'il racontait toujours quand on s'intéressait à cette cicatrice.

C'était curieux comme l'Argentin avait tout de suite tiqué en remarquant cette trace, comme s'il avait été capable d'identifier l'origine de la lésion. Ceux qui se battent au couteau reconnaissent immédiatement une balafre, mais pourquoi ce courtier en assurances aurait-il été un expert en la matière ?

Roy sortit d'une armoire un paquet de cartes aéronautiques de vol à vue et déplia l'une d'entre elles pour repérer Esquina. La bourgade dont lui avait parlé l'inconnu était dotée d'un aérodrome. Le terrain en herbe se trouvait environ à mi-chemin entre Santa Fe et la petite ville de Goya. Aucune procédure d'approche aux instruments, mais Goya, à dix minutes de vol, disposait d'une percée locator[1]. Si la balise de Goya était en panne, Reconquista, la ville qui se trouvait sur la rive ouest du Paraná, avait une procédure VOR-DME[2]. La zone présentait donc de nombreuses options.

Beaucoup d'hydravions n'étaient pas équipés pour le vol aux instruments, mais Roy avait tenu à installer dans son Cessna le minimum requis pour voler en IMC. Cela lui permettait d'être parfaitement opérationnel, et de rentrer à Buenos Aires même si le temps se bouchait.

Kruger était en train de replier la carte quand Hector poussa la porte du bureau pour y passer la tête. L'apparition d'Ortega l'avait inquiété.

— Pas de problème ?

— Incroyable ! Certains poissons dans le Nord-Paraná pèseraient plusieurs dizaines de kilos et ont des dents d'acier ! Tu

---

1. En argot aéronautique, atterrissage aux instruments – en l'occurrence, avec le locator.
2. DME : Distance Measuring Equipment.

connais le tigre du Paraná ? Ce type m'a assuré qu'on pouvait en pêcher près de la maison de son oncle.

— Je ne me risquerais pas dans ce coin-là avec un inconnu. La frontière est à moins de deux cent kilomètres…

Blanchiment d'argent, contrebande d'armes, de cocaïne vers le Brésil, l'Europe et les États-Unis… Le Paraguay était au centre de tous les trafics, et les enlèvements ciblés s'y multipliaient.

Roy voulut se moquer des craintes d'Hector, mais une silhouette apparut dans l'embrasure de la porte. C'était Jane, la sœur de Marc. Elle venait le chercher pour aller prendre un verre au Pacha, la dernière boîte à la mode. Roy éclata de rire.

— Vous n'avez qu'à m'accompagner !

Il enlaça la jeune femme et l'embrassa dans le cou. La fille était superbe. Elle posait pour des photos de lingerie dans des magazines. Roy ne sortait avec elle que depuis quelques semaines. Rien de sérieux entre eux : l'Américain était un célibataire endurci qui comptait bien le rester.

— Hector est toujours sur ses gardes !

L'Argentin, plutôt timide malgré sa musculature imposante, ne répondit rien. Le type ne lui inspirait pas confiance, voilà tout. Mais peut-être se trompait-il, peut-être était-il trop marqué par le passé. Les terribles années de la dictature militaire étaient encore dans toutes les mémoires, certains de ses parents avaient été enlevés en pleine rue et n'avaient jamais réapparu…

Roy, qui connaissait pourtant bien l'Argentine, ne pouvait pas avoir les mêmes références que lui. Il n'avait pas cette expérience, mais il avait peut-être raison. Le client à la coupe de cheveux militaire était sans doute un simple passionné de pêche, et Hector, l'un de ces millions d'Argentins traumatisés par les Ford Falcon sans plaque d'immatriculation qui rôdaient dans les rues et emmenaient les suspects dans des centres de torture.

Roy rangea les cartes, prit le manuel Jeppesen pour préparer son vol du surlendemain et éteignit les lumières de son bureau. Les Argentins qui avaient commandé les fruits de mer faisaient sauter des bouchons de mousseux.

Que pouvait-il dire de plus à son bras droit ? Rien, à moins d'ajouter qu'il n'avait pas à s'inquiéter car Roy savait se défendre. Mais, disant cela, il aurait été obligé de lui révéler une partie de son passé, qui ne regardait que lui.

Hector prit congé. L'Américain récupéra au parking sa Jaguar de collection achetée près de Montevideo, de l'autre côté du Río de la Plata. L'Anglaise s'assit dans le siège de cuir rouge de la Type E et se contorsionna pour empêcher sa jupe de remonter en haut de ses cuisses.

— Hector a peut-être raison, dit-elle, mais on a l'impression que ça t'amuse…

— De pêcher ?

— D'aller dans des coins dangereux.

Roy ne répondit pas. Il fit vrombir le moteur et s'arc-bouta sur le volant pour sortir de son emplacement.

Cette fille avait finalement quelque chose dans la cervelle. Certes, l'Américain avait un doute à propos de cet inconnu, mais qu'est-ce que cela pouvait bien faire ? Il en avait vu d'autres.

Pourtant, Jane avait raison… Luis Ortega roulait en direction de son miteux trois-pièces avec un petit sourire triomphant. Il avait mis sa radio sur l'une des rares stations diffusant **de** la musique classique et se laissait bercer par un concerto de Beethoven. Le violon l'envoûtait, comme la houle de la mer, et un sentiment de soulagement l'avait envahi. Son plan fonctionnait parfaitement, l'Américain n'en avait plus pour longtemps à vivre. Dès qu'il l'aurait amené dans le nord du pays et qu'ils auraient amerri sur le Nord-Paraná, il le liquiderait pour effacer toute trace de sa fuite. Ce serait son dernier meurtre, promis, juré, ensuite il abandonnerait cet immeuble crasseux de Barracas où il vivait depuis plusieurs années déjà.

Le quartier avait connu son heure de gloire à l'époque où l'on exportait vers le monde entier des peaux d'animaux séchées dans le sel pour confectionner du cuir. Aujourd'hui, plus personne ne voulait y vivre. Les fenêtres des anciennes maisons de maître en pierre de taille étaient murées, d'autres demeures seigneuriales s'étaient effondrées, et les portes des entrepôts abandonnés rouillaient, à moitié cachées par les poubelles.

Luis gara sa voiture devant le portail de son immeuble et descendit sur le trottoir en regardant autour de lui avec dégoût. Oui, si ses projets se réalisaient, il pourrait bientôt quitter le coin et vivre comme un roi. Mais, pour cela, il devait démolir une tombe.

7

Toutes les gloires d'Argentine étaient là, figées dans le marbre : généraux en costume d'apparat appuyés sur leurs épées, présidents et milliardaires du bétail. Toute l'histoire du pays surgissait dans la nuit en une débauche de statues et de mausolées. Le cimetière de la Recoleta prenait au clair de lune des allures de Pompéi.

Ortega avait senti son estomac se contracter en pénétrant dans la nécropole avec le rouquin. Il avait troqué son éternel costume bleu marine pour un pantalon et un blouson de toile et chaussé des espadrilles pour faire moins de bruit et avoir des mouvements plus souples.

Il leur restait trois heures avant le lever du jour pour défoncer l'une des tombes, s'emparer de leur butin et se séparer.

L'ancien tortionnaire avait toujours haï l'oligarchie, les grands propriétaires terriens ou les capitaines d'industrie et hommes d'affaires plus ou moins véreux qui habitaient à San Isidro ou dans ce quartier de la Recoleta. Et voilà qu'il narguait leurs tombes, passait devant leurs dépouilles comme un détrousseur de cadavres, avec un plaisir morbide qui lui donnait envie de tout casser.

Des hordes de chats abandonnés sautaient d'une tombe à l'autre ou miaulaient entre les cyprès, les anges qui gardaient les tombeaux se confondaient parfois avec leurs silhouettes et s'envolaient d'un mausolée à l'autre. Ortega levait les yeux, mais des nuages passaient alors dans le ciel, et l'obscurité avalait les angoisses.

Comment pouvait-il imaginer de telles fadaises ? L'endroit, qui n'avait rien d'engageant, paraissait peuplé de fantômes, mais tous ces puissants étaient bel et bien morts. Malgré les tonnes de marbre blanc dont ils s'étaient entourés, leurs corps étaient rongés par les vers et réduits en poussière. Les cimetières sont finalement les seuls endroits au monde où règne une forme de justice.

La tombe qu'ils cherchaient était à quelques centaines de mètres de l'entrée principale, au bout d'un dédale de petites allées circulant entre les mausolées. Ortega regarda son plan, s'orienta avec une lampe électrique, l'éteignit, puis tourna à droite, dans une allée obscure où de grands cyprès faisaient écran à la lumière de la lune.

Le cimetière était entouré d'immeubles hideux dont les façades sombres se détachaient dans la nuit, et Ortega ne voulait pas se faire repérer par des insomniaques qui auraient pu être intrigués par les lumières de sa torche. Il tâtonnait dans l'obscurité lorsque, réprimant un juron, il cogna de plein fouet un ange de deux mètres de haut qui gardait l'entrée d'un sanctuaire. Le drapé se détacha et s'écrasa avec fracas sur le sol, puis la tête dégringola, et la statue s'écroula sur le chemin, se brisant en morceaux.

Aussitôt, des aboiements se firent entendre de l'autre côté du cimetière, près de la maison du gardien. À en juger par les glapissements de l'animal, ce devait être un chien de garde, berger allemand ou doberman. Puis ce fut le bruit d'une porte, une voix, et quelqu'un qui sifflait la bête.

Ortega écumait. Voilà ce qu'on obtient à rêvasser devant les mausolées ! Le gardien du cimetière, réveillé par le tintamarre, allait certainement commencer une ronde.

Il fit signe au rouquin de rester immobile. Les pas se rapprochaient. Des semelles claquaient sur les dalles, et le chien poussait des cris plaintifs. Le molosse tirait sur sa laisse, ses crocs baveux reniflaient le sol.

Ortega se pencha vers Patricio et lui souffla :

— Il n'aura pas de mal à nous retrouver. Sors ton couteau, et cachons-nous là, derrière.

Les deux hommes escaladèrent un mausolée surmonté d'une vasque en marbre de plusieurs mètres. La famille du mort avait voulu écraser de sa puissance les autres pensionnaires du cimetière, et un catafalque propulsait le tout à quatre mètres du sol.

Le rouquin tira une lame de son sac et l'essuya contre son pantalon comme pour l'aiguiser. C'était un instrument utilisé dans les entrepôts pour découper les quartiers de viande, les transformer en *bifes de chorizo* ou en *filetes de lomo*. La lame tranchait la chair comme du beurre, Patricio l'avait essayée la veille sur son doigt.

Le bruit se rapprocha.

Le gardien excitait son chien en criant *Tya ! Tya !* comme les vachers avec leurs troupeaux. Les sons glissaient entre les tombes, montaient le long des angelots et résonnaient contre les portes d'acier des mausolées.

— Charge-toi du molosse, chuchota Luis, je m'occuperai de son maître. Mais arrange-toi pour faire le minimum de bruit.

Puis il s'accroupit avec le rouquin derrière une statue. Ils avaient une vue dégagée sur l'allée qu'ils venaient d'emprunter. Le chien et son maître allaient suivre leur trace et passer en contrebas.

Dans le quartier populaire où vivait Patricio, chaque famille nourrissait deux ou trois bâtards qui hurlaient toute la nuit. Il avait toujours rêvé d'égorger ces sales bêtes. Un sourire illuminait son visage, en pensant au cou de l'animal dans lequel il allait planter sa lame, quand la lueur d'une torche apparut au fond de l'allée.

Courant derrière son molosse qu'il avait de la peine à maîtriser, le gardien balayait les tombes avec le faisceau de son halogène. C'était un grand gaillard dépenaillé, avec de longs bras musclés, à qui la municipalité permettait de dormir sur place en échange de quelques rondes. Les aboiements l'avaient surpris en plein sommeil, il n'avait même pas pris soin de fermer sa chemise.

Être *cuidador*, gardien, présentait de nombreux avantages en Argentine. On était assuré d'un toit et de quelques services de base, comme l'eau courante et l'électricité. Dans la journée, l'homme améliorait son ordinaire en aidant les clients d'un supermarché à ranger leurs achats dans leurs voitures.

Le chien s'arrêta en bas du mausolée, renifla et tira encore plus fort sur sa laisse.

Ortega et le rouquin se cachaient derrière une Vierge de plus de trois mètres de haut, qui appuyait sa tête contre le bas du cercueil. La bête renifla, aboya, et son maître commença à inspecter la zone avec sa torche. Le faisceau de l'halogène remonta le long du mausolée, éclaira les ailes des anges, se glissa le long du catafalque. Puis Luis se lança dans l'allée.

Encore étonnamment souple pour son âge, il se rétablit instantanément sur le sol tandis que Patricio se jetait sur le chien. Le monstre, une femelle doberman de plusieurs dizaines de kilos, lui attrapa le bras droit. Patricio laissa échapper son couteau et hurla de douleur. Les crocs pénétraient dans sa chair, et le molosse secouait sa prise comme un vulgaire morceau de viande. Sa gueule dégageait une odeur de putréfaction avancée.

Le rouquin lui était tombé dessus de plein fouet, il sentait ses tétons chauds collés sur sa peau comme des sangsues, chercha à dégager son bras droit, puis lança le gauche vers la gueule du chien, attrapa son cou et le serra de toutes ses forces.

En apercevant les deux hommes, le gardien avait lâché la laisse du molosse et reculé de quelques mètres. Ortega sautillait devant lui avec un cylindre d'acier de plusieurs dizaines de centimètres accroché à un élastique. Il le fit tournoyer deux ou trois fois en l'air, puis lâcha son arme vers la tête du vigile. Le projectile rata sa cible et alla s'abattre contre l'épaule de l'homme, persuadé qu'une scie lui coupait l'omoplate.

Cet ancien docker d'une quarantaine d'années habitué aux bagarres sur le port n'était pas impressionné par Ortega. Il avait l'avantage de la taille, et celui de l'âge. Fou furieux, il sortit une matraque de sa poche.

— Viens par là, sale racaille ! dit-il en balançant son arme, une matraque télescopique en acier trempé capable d'assommer un bœuf.

Le vigile s'approcha, les jambes écartées, et leva le bras pour frapper, mais Ortega avait calculé son coup. Il s'éloigna au tout dernier moment et profita de la seconde où le vigile était déséquilibré pour sortir de son blouson une autre barre d'acier, puis il sauta sur son adversaire pour le frapper de toutes ses forces au cou et sur le bas du visage.

Le gardien eut l'impression que toute la moitié inférieure de sa bouche partait en morceaux. Des dents avaient sauté, et sa lèvre supérieure était sectionnée à la hauteur du nez. Il s'étrangla en crachant du sang.

— *¡ Hijo de puta !* grogna-t-il en s'appuyant quelques secondes sur le mausolée de marbre.

La situation était désespérée. À trois mètres de là, le rouquin appuyait de toutes ses forces sur le cou du doberman, qui agitait frénétiquement ses pattes arrière, et l'homme en blouson avançait de nouveau avec sa barre d'acier.

Il ne s'agissait pas de vulgaires rôdeurs : les deux hommes voulaient le tuer. Le gardien jeta un regard à droite, en direction de la sortie, eut envie de fuir, mais se dit qu'il n'arriverait pas à les semer.

— Pourquoi ? bégaya-t-il en essuyant le sang dégoulinant de sa mâchoire.

Ortega leva la main pour le frapper de nouveau à la tête. L'homme perdit connaissance et s'écroula sur le rebord de marbre. Luis se pencha sur son corps, observa quelques secondes ses yeux vitreux, et lui donna un dernier coup de pied au visage avant de se tourner vers le rouquin, qui continuait de serrer le cou du doberman.

Le molosse commençait à étouffer, mais Patricio sentit qu'il lâchait prise. Il dégagea son deuxième bras et mobilisa toutes ses forces. Ses muscles n'avaient pas été sectionnés par les crocs. Il s'arc-bouta des deux mains sur le cou de la bête et sentit ses os craquer. Le doberman miaulait comme un chat. Le rouquin le tenait solidement en étau, assis à califourchon sur ses tétons, les deux mains autour de sa gorge, serrant de plus en plus fort pour l'étrangler.

Ortega, qui assistait à la scène, se retourna en entendant un gémissement derrière lui. Le gardien, qu'il avait cru mort, respirait encore. Luis s'accroupit et le regarda fixement quelques instants avant de commencer à lui frapper violemment le crâne à coups de poing. Une fois, deux fois, trois fois, prenant son élan comme un ouvrier du bâtiment démolissant un mur à la masse. Ortega ne se maîtrisait plus, ses forces étaient décuplées, des rigoles de sang coulaient sur le marbre.

Luis reprit son souffle dans une longue inspiration, observa la mâchoire disloquée, le visage ensanglanté, les yeux ouverts.

Le gardien était mal rasé, il portait de vieux vêtements usés jusqu'à la corde, mais ce débris avait failli compromettre son plan. À cette pensée, Ortega sentit une nouvelle poussée de rage l'envahir. Il leva son gourdin d'acier et l'abattit de toutes ses forces sur la tête du vigile, comme il avait vu faire sa grand-mère sur la table de la cuisine quand elle fracassait les carcasses de poulet pour préparer le court-bouillon.

Le premier coup frappa le crâne à la hauteur du lobe frontal, mais l'os résista. Furieux, Ortega cogna sur le côté, sur les tempes, de nouveau sur le front, écrasant les yeux, le nez, démolissant ce qui restait de la bouche, puis il prit son élan et cogna encore sur le crâne, entre les deux sourcils, jusqu'à ce que le front cède enfin dans une bouillie de chairs et de débris d'os.

Luis poussa un soupir de soulagement, eut envie de frapper de nouveau, mais la tempête était passée, il se sentait mieux. Il n'avait plus besoin de cogner.

À trois mètres de là, le rouquin commençait seulement à reprendre ses esprits après avoir étranglé le chien. La douleur causée par les crocs de l'animal remontait jusqu'à la poitrine.

Ortega arracha la chemise du gardien et en découpa un lambeau de tissu avec les dents pour confectionner un garrot, qu'il serra autour du bras de Patricio.

— Tu iras à l'hôpital dès qu'on aura terminé.

Patricio se releva et tituba quelques secondes.

— Pas de problème, *jefe*, je me sens bien.

La morsure du chien l'avait toutefois ulcéré. Comment avait-il pu se laisser attraper le bras par cette sale bête ? Il se retourna, cracha en direction du corps, et lui redonna un coup de pied dans la tête, puis un autre dans le ventre, contre ses tétons qu'il avait sentis sur sa peau.

— Ça va aller, *jefe*, ça va aller…

Mais, comme une douleur atroce montait dans son bras, il se remit à vaciller.

Ortega, lui, avait rapidement recouvré ses esprits. Que faire du gardien et du chien ? Chercher à les dissimuler pour qu'on les découvre le plus tard possible, ou bien les laisser où ils étaient ? Luis opta pour la seconde solution : le gardien du lendemain, en ouvrant le cimetière au matin, perdrait un bon quart d'heure en cherchant à comprendre ce qui s'était passé. Ce serait toujours ça de gagné.

— Viens, c'est par là ! commanda Ortega. Et éclaire le chemin !

Ils prirent une autre allée, qui les conduisit devant un monument plutôt moins ostentatoire que les autres. Là, Luis ordonna de s'arrêter. De la main gauche, Patricio prit la torche pour éclairer la porte du caveau.

Ce qu'il vit en haut de l'entrée lui coupa le souffle.

Familia Duarte.

Le tombeau d'Evita Perón.

La madone des *descamisados*[1], des exclus, l'idole de tout un peuple, reposait là, dans le caveau familial, sous plusieurs mètres de terre et de béton. Chaque jour, des Argentins venaient y déposer des bouquets de fleurs, mais la jeune femme ne s'était pas fait que des amis. Elle avait censuré la presse, jeté des opposants en prison et s'était entourée d'une clique d'incompétents.

Incrédule, Patricio se tourna vers Ortega, qui avait déjà déballé sur le sol un marteau et des pieds-de-biche.

— C'est là ?

— Aurais-tu peur des morts ? répondit simplement Luis dans un sourire triomphant.

Evita avait été embaumée après son décès en 1952, mais les militaires qui avaient renversé Perón ne savaient que faire du cadavre. La momie était gênante : il fallait éviter à tout prix que sa sépulture ne devienne un lieu de pèlerinage. On avait déplacé la dépouille d'un endroit à l'autre, d'un bâtiment

---

1. Les « sans-chemise ».

militaire à un terrain vague, puis secrètement transporté le corps en Italie, pour l'enterrer sous un faux nom à Milan.

Lorsque Perón, en exil à Madrid, avait récupéré le cercueil, il était déjà remarié avec une danseuse rencontrée au Panamá. On raconta alors que le vieux dictateur, grand admirateur de Mussolini, pratiquait près du corps des séances d'exorcisme. Des inconnus avaient mutilé le cadavre, sectionné le cou, taillardé la poitrine…

« Quels salauds ! » avait dit Perón, tandis que son secrétaire, qui se prétendait sorcier, tentait sans succès de faire passer l'âme d'Evita dans le corps de sa nouvelle épouse.

La momie avait finalement atterri au cimetière de la Recoleta, en 1976, après l'arrivée au pouvoir de la junte militaire. Evita, la plus célèbre des Argentines, aussi adulée que détestée, reposait ainsi dans un simple caveau de famille. Celle qui avait mobilisé les foules n'avait même pas eu droit à un tombeau plus grand que les autres. Il était même plutôt discret, comparé aux autres monuments du cimetière.

Le rouquin était pourtant glacé d'effroi. Son chef avait-il l'intention de profaner le tombeau de la sainte ?

Les Argentins avaient cherché à faire canoniser Evita après son décès, mais le Saint-Siège avait poliment refusé. Pour le rouquin, cependant, comme pour des millions d'Argentins, cette belle femme blonde et élégante était un mythe. S'attaquer à son tombeau était donc un sacrilège.

Ortega lui arracha la torche des mains pour éclairer le monument.

En haut, le nom de la famille, *Familia Duarte*. De chaque côté de la porte encombrée de bouquets de fleurs, des plaques de cuivre vissées dans le marbre, avec des citations d'Evita : « La seule chose que je souhaite est de servir les pauvres et les travailleurs » ou des proclamations en son honneur : « Elle illuminera toujours le chemin de la justice sociale. »

D'autres membres de sa famille reposaient à ses côtés, comme son frère Juan Duarte : la plaque était scellée sur le marbre, à gauche de la porte d'entrée.

Juan Duarte.

Le maçon avait dit vrai.

Ortega passa la main sur le cuivre pour voir si le bloc avait été déplacé : il était impossible de le faire bouger. Si d'autres personnes avaient eu vent de l'affaire avant lui, le morceau de cuivre n'aurait pas été si solidement enfoncé dans le mur. C'était bon signe.

Le rouquin n'était pas encore revenu de sa stupéfaction.

— Donne-moi donc un pied-de-biche, au lieu de rester sans rien faire ! Qu'est-ce qui te terrorise ? La momie, bien sûr ! Rassure-toi, je n'ai pas l'intention de l'emmener avec nous.

Il est vrai que l'idée avait traversé quelques secondes l'esprit embrumé du rouquin, mais il s'était aussitôt repris. Aussi frustré soit-il, il savait bien que le corps de la belle Evita n'avait plus la même valeur marchande que trente ans plus tôt. Mais elle restait un symbole.

Ortega prit le levier, choisit un marteau puis s'arrêta quelques secondes, paraissant réfléchir.

— Tu veux que je te dise vraiment ce que je pense de ce corps ? Paix à son âme, c'est tout. Pour le reste, regarde comment les péronistes ont détruit le pays : l'Argentine était jadis l'un des États les plus prospères du monde ; maintenant, les gens font la queue devant le consulat d'Espagne pour quitter leur patrie !

Ortega approcha son pied-de-biche de la plaque de cuivre.

— Alors, tu vois, il n'y a qu'une seule chose qui compte dans ce cas-là : sauve qui peut ! Et barre-toi en emportant les meubles !

« En emportant les meubles », répéta-t-il pour lui-même. La formule lui plaisait.

Si le maçon avait dit vrai, des bijoux de famille, des bijoux de l'Argentine se trouvaient derrière cette plaque.

Tous des salauds, ces politicards ! Il allait tout ramasser et se barrer loin, très loin.

— Ne t'en fais pas, *rubio*[1], dit-il au rouquin, toujours statufié. Tu auras ta part.

Avec son bras en lambeaux, Patricio souffrait le martyre, ce qu'Ortega pouvait comprendre. Mais ce qui l'attristait le plus était de constater que son comparse était terrorisé.

---

1. « Blondinet ».

Luis avait entendu parler longtemps auparavant du trésor d'Evita. Lorsque les militaires avaient pris le pouvoir en 1976, certains d'entre eux avaient cherché à mettre la main sur les richesses des Perón. On disait qu'Evita avait commencé, vers la fin de sa vie, à prendre ses distances avec son époux et confié à certains de ses fidèles une partie du magot qu'elle s'était approprié. Pour continuer son œuvre, disaient certains ; pour financer les activités politiques de ses partisans, répliquaient d'autres. Quoi qu'il en soit, les fonds étaient demeurés introuvables, jusqu'à ce que Luis Ortega, pourchassé par les organisations de défense des droits de l'homme, rencontre au Paraguay d'anciens « collègues » en cavale.

C'étaient d'ex-membres de la Triple A[1], une formation paramilitaire fondée par l'ancien secrétaire de Perón, le sinistre Lopez Rega, en comparaison de laquelle les officiers de l'École mécanique de la marine faisaient figure d'enfants de chœur. Tout en éliminant tous ceux qui pouvaient être considérés comme subversifs, un certain nombre d'entre eux avaient élargi leurs centres d'intérêt et cherché à remonter les filières qui pouvaient conduire au magot d'Evita.

Personne, à vrai dire, ne savait précisément de quoi se composait le trésor, mais tout le monde s'accordait à penser qu'il s'agissait d'un pactole. On parlait de lingots d'or, de pierres précieuses d'une valeur incalculable, de numéros de comptes bancaires en Suisse... Peu importe : chacun salivait en espérant mettre la main dessus.

Malheureusement pour eux, et heureusement pour Ortega, leurs recherches avaient brutalement tourné court à la chute de la dictature militaire. La plupart avaient été contraints de prendre la fuite pour éviter d'avoir à rendre des comptes. C'est à Asunción, au grill de l'hôtel Excelsior, un vieux palace du centre-ville, qu'Ortega, lui aussi exilé, les avait retrouvés.

Les paramilitaires désœuvrés y allaient de leurs « souvenirs de guerre », et Luis avait ouvert ses oreilles lorsque l'un des

---

1. AAA : *Alianza anticomunista argentina* (Alliance anticommuniste argentine).

membres du groupe, un peu éméché, s'était vanté d'avoir fait parler sous la torture, juste avant la fin de la dictature, un ancien secrétaire de la Fondation Perón. Le magot, avait-il assuré, avait été mis en lieu sûr par un maçon. Le supplicié avait donné son nom, mais il était mort sur le « gril » alors que les paramilitaires s'apprêtaient a lui administrer une nouvelle décharge pour en savoir davantage.

Pourquoi n'avaient-ils pas tenté de continuer leur enquête ? s'était alors demandé Ortega. Il n'avait trouvé qu'une seule réponse : ses anciens collègues étaient devenus des loques et ne voulaient surtout pas retourner en Argentine.

Luis, au contraire, n'avait pas eu peur. Il était revenu s'installer à Buenos Aires. Après plusieurs années de minutieux recoupements, il avait fini par retrouver la trace du maçon, et le vieil homme avait parlé sous la torture dans cette *estancia* de la Pampa.

Il se souvenait des cris du vieillard lorsqu'on l'avait fouetté, de sa tête qui résistait à peine au fond du seau d'eau. Il n'avait pas non plus oublié la chanson grotesque qui enthousiasmait le rouquin : *« Je veux que tu saches que c'est moi qui t'aime… »*

Ortega enfonça son pied-de-biche entre le côté droit de la plaque et le marbre, et commença à taper avec son marteau. Le bruit métallique lui rappelait étrangement le xylophone qui accompagnait la chanson.

Bizarre comme les souvenirs peuvent ressurgir du passé. Les retraités de la Triple A, le bar de l'hôtel Excelsior à Asunción, et maintenant cette musique qui accompagnait les hurlements du maçon pendant la torture.

Il s'essuya le front. Étrangement, il n'avait pas senti la moindre fatigue quand il avait démoli le crâne du gardien, mais là, curieusement, il peinait. Le stress, la peur de l'échec. Ortega n'était plus tout jeune, il savait que l'occasion qui se présentait aujourd'hui à lui était la dernière.

La plaque de cuivre refusait de céder. Des éclats de marbre avaient sauté, mais le métal semblait faire corps avec le tombeau. Ortega regarda sa montre : 4 heures du matin. Et les employés du cimetière qui arrivent à 6 heures… Comme il ne leur restait plus beaucoup de temps, la rage monta en lui. Une vague énorme, comme un peu plus tôt, lorsque le gardien avait manqué tout faire capoter.

Il s'acharna encore plusieurs fois sur la barre d'acier, puis la jeta au sol, furieux. Elle rebondit sur le dallage. Patricio courut la chercher.

— Donne-moi la masse !

Comme le rouquin hésita, Ortega reprit :

— T'es sourd ?

S'il le fallait, il défoncerait ce maudit tombeau jusqu'au dernier morceau.

Ortega fit tournoyer le manche et abattit la fonte sur le marbre à la hauteur de la plaque, mais le tombeau résistait toujours. Ce n'était pas là qu'il fallait attaquer, mais à la jointure, pour détruire l'assemblage.

Il frappa de nouveau, en essayant de cogner sur le rebord de cuivre. Plusieurs fois, la masse lui échappa des mains. Il s'arrêta un instant, frotta son poignet douloureux, puis reprit son élan. Ils n'avaient pas eu de chance : le rouquin avait plus de force que lui, mais son avant-bras avait été blessé par la morsure.

Cinq minutes plus tard, exténué, de la sueur dans les yeux, Luis sentit que la plaque se mettait à céder. Patricio lui passa le pied-de-biche, qu'il glissa dans l'interstice qui commençait à s'agrandir entre le cuivre et le marbre. La lame était maintenant solidement enfoncée. Sa seule crainte était qu'elle ne se brisât.

Il attrapa un marteau et commença à taper dessus à petits coups, réajustant chaque fois la position de l'acier. La lame perçait maintenant la jointure en ciment…

Il essuya ses yeux, et haleta plusieurs fois comme un coureur à la fin du marathon. Le ciel commençait à rougir, le jour allait se lever.

Le rouquin, qui ne pouvait pas taper avec le marteau à cause de sa blessure, était capable de tenir le pied-de-biche.

— Enfonce-le vers la gauche, et tiens-le bien fort par le bas, comme ça.

Luis commençait à être franchement fatigué, mais il reprit la massue. Le rouquin le vit reculer, calculer son angle d'attaque, et se sentit subitement paralysé : le chef comptait donner un coup de masse sur le levier qu'il tenait entre ses mains. S'il visait mal, Patricio serait invalide jusqu'à la fin de ses jours. Alors, le rouquin eut une vision d'horreur : son bras coupé à la hauteur du poignet et prolongé par des doigts de fer.

Le coup partit sans même qu'il s'en rende compte.

L'acier pénétra sous la plaque, qui fut projetée à plusieurs mètres de là ! Mais la stupeur des deux hommes avait une autre raison : un petit sac de toile dissimulé dans la profondeur de la cloison tomba sur le sol, puis un second.

Ortega se précipita, plongea sa main à l'intérieur et sentit que d'autres sacs y étaient cachés. Il se retourna vers Patricio, le visage soudain transfiguré par la joie, et lui pinça amicalement le bas de la joue.

— On a réussi, *chico*[1] !

---

1. « Petit », diminutif affectueux.

8

Le chiffonnier fouetta son cheval, et la carriole, chargée de cartons à 70 centimes de peso le kilo, passa en trombe devant l'aéroport. L'aube se levait sur San Fernando. En quelques années, la belle Buenos Aires, ruinée par ses hommes politiques, avait pris des allures de tiers-monde.

L'aéroport abritait quelques jets d'affaires et les petits appareils qui n'avaient pas le droit de se poser sur les autres plates-formes de Buenos Aires. Il était cerné par des terrains vagues balayés par la poussière où les *cartoneros* triaient leur butin. Le terminal en brique rouge disposait d'une petite salle d'embarquement, d'une cafétéria et d'un service de police et de douane. C'était, disait-on, l'aéroport de tous les trafics.

L'Américain était furieux. Il avait téléphoné la veille pour que l'on sorte son hydravion, mais il avait trouvé porte close en arrivant à 6 heures. Et personne n'avait répondu lorsqu'il avait appuyé sur la sonnette de nuit.

Après avoir tambouriné pendant une bonne dizaine de minutes, une petite porte s'ouvrit enfin. Le gardien apparut dans l'encadrement, l'air endormi. Roy braqua sur lui sa torche halogène.

— Personne ne vous a prévenu, à ce que je vois.

Le veilleur de nuit reconnut l'Américain et appuya sur un bouton qui commandait l'ouverture électrique des vantaux.

Le propriétaire des lieux, l'Aeroservice del Río de la Plata, y entassait le plus grand nombre d'avions possible pour gagner le maximum d'argent. S'il en avait eu les moyens, il aurait empilé les avions les uns sur les autres. Faute de mieux, il avait mis au point un système qui consistait à glisser les avions ailes basses sous les appareils ailes hautes, et à confiner au fond du hangar ceux qui volaient rarement.

Ainsi, dans la pratique, il fallait une bonne dose de patience pour dégager un avion qui ne sortait pas tous les jours – et l'hydravion de Roy faisait partie de cette catégorie. Il n'avait pas pu l'utiliser au cours des deux dernières semaines en raison de mauvaises conditions météo : le vent soufflait trop fort pour amerrir dans le delta.

L'Américain était encore hésitant aux commandes de l'appareil et se méfiait des amerrissages par gros clapot, qui fatiguent la structure et entraînent des risques de chavirage. On peut avoir plusieurs milliers d'heures de vol sur des 727 et se méfier encore de ces engins. Des commandants de 747 refaisaient bien des tours de piste avant de remonter sur des petits monomoteurs Cessna…

Dans le hangar, l'Américain jeta un coup d'œil autour de lui. L'hydravion était bloqué par trois rangées d'avions, un Piper et deux Skylane couverts de poussière. En raison de la crise économique, beaucoup de propriétaires n'avaient plus les moyens d'entretenir leurs appareils et les laissaient au garage, en espérant des jours meilleurs.

— *Shit !* grogna l'Américain.

Le gardien du parking démarra le petit tracteur qui lui servait à déplacer les avions.

— Vous en avez bien pour une demi-heure !

— Un quart d'heure, pas plus.

Roy eut une moue dubitative. L'homme n'y arriverait sans doute pas dans ce délai, encore qu'il l'ait vu réaliser parfois de véritables prouesses. Comme c'est lui qui garait les avions, il connaissait parfaitement l'enchevêtrement des ailes et des hélices, si bien qu'il réussissait à dénouer l'écheveau avec une rapidité stupéfiante.

En tout cas, il fallait retarder l'heure de départ prévue. Roy avait déposé pour 7 h 15 locales un plan de vol Yankee, pour quitter la zone de Buenos Aires en IFR[1] et passer ensuite en VFR[2] afin de suivre à basse altitude les méandres du Paraná. Rendez-vous avait été pris avec Luis Ortega à 6 h 30.

L'Américain sortit de la poche de son blouson sa radio VHF[3] et appela la tour pour modifier son heure de décollage.

L'employé ne fit pas de difficultés : l'espace aérien au-dessus de Buenos Aires était encore calme en début de matinée, et le contrôle n'imposait pas encore de créneaux horaires[4].

Le gardien avait déjà dégagé le principal obstacle, un Piper Navajo couleur crème. Restaient les Cessna, mais ils étaient légers et pouvaient même être déplacés sans l'aide du tracteur, en les tirant par l'hélice.

Roy se glissa entre les appareils pour faire le tour de son hydravion. Comme le gardien n'était pas habitué à ce genre d'engins, l'Américain craignait toujours qu'il endommage l'un des flotteurs.

La machine était dans un piètre état lorsqu'il l'avait achetée au propriétaire de la Posada. L'amphibie n'avait pas volé depuis plusieurs années, son avionique était hors d'usage et ses flotteurs corrodés avaient des fuites. L'Américain avait cassé sa tirelire pour le restaurer, acheté de nouveaux flotteurs EDO, modernisé l'instrumentation avec des radios King, et s'était même offert le luxe, accessible en Argentine, de faire recouvrir les deux sièges avant et la banquette arrière d'un moelleux cuir rouge qui embaumait la cabine. L'appareil avait été repeint en blanc, avec une bande bleue. Il reposait sur des flotteurs dotés de trains d'atterrissage qui lui permettaient de se poser sur des pistes en dur.

---

1. Règles de vol aux instruments.
2. « Passer VFR » : abandonner les règles du vol aux instruments et passer en vol à vue (VFR).
3. Very high frequency.
4. Les créneaux horaires sont très pénalisants pour l'aviation privée : si, pour une raison ou une autre, l'appareil rate son créneau de décollage, il risque de devoir patienter au sol en attendant un autre créneau.

Ce véritable bijou ne manquait encore que d'un commandant de bord véritablement performant. Kruger n'avait que quelques dizaines d'heures sur la machine et ne se sentait pas encore tout à fait à l'aise.

Le gardien avait dégagé le dernier bimoteur qui gênait et accroché l'amphibie à son tracteur. Roy se hissa à bord et desserra le frein, puis le surveillant commença à tirer l'appareil vers la sortie. C'était toujours une impression étrange, en regardant par la fenêtre, d'apercevoir les gros flotteurs rouler sur la piste. Leur dimension l'impressionnait chaque fois.

Le soleil commençait à se lever quand l'Américain aperçut Ortega à quelques centaines de mètres. Il sortait de l'aérogare de brique rouge et portait un grand sac, comme ceux des marins qui participent à une régate. Roy, qui était en train d'inspecter les flotteurs, lui fit un signe de la main.

— Vous êtes en avance, dit-il en regardant sa montre. Je n'ai pas encore terminé la prévol. Il faut vérifier l'état de chaque flotteur avant le décollage, le bon positionnement des trappes de visite, et la fermeture étanche des coffres à bagages. Il suffirait de quelques secondes, en cas de fuite, pour que des dizaines de litres d'eau s'y engouffrent, ce qui représenterait une surcharge considérable pour l'hydravion.

Ortega jetait des regards inquiets à droite et à gauche. Roy pensa simplement qu'il avait été surpris de découvrir l'appareil dans lequel il allait passer plusieurs heures, suspendu au-dessus du Paraná. L'Argentin s'attendait peut-être à une machine plus imposante ?

— Pas de panique ! dit l'Américain. Je vais remonter à bord. Donnez-moi donc le sac, je le poserai à l'arrière.

L'Argentin attendit que Kruger ait grimpé sur l'hydravion pour lui passer le bagage à ranger sur la banquette.

— Eh bien ! on ne trouve vraiment rien sur le Haut-Paraná. Ça pèse au moins quinze kilos !

— Je vous avais prévenu, dit l'Argentin avec son plus beau sourire. Mon oncle a besoin de pièces pour son bateau, et il est impossible de s'en procurer sur place. Par contre, pour le matériel de pêche, on trouvera tout ce qu'on veut ! En avez-vous encore pour longtemps ?

Ortega était impatient de décoller. Il était 6 h 30, et l'équipe de jour devait être arrivée au cimetière de la Recoleta. La police allait tout bloquer dès que l'on découvrirait que le tombeau avait été pillé.

L'Argentin n'avait pas encore fait l'inventaire du butin, mais seulement jeté un coup d'œil dans quelques sacs. C'était stupéfiant.

— Une vérification des gouvernails aquatiques, et ce sera bon, dit l'Américain.

Un hydravion sur l'eau est plus difficile à manœuvrer qu'un avion au sol. Les gouvernails sont situés à l'arrière des flotteurs et reliés aux commandes de la cabine par des câbles et des ressorts. Il faut vérifier avant chaque décollage qu'ils fonctionnent correctement, à plein débattement.

Dans quelques années, quand il aurait épuisé les trésors de l'Argentine, il irait peut-être en Alaska rejoindre les pilotes de brousse. On pouvait acheter là-bas pour quelques dizaines de milliers de dollars des réserves de pêche avec un ponton où accrocher son hydravion.

Ortega observait l'Américain, la tête penchée dans le moteur. Sous la manche de sa chemise de jean bleu délavé, l'Argentin avait de nouveau aperçu la cicatrice autour de son poignet. Mais pourquoi s'inquiéter ? Le *gringo* avait expliqué qu'il avait eu un accident, et cela paraissait plausible : l'Américain avait une belle musculature, il faisait certainement beaucoup de sport. Par ailleurs, il était chaleureux et regardait les gens droit dans les yeux. C'était presque dommage de devoir le tuer.

— Allons-y ! dit Roy. Vous n'êtes jamais monté dans un engin pareil, je suppose ? Eh bien, vous allez voir, c'est un bateau volant !

L'Américain s'installa derrière le manche et sortit ses cartes Jeppesen.

— On suivra cette route, dit-il en pointant du doigt des hiéroglyphes. Ce symbole rond avec un petit rectangle et l'inscription *Rosario 117,3 Ros* est le VOR, la balise de la ville de Rosario, qui va nous tirer vers le nord-ouest. En se dirigeant vers elle, on sera sûrs de ne pas se tromper.

Ortega fixait la carte.

— Vous aurez tout à l'heure un cours d'initiation…

L'Américain était ravi d'avoir un passager. Depuis que Jane avait eu la peur de sa vie lors d'un amerrissage un peu délicat dans le delta du Río de la Plata, elle ne voulait plus l'accompagner. Quant à Hector, il était encore plus terrorisé qu'à bord du Beech, ce qui lui gâchait le plaisir du vol.

Roy appela la tour pour demander l'autorisation de mettre en route, puis il lança le moteur. Toute la cabine se mit à vibrer. Anxieux, l'Argentin regarda par la fenêtre. La carlingue posée sur les flotteurs lui donnait l'impression d'être perché sur des échasses.

La tour lui passa l'autorisation de rouler, et Roy poussa la manette des gaz. Ortega sentit sa crampe d'estomac diminuer : dans quelques minutes, ils seraient en l'air et personne ne pourrait plus le rattraper.

Santos, le ministre de l'Intérieur, allait passer une très mauvaise matinée…

Ortega détestait le personnage. Il avait fait Harvard, portait des lunettes cerclées et avait été récemment compromis dans un scandale financier, mais ses appuis dans le mouvement péroniste lui avaient sauvé la mise.

Luis avait quitté le rouquin à la sortie du cimetière et avait trouvé un café ouvert pour s'asperger le visage d'eau et enlever les taches de sang de sa chemise. Puis il avait pris un taxi pour venir directement à l'aéroport. Roy avait prévenu le personnel de piste, pour que l'Argentin n'ait aucun problème et trouve facilement le hangar.

Au sol, l'amphibie se pilotait presque comme un avion et était même plus stable, avec ses quatre roues, qu'un 172 conventionnel. En revanche, dans les virages, il fallait utiliser les pédales de frein, avec de brèves pressions, pour éviter la surchauffe. Roy n'avait pas été trop dépaysé au cours de ses premières heures d'instruction, mais, pour le reste, il avait dû écouter les conseils d'un retraité de l'aéronavale, l'un des rares instructeurs hydravion du pays.

Ortega sursautait chaque fois que Roy était en communication avec la tour, mais tout se passait bien. Personne ne s'intéressait à eux.

— Prêt à copier, annonça Roy après avoir fait ses essais moteur.

Le contrôleur lui donna un code transpondeur qui permettrait aux contrôleurs de le visualiser sur leurs écrans radar, puis il égrena ses instructions. Chaque départ en vol aux instruments respecte des itinéraires précis, mais le contrôle aérien affranchit parfois les avions de ces trajectoires, leur donnant des caps pour raccourcir leur route.

Kruger s'aligna sur la piste 23, vérifia une dernière fois les paramètres et mit pleins gaz.

Le 172 amphibie était encore plus poussif que son homologue sans flotteurs. 40 nœuds, 50 nœuds, 60 nœuds. Roy attendit 70 nœuds pour tirer sur le manche, et l'hydravion commença à grimper. Il rentra les quatre trains, puis les volets. Heureusement, l'Aeroparque était au niveau de la mer et l'altitude ne ralentissait pas la montée.

Ortega s'affaissa sur son siège.

Il n'avait pratiquement pas dormi, et la tension des dernières heures retomba subitement. Il poussa un soupir et ferma les yeux pour se concentrer sur la suite des opérations. La partie était encore loin d'être gagnée.

Esquina, où son oncle avait une maison, était une petite bourgade de quelques centaines d'habitants sur le bord du Paraná, à six cents kilomètres de Buenos Aires et à quatre cents kilomètres de la frontière paraguayenne. La localité, à quelques dizaines de kilomètres de la propriété, avait une antenne de la police fédérale, mais personne ne s'étonnerait que Luis vienne rendre visite a son oncle. Ensuite…

L'hydravion poursuivait sa montée, secoué par des trous d'air. L'itinéraire continuait vers le sud pour se raccorder sur les sorties « standard » de l'Aeroparque, quelques minutes dans l'axe, puis le Río de la Plata sur la gauche, et Buenos Aires sur la droite. La route remontait ensuite vers le nord-ouest après un virage à 90 degrés.

La visibilité était réduite par des bancs de brume, mais on distinguait vaguement la *Casa Rosada*, la maison rose, siège de la présidence. La couleur de son crépi, disait-on, était jadis obtenue par un savant mélange de graisse et de sang de bœuf additionné de citron vert.

C'est de là qu'Evita Perón haranguait la foule, c'est là que des millions d'Argentins appartenant aux couches les plus défavorisées de la société venaient acclamer leur idole, là aussi que, plus récemment, des mères de prisonniers disparus pendant la dictature militaire réclamaient justice pour leurs enfants. Elles défilaient chaque jeudi avec leurs photos, et Ortega évitait soigneusement de traîner ce jour-là dans le quartier. Maintenant, en revanche, il était sauvé. Ou presque.

Tout occupé à négocier des raccourcis avec le contrôle de Buenos Aires, Roy n'avait pas le temps de converser avec l'Argentin. Ortega en profita pour faire le point.

Il resterait quelques jours dans la villa de son oncle et téléphonerait au Paraguay pour qu'on vienne le chercher en *avioneta*. Il avait souvent vu des avions légers et même des bimoteurs sur la piste en herbe d'Esquina, et son contact a Asunción lui trouverait bien un pilote sans états d'âme capable de traverser la frontière et de se poser quelques minutes sur le terrain, juste le temps de lui permettre de monter à bord. Personne ne surveillait quoi que ce soit dans cette région : en moins de deux heures, il serait au Paraguay. Ensuite, il négocierait le contenu de sa prise.

L'hydravion vira à gauche et continua de monter. Ils volaient maintenant au-dessus des eaux grises du Río de la Plata, où des dizaines de porte-containers ancrés dans la baie attendaient de pouvoir accoster au port de Buenos Aires. L'Uruguay était juste en face, à une demi-heure de vol. Beaucoup de paramilitaires de la Triple A s'y étaient réfugiés avant de partir pour le Paraguay. Le delta était bordé de bandes de sable blond qui paraissaient idylliques à 3 000 pieds d'altitude, mais l'eau y était polluée.

Luis avait un curieux sentiment. Il était soulagé d'avoir décollé, mais également ému de ce nouvel exil qui s'annonçait. Cette fois, ce serait définitif : il ne reviendrait jamais en Argentine.

Il sentit des larmes lui monter aux yeux. Buenos Aires, ses terrasses de cafés, ses boutiques, ses restaurants, cet art de vivre que chaque *Porteño* portait dans son cœur. Il ne reverrait jamais tout cela. Quant au rouquin, il était convenu de lui envoyer de l'argent dès que possible.

La secrétaire de son agence de sécurité s'étonnerait sans doute de ne plus le voir apparaître, mais elle laisserait la clé sur son bureau dès qu'elle s'apercevrait qu'elle ne recevait plus de salaire. Des huissiers viendraient prendre les meubles pour payer le loyer, et l'administration de l'immeuble chercherait un nouveau locataire. Dans ce pays frappé par la crise, beaucoup de petites entreprises comme la sienne naissaient et disparaissaient ainsi en quelques mois, sans que personne s'en émeuve. Les propriétaires criblés de dettes décampaient en général sans laisser d'adresse.

Ortega dodelina du chef, songea à Casaletti et à sa mâchoire de publicité pour dentifrice, et le seul fait de songer à la tête qu'il ferait en découvrant le pot aux roses le mit de bonne humeur.

— Qu'est-ce qui vous amuse ? demanda Roy tout en négociant avec le contrôle une « directe » – un itinéraire raccourci – pour arriver plus vite à destination.

Ortega sursauta. S'était-il endormi ? Avait-il parlé dans son sommeil ? Il releva la manche de son blouson pour regarder sa montre, puis se redressa sur son siège, à la recherche d'une réponse. Ils étaient partis depuis une demi-heure.

— Je pensais à un ami avec lequel j'ai parié de rapporter le plus gros *dorado* jamais pêché. Il fera une drôle de grimace quand je lui enverrai la photo !

El dorado. En Amérique latine, le nom évoquait immanquablement les fabuleux trésors cachés par les Indiens à l'arrivée des Espagnols. Le trésor sur lequel Luis venait de mettre la main était presque aussi intéressant.

L'hydravion avait atteint le niveau 60, 1 800 mètres environ, et volait en palier.

Les méandres du Paraná serpentaient entre des herbages et des damiers de terres cultivées. Le sud du fleuve, près de Buenos Aires, avait le week-end des allures de Venise, avec ces centaines d'embarcations de plaisance labourant ses flots marron. Plus on remontait vers le nord, plus l'urbanisation diminuait. Des terres d'élevage ponctuées de lacs et de bras d'eau à demi effacés par la brume s'étendaient à perte de vue.

Roy enclencha son pilote automatique avec un air malicieux.

— C'est idiot, mais un débutant se sent plus à l'aise avec quelqu'un à côté de lui, même si ce n'est pas un pilote. Il peut lui demander une carte, une check-list tombée sous le siège… C'est tellement désagréable de voler seul quand on n'a pas beaucoup d'heures de vol !

Ortega fronça les sourcils.

— Pas beaucoup d'heures de vol ?

— Ne vous inquiétez pas ! Un hydravion est encore plus sensible aux vents et aux courants qu'un bateau, mais tout s'apprend. Le plus compliqué est de choisir la zone d'amerrissage.

L'Argentin n'était qu'à moitié rassuré.

— Mais oui ! Les aéroports sont construits par des équipes d'ingénieurs en fonction du relief, des vents existants et de tas d'autres paramètres. Mais, dans un hydravion, c'est au pilote de faire tout ce travail, puisqu'il choisit lui-même l'endroit où se poser. Atterririez-vous sur la piste d'une *estancia* encombrée de bétail ? Non, bien sûr ! Eh bien, c'est la même chose ou presque en hydravion : avant de se poser, il faut vérifier qu'il n'y ait pas d'obstacle sur le plan d'eau, ni bancs de sable, ni troncs d'arbre…

Ortega écoutait l'Américain en rappelant ses souvenirs. Il n'avait pas oublié la maison de son oncle, le ponton d'où il plongeait quand il était gamin, les roseaux et les marécages. Mais quelle était la configuration du fleuve à cet endroit ? Il ne s'en souvenait plus exactement.

La propriété, dont la grande pelouse descendait vers l'eau, bordait le Paraná. De petites embarcations remontaient vers le nord, mais leurs étraves ne craignaient pas les morceaux de bois. Que se passerait-il si l'Américain jugeait qu'on ne pouvait pas se poser devant la maison et amerrissait en pleine nature, loin du domaine ? Comment Ortega mettrait-il son butin en lieu sûr, incapable qu'il était de piloter lui-même cet engin ? Il était impératif que l'hydravion se pose près de la propriété et qu'il puisse l'approcher du rivage avec les rames qu'il avait aperçues dans la soute ; sinon, tout serait remis en cause.

Roy continuait ses explications. Avec un hydravion, pas de manche à air ou de tour de contrôle pour vous donner la force et la direction du vent : c'est au pilote de se débrouiller tout seul, en observant les fumées, les rides sur l'eau et les oiseaux. Oui, les oiseaux !

— Saviez-vous qu'ils ont tendance à s'orienter « bec au vent » ?

Autant Kruger était intarissable, autant Ortega ne se montrait pas très causant. Il aurait pourtant dû être d'excellente humeur à la perspective de cette partie de pêche. Une excursion comme celle-ci n'était quand même pas donnée à tout le monde ! Les compagnies d'avions-taxis qui emmènent les touristes dans les *estancias* lui auraient soutiré un maximum d'argent, et l'Argentin aurait dû se réjouir de cette aubaine. Mais quelque chose le tracassait manifestement.

Roy identifiait très bien ce genre de situation, il savait observer ses interlocuteurs, déceler un détail bizarre dans une conversation anodine – même s'il avait un peu baissé sa garde depuis qu'il avait quitté la DEA après son aventure colombienne.

Après tout, Hector avait peut-être eu raison lorsqu'il lui avait conseillé de se méfier. Il était devenu trop insouciant, sans doute. Buenos Aires avait beau avoir l'allure d'une grande ville européenne, on était là en Amérique latine ! Il lui était même arrivé de tomber sur un chauffeur de taxi qui avait tenté de le kidnapper…

Le kidnapping express commençait à se répandre en Argentine. Les malfrats choisissaient un itinéraire qui passait dans un quartier mal famé, et des complices montaient au feu rouge. Le client était prié de donner aux gangsters les codes de ses cartes de crédit et était libéré dès que les délinquants avaient vidé ses comptes à un distributeur. Parfois, des amoureux qui s'attardaient le soir dans leur voiture étaient enlevés et relâchés contre rançon.

Heureusement, les réflexes de l'Américain lui étaient instantanément revenus. L'un des assaillants avait un pistolet, dont Roy avait pu s'emparer sans peine. Les délinquants avaient alors pris la fuite, et l'Américain avait jeté l'arme dans une bouche d'égout, avant d'attendre un autre taxi noir et jaune. L'expérience avait été utile, puisque Kruger cherchait désormais à combattre sa nonchalance et avait retenu que les charmes de l'Amérique latine peuvent être dangereux si l'on n'y prend garde – à Buenos Aires comme ailleurs. Or, précisément, l'Argentin qui était assis à ses côtés à 6 000 pieds au-dessus du Paraná semblait nerveux…

Après Santa Fe, le fleuve disparaissait au milieu des marais et des lacs. Vu du Cessna, c'était comme une grosse tache bleue aux contours à demi effacés par la brume. À l'est, les herbages étaient coupés de bosquets d'acacias ; à l'ouest, les marécages envahis par les hautes herbes se confondaient avec le ciel.

Kruger ajusta les écouteurs de son casque Clark, puis appuya sur la touche émission de son micro et égrena le nom de la station appelée, ainsi que l'indicatif de l'hydravion.

— *Sauce Viejo, Lima Victor Echo Fox Alpha*[1], *buenos días.*

Sauce Viejo était l'approche de l'aéroport de Santa Fe qui régulait le trafic dans le secteur, et LV-EFA, l'indicatif de l'hydravion.

— *Adelante, Echo Fox Alpha*[2].

— Stable au 60[3] pour passer VFR sur Esquina, Echo Fox Alpha.

Le contrôleur avait le plan de vol de l'hydravion sous les yeux.

— Autorisé, Echo Fox Alpha. Rappelez 3 000 pieds en descente.

— On rappellera 3000, Echo Fox Alpha. On se posera sur le fleuve avant Esquina.

— Bien reçu, Fox Alpha, poursuivez.

Kruger déconnecta le pilote automatique et poussa le manche pour descendre vers le Paraná. On était à environ une heure de vol d'Esquina, mais l'Argentin lui avait dit que la villa de son oncle était un peu plus au sud.

La visibilité était presque parfaite. Des bancs de brume flottaient encore çà et là sur le fleuve, mais l'on commençait à

---

1. Alphabet aéronautique pour « LV-EFA ».
2. « À vous, Echo Fox Alpha. »
3. Niveau de vol 60 : 6 000 pieds avec une pression de 1 013 hPa.

apercevoir le bétail sur les pâturages. Kruger avait calculé sur la carte la distance exacte entre le terrain d'Esquina et la balise VOR de Santa Fe, puis calé l'un de ses instruments de radio-navigation sur sa fréquence. Même si l'Argentin avait du mal à reconnaître la petite ville, le DME, lui, ne se tromperait pas. Lire sur une carte, s'orienter en altitude nécessite des dizaines d'heures d'apprentissage, et Ortega pouvait manquer la propriété familiale.

— On approche, dit Kruger au bout d'une demi-heure. Vous devriez vous repérer.

L'hydravion, à 2 000 pieds, commençait à être secoué par les turbulences de chaleur. La localité était sur la rive droite du fleuve, les marécages étaient plus à gauche, vers l'ouest.

— L'*estancia* est facile à localiser, expliqua Ortega en se penchant vers le capot moteur. Deux maisons, genre chalet bavarois, reliées par des terrasses de pierre. Des murs en adobe, recouverts de bois peint en blanc, et un bâtiment moderne de plain-pied avec un toit de tuiles rouges. Un tennis en terre battue, une piscine.

Les Latino-Américains savent vivre...

La zone n'était guère urbanisée. Des *estancias* au milieu de milliers d'hectares, et quelques grandes propriétés le long du fleuve.

— C'est là-bas, dit Ortega. Je suis sûr de reconnaître l'endroit.

On apercevait à droite de l'hélice trois points blancs correspondant aux bâtiments dont avait parlé l'Argentin, et Luis desserra de quelques centimètres sa ceinture de sécurité. En général, on fait le contraire avant de se poser, mais Kruger n'y attacha pas d'importance.

Le Paraná, à cet endroit, mesurait plusieurs centaines de mètres de large, et Kruger fit un premier passage à 500 pieds au-dessus de la zone prévue pour l'amerrissage. L'eau était boueuse, il était difficile de se rendre compte de la profondeur. Pourtant, il ne semblait pas y avoir de bancs de sable.

À en juger par les vaguelettes, le vent soufflait nord-nord-est, pratiquement dans l'axe. Plein travers, la surface de l'eau aurait été calme le long de la rive, puis de nouveau agitée vers le milieu du fleuve. Un pilote expérimenté repérait facilement la direction du vent, juste en observant la nature autour de lui.

L'Américain poussa vers l'avant la commande des gaz pour prendre un peu plus de puissance et vira sur la gauche. Il fallait descendre encore un peu et effectuer une reconnaissance de la zone à quelques dizaines de mètres de l'eau.

Ortega ressentit un haut-le-cœur. Décidément, l'aviation légère n'était pas faite pour lui, et il se promit de ne jamais remettre les pieds dans l'un de ces engins. L'avion dépassa la zone prévue pour l'amerrissage, puis survola presque en rase-mottes la pelouse de la propriété.

À gauche, Kruger scrutait les flots du fleuve à la recherche de bouts de bois, de planches, de tonneaux abandonnés dans l'eau qui auraient pu endommager les flotteurs. Tout semblait parfait.

L'Américain refit un nouveau circuit et prépara sa machine. Gaz réduits, manche légèrement vers l'arrière pour une position cabrée, volets 10 degrés, gouvernails aquatiques en position haute, train rentré, axe visualisé.

Se poser sur l'eau avec des trains d'atterrissage sortis eût été une catastrophe, l'avion étant pratiquement sûr de capoter en une demi-seconde en passant sur le dos, mais tout était bien verrouillé. Deux lumières bleues sur le tableau de bord confirmaient que le train était rentré.

La main sur le poussoir des gaz, Roy surveillait le fleuve tout en jetant régulièrement des coups d'œil sur les arbres de la rive pour avoir une idée de la hauteur à laquelle il se trouvait. Cette absence de repère sol de la piste en dur était ce qui lui avait paru le plus difficile au début, lorsqu'il avait commencé son instruction hydravion, mais il s'y était habitué au bout de quelques heures d'entraînement.

Assiette verrouillée. Vitesse contrôlée. 60 nœuds. Le Cessna descendait imperturbablement sur le fleuve, à une cinquantaine de mètres environ de la rive. Un peu plus de puissance juste avant le toucher de l'eau. Kruger tira sur le manche pour arrondir et l'hydravion se posa sur le fleuve avec une légère secousse, dans une gerbe d'écume. Sitôt que Roy entrouvrit le hublot, un souffle tiède d'air humide chargé d'odeurs végétales pénétra dans l'appareil.

— Qu'est-ce que vous en pensez? dit-il en se retournant vers l'Argentin.

— C'était parfait! assura Ortega dans un grand sourire.

Kruger réduisit les gaz et tira vers lui le manche pour que les flotteurs ne piquent pas vers l'avant.

— Je ne vois pas le ponton, dit l'Américain.

— Moi si, dit l'autre en sortant un pistolet de la poche de son blouson.

Kruger reconnut immédiatement le modèle, une version compacte du Glock 17 réalisée en matériaux composites. L'arme tirait du 9 mm Parabellum et avait un chargeur quinze coups.

9

Le bureau d'Europa News occupait le huitième étage d'un vieil immeuble de l'avenue Corrientes. La façade attendait depuis longtemps d'être ravalée, mais les figurines de pierre qui encadraient la porte d'entrée lui conservaient son air cossu. Le hall impressionnait les visiteurs avec son carrelage en granit et ses deux réceptionnistes installés derrière de grandes tables en bois verni, mais l'environnement dans les étages était nettement plus dégradé : sol en linoléum, peinture défraîchie et odeur de vieux plastique.

Europa News n'était pas la seule agence de presse à avoir choisi l'immeuble. D'autres médias étrangers, dans le souci de faire des économies, avaient investi le building, attirés par la position centrale du bâtiment. On était à quelques centaines de mètres de la présidence et – ce détail avait toute son importance pour les journalistes – au centre d'un quartier plein de restaurants et de bars.

Marc Barrington, lui, ne jurait que par la Pipeta, une brasserie en sous-sol, toujours pleine à craquer, au coin de San Martin et de Lavalle. Les *bifes de chorizo* y étaient tendres à souhait, et la salade de *radichetta*, au goût amer, un véritable délice. Avec un litre de Montchenot rouge pour accompagner, la journée n'était pas perdue. Mais il n'était pas encore l'heure de prendre l'apéritif.

L'Anglais jetait bien de temps en temps des regards concupiscents en direction de sa bouteille de Jameson sur une étagère, mais il n'avait pas encore décidé de sortir les verres. Il s'ouvrait en général l'appétit avec un double bien tassé en compagnie de son adjoint, Fernando Irrutegui, un Argentin aux lointaines origines basques et à l'énorme bedaine.

Une force de la nature, cet Irrutegui – comme Barrington lui-même, d'ailleurs. Tous les deux pouvaient pisser de la copie avec plusieurs grammes d'alcool dans le sang, dormir trois heures, se relever en pleine forme à l'aube pour le papier du matin, et passer une nouvelle nuit blanche le lendemain, après une petite sieste dans l'un des vieux fauteuils en cuir du bureau avant de se remettre au travail.

Le Basque n'était pas encore arrivé. Irrutegui, qui n'avait à proprement parler pas d'horaires, débarquait à la mi-journée, une demi-heure en général avant la pause du déjeuner, mais était en contrepartie taillable et corvéable à merci. Sa femme, une Espagnole de Galice, n'avait jamais été belle, mais avec l'âge elle était devenue un véritable épouvantail. Le journaliste n'avait aucune envie de rentrer chez lui.

Barrington était seul dans le bureau, en compagnie du rédacteur du matin, un jeune débutant du nom d'Alfonso Diaz, qui n'avait pas encore compris que le plus important pour la carrière d'un journaliste d'agence était l'art du « lead », c'est-à-dire les trois premières lignes d'une dépêche. « Le lead, bon Dieu ! » gueulait Barrington en se grattant le cou quand il se sentait des ailes de pédagogue en revenant de la Pipeta, les joues colorées par le Montchenot. « Le lead, bon Dieu ! »

Mais Diaz n'osait pas se lancer. Plus royaliste que le roi, plus rigoureux qu'un professeur d'université, il ménageait la chèvre et le chou, le « peut-être » et le « c'est sûr » et n'arrivait ainsi presque jamais à livrer des leads « musclés » aux clients d'Europa News. Mais c'était un garçon sérieux, qui n'abandonnait pas le bureau pendant des heures pour s'attabler dans une confitería de la rue Florida et écoutait religieusement les flashs radio pour vérifier que l'agence n'avait rien loupé.

Il était 11 heures. Une odeur de café flottait dans le bureau quand Diaz sentit soudainement que son estomac se transformait en une plaque de ciment. Il remonta ses lunettes, appuya si fort sur sa mine de crayon qu'elle se cassa net, et attrapa de justesse un vieux stylo à bille qui traînait là pour noter ce qu'il entendait.

Radio Continental venait d'interrompre son programme musical pour passer un flash spécial. Un *acontecimiento espectacular*, un événement extraordinaire, s'était déroulé la nuit dernière au cimetière de la Recoleta. La police était sur place et l'entrée principale de la nécropole restait bloquée. Le reporter n'en disait pas davantage.

Une sonnerie de trompettes interrompit le bulletin, puis : « Radio Continental, toujours en tête de l'information ! » Après quoi le reporter reprit l'antenne, parlant aussi vite qu'un commentateur d'un match de *futebol* : « Selon des rumeurs non vérifiées, des inconnus se seraient attaqués à la tombe d'Eva Perón. Il y aurait un mort. » Le journaliste donna encore quelques détails, mais Diaz, sous le coup de l'émotion, ne les entendit pas. Le tombeau d'Evita ? Il n'avait vraiment pas besoin de ça.

Certains journalistes s'ennuient à mourir quand il n'y a pas d'actualité, mais Diaz, lui, aurait préféré travailler toute sa vie dans un service d'archives. La seule fois où il s'était trouvé confronté à un événement brûlant – dix touristes européens tués dans un accident de bus en Patagonie – lui avait laissé un si mauvais souvenir qu'il priait tous les jours pour que cela ne se reproduise pas. Il avait d'abord annoncé vingt-quatre morts sur la foi d'une information diffusée par la radio, puis quatre blessés seulement en reprenant une agence de presse locale. Quand d'autres médias étaient passés à cinquante morts, il avait appelé Irrutegui à la rescousse. Le Basque, qui était en train de déjeuner, était venu régler l'affaire de main de maître en réunissant dans un même *lead* les informations les plus contradictoires – le b.a.-ba du métier.

Mais aujourd'hui, Irrutegui n'était pas encore arrivé. Diaz avait les mains qui picotaient. *¡ Qué mala suerte*[1] *!* Cette grosse affaire lui tombait sur la tête juste au moment où il était seul

---

1. « Quelle malchance ! »

au bureau avec son patron. Diaz n'avait pas peur de Barrington, mais sa barbe et sa voix rauque l'impressionnaient. Et puis, tout était plus compliqué avec Marc : il ne parlait pas parfaitement l'espagnol et avait souvent besoin qu'on lui explique tout en détail. Soit, il n'avait pas son pareil pour pisser de la copie, enchaînant comme une machine *leads*, mises à jour et encadrés, mais le démarrage était toujours difficile, lorsque l'Anglais, excité par une information, hurlait son enthousiasme.

Des fourmis dans les jambes, le jeune homme se leva pour aller passer prudemment la tête dans le bureau de Marc, qui lisait *Clarín* les pieds sur la table tout en passant machinalement la main sur sa barbe. La télévision diffusait un feuilleton américain des années 1970 et le climatiseur encastré sous la fenêtre soufflait tant qu'il pouvait un peu d'air froid.

Barrington posa le journal, prit la télécommande pour baisser le son et demanda à Diaz ce qui se passait. Alfonso lut avec circonspection ce qu'il avait noté sur son bout de papier : le tombeau d'Evita, les rumeurs non confirmées. Barrington bondit :

— Qu'est-ce qu'ils racontent, là, en ce moment ?

— En ce moment ?

— Oui, en ce moment ! C'est pourtant simple à comprendre !

L'Anglais se précipita dans la salle de rédaction pour écouter Radio Continental en se grattant vigoureusement le cuir chevelu. Le journaliste était maintenant plus précis : on avait retrouvé un cadavre, et le tombeau d'Eva Perón avait été endommagé. Cette excellente histoire allait enthousiasmer les rédactions du monde entier, mais Barrington fit la grimace.

Pas de source ! Voilà le problème. La rédaction en chef allait beugler s'il envoyait une nouvelle de cette importance en citant simplement une information entendue à la radio. Il imaginait déjà le gratte-papier de service, dans son bocal de verre au troisième étage de l'agence, en train de concocter une note assassine avant d'aller s'empiffrer aux frais de l'entreprise à sa pause déjeuner. « Merci de mieux sourcer votre info », ou bien : « Retenons cette info en attendant une meilleure source. »

Ah ! ils ne se bilaient pas, au siège ! Ça oui, c'était toujours plus facile de donner des instructions que de faire le boulot. Il y avait même un rédacteur en chef qui n'avait jamais écrit de papier de sa vie !

— Téléphone aux flics ! Qu'est-ce que tu en penses ? lança Barrington à l'intention d'Irrutegui, qui venait d'entrer.

— Continental a souvent des scoops.

Et la télé ? Marc repassa dans son bureau. La chaîne d'information continue diffusait un long reportage sur les ravages de l'ouragan James en Floride. Le sujet intéressait tous les Argentins fortunés qui plaçaient leur argent aux États-Unis.

— Admettons que Continental ait eu la bonne info. Qui peut avoir fait le coup ?

— Tué le gardien ?

— Ce n'est pas le gardien qui nous intéresse, mais la belle Evita. Qui peut s'en être pris à son tombeau ?

— Tout le monde. Ceux qui pensent que Perón les a jadis trahis et que les péronistes d'aujourd'hui continuent à se moquer d'eux, que le gouvernement n'en fait pas assez pour les pauvres et est trop libéral…

Ce pouvait être aussi l'autre extrême : ceux qui jugent que les péronistes sont des escrocs populistes qui ont ruiné le pays en gonflant le secteur public, ceux qui souhaitent voir détruit tout ce qui rappelle cette époque maudite.

Enfin, ce pouvait être un non-événement, le fait d'une simple bande de soûlauds – mais les ivrognes, en général, ne sont pas des meurtriers. Or, il y avait là un cadavre. Alors ?

Diaz avait fini d'interroger la police.

— Ils ne veulent rien lâcher.

— Tu as noté le nom du flic ?

— Oui, dit l'Argentin.

— Eh bien, on va se débrouiller. Installe-toi là.

Diaz prit place sur une chaise à côté de Barrington, qui s'était installé devant son écran d'ordinateur.

Europa News avait un circuit permanent avec Londres. Il suffisait de taper les envois avec un code dans la ligne de commande pour que les dépêches se retrouvent en quelques secondes dans les services d'information de l'agence, en espagnol, en anglais ou en français. Barrington se gratta la barbe et commença à taper sur son clavier.

Urgent.
Argentine. Perón.
Buenos Aires, 10 janvier. Le tombeau d'Eva Perón, première femme du dictateur argentin Juan Domingo Perón, a
été endommagé.

L'Anglais s'arrêta quelques secondes et grogna. Puis il corrigea son dernier mot :

A été profané.

— *Shit !*

Barrington hésitait. « Profané » ou « endommagé » ? « Profané »
était mieux : même s'il s'avérait que des vandales ou de simples
soûlauds avaient fait le coup, ce terme musclait le *lead*. Il continua à marteler le clavier :

... a été profané par des inconnus, a annoncé Radio
Continental, sans citer sa source.
Un porte-parole de la police, interrogé par Europa News,
a refusé de confirmer ou de démentir l'information.

Il ajouta « MB », pour Marc Barrington, et appuya sur la
touche Exec. La dépêche était envoyée.

— Reste sur place, dit-il au Basque, et veille au grain. Je vais
rôder dans le coin.

L'Anglais avait le pressentiment qu'il était sur un bon coup.
Quand il s'en donnait la peine, Marc était un excellent reporter à
qui rien n'échappait. Il appela la compagnie de radios-taxis chez
qui Europa News avait un abonnement, et descendit au pied
de l'immeuble, sur l'avenue Corrientes. La Pipeta ne le verrait pas
au déjeuner aujourd'hui. D'ailleurs, il n'avait même plus faim.

La voiture, une Volkswagen noir et jaune fabriquée au Brésil,
arriva en quelques minutes, se faufilant dans le trafic. Pour aller
à la Recoleta, il fallait tourner à droite, au bout de l'avenue.

— Pourriez-vous mettre la radio ? demanda-t-il au chauffeur.

L'Argentin alluma son poste. L'information était sur toutes
les stations, mais sans plus de détails.

— Vous avez dit « au cimetière de la Recoleta », n'est-ce
pas ? demanda le chauffeur, qui jetait de temps en temps des
coups d'œil dans son rétroviseur.

Marc confirma.

— Journaliste, hein ?

— Comment avez-vous deviné ?

— Avec ce qu'ils disent à la radio, *che*, c'est facile. Qui d'autre voudrait aller au cimetière par une chaleur pareille ?

Il passa la main devant la grille du climatiseur, qui soufflait un air glacial.

— Qu'est-ce que vous en pensez, vous ? demanda Marc.

Il se souvenait toujours du conseil que lui avait donné son rédacteur en chef lors de son premier reportage : « Parle au chauffeur de taxi entre l'aéroport et ton hôtel, et ton papier sera fait ! »

— Ce que j'en pense, *che* ! Je m'en fous ! Péronistes, anti-péronistes, ils se sont tous mis de l'argent dans la poche, alors moi, je ne m'intéresse plus qu'à une seule chose : avoir un visa pour l'Espagne et ne plus remettre les pieds ici. Le pays est foutu, *che* !

Le taxi s'arrêta à quelques dizaines de mètres du cimetière, devant un barrage de police. Tout le *barrio norte*, avec ses restaurants et ses boutiques de luxe, était bouclé. Le commissaire adjoint Casaletti, installé au frais dans une Ford de la police, dirigeait de loin les opérations en attendant l'arrivée de ses supérieurs.

Il s'était passé quelque chose à l'intérieur du cimetière, quelque chose de *gordo*, de gros, mais il n'avait pas pu en savoir plus. La tombe d'Evita avait été endommagée, et il y avait black-out total sur l'information.

Bruno avait bien cherché à pénétrer dans la nécropole, mais des gars du SIDE[1] l'en avaient empêché. On attendait l'arrivée du ministre de l'Intérieur, Alvaro Santos, et Casaletti, bredouille, était revenu s'asseoir sur la banquette arrière de sa Mondeo.

Un policier en tenue frappa à la vitre. Bruno baissa le carreau de quelques centimètres seulement pour que l'air brûlant ne s'engouffre pas dans la voiture.

— Des *piqueteros*[2] sont arrivés, *jefe*.

---

1. Secretariá de Inteligencia de Estado, les renseignements de la présidence argentine.

2. Les *piqueteros* doivent leur nom aux « piquets » ou barrages de protestation.

La guigne ! Les *piqueteros*, laissés-pour-compte de la crise économique, saisissaient toutes les occasions pour se faire entendre. Ils se rassemblaient par petits groupes, bloquaient la circulation, puis se dispersaient pour regagner leurs bidonvilles. Le gouvernement péroniste les laissait faire pour ne pas s'aliéner son aile gauche.

— Combien sont-ils ?

— Une quarantaine, avec une pancarte « Pour la justice sociale » et une grande gerbe de fleurs.

Casaletti, résigné, s'extirpa du véhicule. Un brouhaha se fit entendre, des bruits de tambours, les célèbres *bombos* utilisés dans les manifestations péronistes, et des sirènes de voitures de police au loin. Des renforts convergeaient de divers commissariats.

— Les roses sont pour le tombeau d'Evita, chef, ajouta le policier.

Des fleurs ?

Casaletti se demanda immédiatement si les manifestants avaient eu vent des déprédations, mais ce n'était apparemment pas le cas. Personne n'avait dû écouter la radio : s'ils avaient su que la tombe de leur idole avait été saccagée, ils auraient été beaucoup plus nombreux et certainement plus agressifs. Sans doute s'agissait-il d'un hommage de routine. Le caveau était régulièrement fleuri par des inconnus ou des organisations qui se réclamaient du grand mouvement péroniste des années 1950.

— Tu leur as dit que le cimetière est fermé ?

— Ils ne veulent rien savoir !

Casaletti fit un geste d'impatience et retourna à sa voiture prendre un transmetteur radio. Que disait la centrale ? Quelles étaient les instructions ?

— Maintenez l'ordre dans la tranquillité, sans excès. Vous avez bien compris ? Sans excès !

C'était depuis quelques années la consigne du palais présidentiel : laisser faire les manifestants. C'est ainsi que le trafic entre l'Uruguay et l'Argentine avait été bloqué sans que le Président bouge le petit doigt.

Bruno grogna, puis glissa la radio dans sa poche. Il fallait qu'il règle le problème d'une façon ou d'une autre.

Les manifestants étaient contenus par un cordon de policiers qui avaient installé des barrières. Ils semblaient pacifiques, mis à part quatre individus torse nu, avec des bouteilles de bière à la main, qui hurlaient des grossièretés à l'adresse des policiers.

Casaletti surmonta sa réticence et s'approcha de la foule en souriant :

— Le cimetière est fermé pour des raisons de sécurité. Un glissement de terrain à la suite de fuites d'eau.

C'était la seule chose plausible qui lui était venue à l'esprit. Beaucoup de conduites étaient en effet dans un état pitoyable.

— Donnez-moi la couronne, je la déposerai dès que le cimetière sera rouvert.

La foule hésita. L'un des ivrognes lança une bouteille de bière dans sa direction, mais elle explosa à dix centimètres de sa jambe. Le flic se pencha, furieux. Son pantalon était maculé, et le soûlaud le traitait de pédéraste en crachant par terre.

— ¡ *Maricón*[1] ! hurlait le clochard.

La manifestation grossissait, et certains dissimulaient des gourdins. Il fallait se méfier des rassemblements péronistes qui réglaient leurs comptes à coups de barres de fer et n'hésitaient pas à tirer sur leurs adversaires.

Casaletti regardait les *piqueteros* sans se décider, lorsqu'un hurlement jaillit de la foule. Un homme en complet veston brandissait une petite radio.

— Ils ont volé le cadavre d'Evita !

Un vent de fureur secoua aussitôt les manifestants. Casaletti recula. Ces *piqueteros* étaient cinglés ! Comment pouvait-on rafler la dépouille d'Evita, enfouie sous plusieurs mètres de terre et de béton pour éviter précisément que cela se reproduise ? Les manifestants étaient devenus incontrôlables. Une nouvelle bouteille de bière frappa de plein fouet la figure d'un policier, qui s'écroula, le visage ensanglanté.

Casaletti héla un gradé :

— Dispersez tout le monde et embarquez les plus dangereux !

---

1. « Pédé ! »

Il hésita quelques secondes, avant d'ajouter :

— Mais gardez la couronne ! On ira la déposer plus tard.

Les policiers se précipitèrent sur la foule, juste au moment où Marc Barrington arrivait. Un agent brandissait sa matraque à quelques centimètres de sa barbe quand l'Anglais vociféra en montrant sa carte de presse. Son pantalon de toile, ses chaussures de marche et ses cheveux graisseux lui donnaient une allure de Robin des Bois qui collait parfaitement à l'image du « subversif » gravée depuis des temps immémoriaux dans la cervelle des policiers argentins. L'agent rengaina sa matraque, grommela son dépit en pestant contre les journalistes qui l'empêchaient de faire son travail, puis repartit en courant après d'autres *piqueteros*.

L'Anglais n'était pas seul. Une équipe de la télévision argentine tentait de forcer le cordon, une camionnette de Radio Rivadabia manœuvrait pour se garer en épi, et les reporters des autres agences de presse arrivaient les uns après les autres. À ce rythme, tous les médias de Buenos Aires finiraient par être sur place.

Marc, avec son portable, appela le bureau. Radio Noticias annonçait maintenant que son scoop sur le vol du cadavre d'Evita était en cours de vérification.

L'Anglais était de mauvaise humeur. Vu le peu d'éléments dont il disposait, difficile de faire un papier musclé. Mais bon, les *piqueteros*, la charge de la police, la couronne de fleurs, le mutisme des autorités, tout cela donnerait bien quatre cents, voire cinq cents mots, largement de quoi alimenter le papier de la mi-journée.

Comme le Basque lui assura que le nécessaire serait fait, Barrington replia son portable pour aller prendre une bière.

Il avait aperçu des journalistes d'EFE et de Reuters entrer à la Biela, et il était toujours préférable de rester avec la concurrence. On était au moins sûr, pendant ce temps, que personne ne passait des informations au téléphone.

À quelques dizaines de mètres, Casaletti se reposait dans l'air climatisé de la Ford. Tout s'était bien déroulé avec les manifestants, mais il était énervé. La radio grésillait : on fouillait les coffres de voiture sur les autoroutes, à la recherche de paquets suspects, des renforts roulaient vers les aéroports, et Santos, le ministre de l'Intérieur, était en route. Mais quelque chose échappait à Casaletti.

— Qu'en penses-tu ? demanda-t-il au chauffeur, concentré sur un article de fond démontrant que les Argentins auraient dû gagner la Coupe du monde de football.

Le policier se retourna vers Bruno :

— On dirait qu'il y a du neuf, *jefe*.

Une patrouille demandait des instructions sur ce qu'il fallait chercher dans les coffres des voitures.

— Des paquets suspects, inhabituels ! vociféra la centrale sans bien savoir quoi répondre. Et de l'outillage de terrassier, des masses, des pics...

— Je n'y comprends rien, déclara le chauffeur, déçu, en baissant le son.

Bruno, lui, avait saisi. Le matériel de terrassier, c'était pour coincer les gars qui avaient démoli le tombeau d'Evita. Mais, s'ils cherchaient autre chose, c'est qu'ils pensaient que les malfrats n'étaient pas partis les mains vides.

Casaletti sentit une crampe remonter dans ses mollets. La ville était bloquée, les contrôles se renforçaient sur les aéroports... Et tout cela correspondait très exactement à ce qu'avait prédit Ortega quand il lui avait parlé de son coup.

10

L'hydravion ralentit dans des gerbes d'écume et ses flotteurs s'affaissèrent dans les flots bleuâtres du Paraná. Le fleuve faisait plusieurs kilomètres de large, et les Indiens Tupis qui lui avaient donné son nom le comparaient à l'océan. Le moteur du Cessna pétaradait au ralenti à quelques dizaines de mètres des pâturages, et les vagues de sillage clapotaient dans les roseaux. À gauche, la rive occidentale du fleuve formait un liseré sombre estompé par la brume de chaleur.

L'Argentin avait sorti le Glock de son blouson de toile tandis que l'Américain se concentrait sur sa procédure d'amerrissage. L'amateur de pêche au gros était un tueur, et Roy se sentit complètement ridicule face au pistolet d'Ortega.

— Désolé, dit simplement l'Argentin.

D'une certaine façon, il le pensait vraiment. Kruger fixa d'abord le petit canon noir de l'automatique avant de remonter vers les yeux impavides de son passager, profondément enfoncés dans sa boîte crânienne. Ses globes oculaires surmontés d'épais sourcils en bataille lui donnaient l'air d'un loup tapi dans la forêt.

Comment Kruger avait-il pu être assez inconscient pour se laisser piéger comme un débutant, alors qu'il avait infiltré pendant des mois la mafia colombienne et tourné à son avantage des situations autrement plus dangereuses ? Il avait baissé sa garde, s'était laissé envoûter par la douceur de vivre de l'Argentine, alors même que tout le monde l'avait averti, Hector au premier chef : en Amérique latine, tout est possible – pour le meilleur ou pour le pire.

Le canon du Glock tremblait imperceptiblement. Kruger sentit que le coup allait partir. Dans ce genre de circonstances, les millièmes de seconde ont des allures d'éternité, et chaque mouvement de l'Argentin semblait tourné au ralenti. Kruger nota un frémissement sur le visage du tueur à la hauteur des lèvres, il vit le doigt se rapprocher de la détente et eut une curieuse sensation dans le ventre, comme si un trou béant s'ouvrait dans son abdomen avant même que le Glock ne tire la première balle, puis, soudain, le temps reprit son rythme normal.

L'Américain bondit. Il attrapa la main d'Ortega et la repoussa vers le tableau de bord pour déjouer la trajectoire du tir. La balle perdue s'enfonça dans le plastique qui garnissait le haut du cockpit. Kruger poussa à fond, de l'autre main, la commande des gaz pour déséquilibrer son adversaire, tout en tirant le manche pour éviter que l'appareil ne pique du nez.

Le moteur de l'hydravion rugit, les flotteurs se dressèrent sur l'eau. Poussé par le courant, l'amphibie se mit en travers du fleuve et prit de la vitesse en décrivant des cercles – mais pas assez pour décoller car il était toujours cabré.

Ortega bénéficiait d'un atout : il avait défait sa ceinture de sécurité. L'Américain, encombré par son harnais, était moins mobile que lui. Le tueur se souleva sur son siège pour faire contrepoids à l'Américain, et réussit à reprendre son arme. La réaction du pilote l'avait pris de court.

Pendant le vol, alors qu'il réfléchissait, les yeux mi-clos, à la suite des opérations, Roy lui était apparu comme le *gringo* typique : un brave garçon sportif un peu naïf, content de partager la passion aéronautique de son beau joujou. Il avait même eu un éphémère sentiment de regret en sortant son pistolet, mais la situation avait maintenant changé. Au lieu de chercher à l'apitoyer, l'Américain avait saisi son poignet d'une main de fer avec un sang-froid de professionnel.

L'hydravion, livré à lui-même et le moteur poussé à fond, continuait de tourner en cercle au milieu du Paraná. Il commença à rebondir sur les vagues de son sillage, puis fit une embardée.

La secousse fut telle que l'Argentin laissa échapper son arme. Kruger se pencha pour la récupérer, mais le tueur, jouant son va-tout, se jeta sur lui pour l'étouffer.

Ses mains étaient énormes pour sa taille. L'Américain eut l'impression qu'un collier de fer serrait son cou. L'Argentin enfonça ses doigts dans sa pomme d'Adam, Roy lança son bras droit pour le frapper à l'estomac, mais rata sa cible.

Comme l'amphibie cognait de plus en plus fort sur les vagues, Ortega s'aperçut que l'appareil s'inclinait vers l'extérieur du virage. Nul besoin d'être un expert pour se rendre compte que l'une des ailes finirait par toucher l'eau et qu'alors l'appareil chavirerait.

Des gerbes frappaient déjà les fenêtres. L'amphibie pouvait se retourner d'une seconde à l'autre. Il ne connaissait rien au pilotage, mais se dit qu'il fallait en finir rapidement avec l'Américain et réduire immédiatement les gaz. Il avait repéré où se trouvait le poussoir de puissance.

Il se haussa un peu sur son siège pour apprécier la situation, relâcha sa pression sur le cou de l'Américain et sentit soudainement une horrible douleur à la hauteur du foie.

Kruger l'avait frappé de toutes ses forces. Coupé en deux par la souffrance, Ortega lâcha prise et eut un éblouissement. Un nouveau coup à la tempe, et sa vue se brouilla.

L'aile droite de l'appareil était à quelques centimètres de l'eau, le flotteur extérieur au virage allait s'enfoncer encore davantage et faire capoter l'avion. Kruger donna un coup de pied sur le palonnier pour interrompre le tournant, puis tira vers l'arrière le poussoir des gaz. L'hydravion se balança quelques secondes, puis se calma avant de retomber dans l'eau.

L'Argentin reprenait ses esprits. Il secoua la tête pour se réveiller et aperçut la crosse de son Glock sous le siège de Roy. Tout n'était pas perdu. Les sacs étaient sur la banquette arrière et, s'il arrivait à récupérer l'arme, l'Américain était mort ; mais un nouveau coup de poing sur le front le fit chavirer. Il ferma les yeux, pris de vertige.

Un vent chaud et humide fouetté par des gerbes d'eau pénétrait dans la cabine. Kruger avait ouvert la porte et tentait de le faire tomber de l'hydravion.

L'Argentin tenta de se débattre, mais l'Américain lui donna un autre violent coup à la tempe. Le *gringo* le poussait à l'extérieur, la tête la première.

Le vent et l'eau le réveillèrent. Il avait la tête en bas, à quelques dizaines de centimètres du fleuve, les pieds encore dans l'habitable, et l'hydravion reprenait de la vitesse. Ortega comprit que cette première manche était perdue, qu'il ne pourrait jamais remonter dans l'appareil. Il s'extirpa de l'hydravion, chercha à se raccrocher aux mâts reliant la cellule aux flotteurs, mais Roy avait mis pleins gaz, et le Cessna se dressait cabré vers l'avant.

Une vague aveugla Ortega, il tomba dans le fleuve. Puis le gouvernail lui cisailla la nuque.

Son visage était en sang, mais il n'était pas mort, et la rive n'était qu'à quelques dizaines de mètres. Il agita les jambes pour ne pas couler, puis se mit sur le dos et commença à nager.

L'hydravion prenait de la vitesse, le manche en butée arrière… L'amphibie se souleva rapidement sur ses flotteurs, et Roy repoussa progressivement le manche pour mettre l'appareil en hydroplanage. À 50 nœuds, l'Américain tira sur la commande pour aider le Cessna à s'arracher de l'eau, puis le repoussa légèrement quelques secondes pour qu'il prenne rapidement de la vitesse.

L'hydravion volait au-dessus des flots. 60, puis 70 nœuds. On pouvait maintenant engranger de l'altitude à un taux de montée normal, 500 pieds-minute. Le Cessna grimpait courageusement.

Kruger aperçut alors à droite, au milieu d'une immense pelouse, les deux chalets bavarois dont lui avait parlé l'Argentin. Son oncle habitait-il vraiment ce domaine ? Peut-être tout avait-il été inventé pour lui tendre un piège et cette grande propriété servait-elle à la mafia ? Mais pourquoi diable avait-il cherché à le tuer ? Pour s'emparer de l'hydravion ? Toutes les hypothèses étaient possibles.

L'Américain stabilisa le Cessna à 1 000 pieds et réduisit la puissance pour voler en palier. Pourquoi ne pas virer à

180 degrés, redescendre le fleuve et vérifier si le tueur avait survécu à sa chute ? Un coup de flotteur sur la tête en volant au ras des flots, et l'homme était mort. Mais l'Américain ne s'était jamais considéré comme un tueur, même à l'époque où il travaillait pour la DEA. Infiltrer des organisations mafieuses, d'accord ; tuer quand sa vie est menacée, soit ; mais assassiner de sang-froid, même quelqu'un qui avait tenté de vous éliminer, non. Cela n'avait jamais été son job, et puis, ce pouvait être dangereux : qui était véritablement l'homme qui avait cherché à le tuer ?

Roy n'avait aucune confiance dans la justice argentine, ni envie d'être accusé de meurtre. Pour l'ambassade américaine à Buenos Aires, il n'était plus qu'un citoyen comme un autre, qui ne pouvait prétendre à autre chose que l'assistance normale qu'un consulat octroie à ses ressortissants ayant des démêlés avec la justice.

Roy tira sur le manche pour continuer de prendre de l'altitude et afficha des données sur ses instruments de radionavigation pour repérer sa position.

Encore heureux que l'avionique de l'hydravion n'ait pas été endommagée par la bagarre ! Les deux récepteurs VOR fonctionnaient parfaitement, et Kruger identifia au morse l'indicatif de Reconquista. 117, 1 RTA. Une brève, une longue, une brève ; une longue, une brève, une longue. Puis il enclencha le pilote automatique pour chercher une carte et prendre un classeur Jeppesen.

Le sac ! Dans la bagarre, il l'avait complètement oublié. Selon le tueur, ce sac de toile fermé par une corde renfermait des pièces de rechange pour bateau. Roy fut tenté d'en inspecter immédiatement le contenu, mais se dit qu'il serait plus à l'aise au sol. Que pouvait-il bien y avoir là-dedans ? Des bougies ou des rivets, peut-être, mais également autre chose. De la drogue, par exemple.

L'Argentine était un important pays de transit pour la cocaïne péruvienne ou colombienne, et la poudre était commercialisée quasi ouvertement dans la plupart des grandes villes. On la vendait dans les *whiskerias*[1], les dancings, les

----
1. « Bars ».

salles de jeux électroniques et les gymnases, mais certains vendeurs ambulants écoulaient également de la marijuana et de la cocaïne au gramme dans le centre de Buenos Aires. La dernière trouvaille des trafiquants était le *paco*, à base de résidus de cocaïne et plus dangereux encore : la dépendance se déclarait au bout de quelques semaines et les neurones étaient détruits en six mois.

Si le sac contenait plusieurs dizaines de kilos de coke, tout s'expliquait : l'Argentin s'était servi de l'Américain pour acheminer la drogue vers un centre de triage, qui devait être l'*estancia* de son oncle. Dans ce cas, ce serait relativement simple. Kruger connaissait le représentant de la DEA à Buenos Aires, et celui-ci savait qui il était. Il l'appellerait dès son retour pour lui raconter toute l'affaire. Les Argentins seraient alors obligés de se lancer à la poursuite du tueur.

Kruger regarda sa carte Jeppesen. Le terrain le plus proche était Esquina, à quelques minutes de vol. Ce n'était pas l'idéal : il aurait préféré un coin plus désert – la piste en herbe était fréquentée par des avions-taxis qui amenaient des étrangers pour des parties de pêche –, mais il trouverait bien un coin discret pour inspecter le contenu des sacs.

Le terrain était à l'ouest, sur le radial 280 de la balise de Monte Caseros. Il suffisait de l'afficher sur l'un des VOR et de surveiller la petite aiguille matérialisant l'axe. Quand elle approcherait du milieu, le terrain serait en vue.

Roy réduisit la vitesse et se mit en descente. Il n'est pas facile de repérer une piste en herbe en plein dans les pâturages, mais l'aéroport était au sud de la localité. Il suffisait donc d'attendre l'aiguille du 280 et de bien regarder au sol. La route qui descendait d'Esquina en longeant le Paraná fournissait un excellent point de repère.

L'hydravion perdait régulièrement de l'altitude. Une légère brume de chaleur estompait les contours du Paraná, dont les eaux se confondaient avec les pâturages inondés.

Roy se concentra sur la route qui défilait sous les ailes du Cessna et aperçut des maisons sous le capot moteur. Ce devait être Esquina, puisque l'aiguille du VOR était presque centrée. Puis une bande de terre un peu plus claire que les autres apparut au sud, orientée obliquement par rapport au fleuve.

Nord-ouest, sud-ouest. C'était bien la piste. Kruger descendit encore de quelques centaines de pieds pour faire un passage au-dessus des installations et vérifia la force et l'orientation du vent sur la manche à air. Une dizaine d'avions étaient alignés devant des hangars décorés de banderoles, des voitures stationnaient sur l'herbe. Visiblement, une kermesse ou une fête avait lieu sur les installations de l'aérodrome.

Kruger eut envie de remettre les gaz, mais il se dit que Reconquista, un peu plus loin au nord-est, pouvait être aussi encombré. À Esquina, du moins ne risquait-il pas d'avoir une visite de la police fédérale...

Les roulettes des flotteurs étaient sorties, il arrondit légèrement, se posa doucement sur l'herbe et prit le premier chemin de roulage en direction des installations.

Il ne s'était pas trompé en survolant l'aéroport. La municipalité célébrait la fête du *dorado*, un orchestre avec des cymbales jouait un air entraînant, et une cinquantaine de personnes participaient à un gigantesque barbecue à côté d'un hangar rouge brique. Des biplans étaient sortis sur l'herbe.

Même quand il s'agit de décerner des diplômes aux pêcheurs les plus talentueux, les Argentins n'oublient pas qu'ils sont carnivores, et des pans entiers de bœuf grillaient en position verticale. Deux *parilleros*[1] en tablier blanc, un foulard rouge[2] noué autour du cou, aidaient les invités à se servir.

L'odeur du charbon de bois excitait les papilles. Le buffet était monstrueux : des dizaines de kilos de ris de veau, de mamelles et de saucisses attendaient d'être grillées pour accompagner les morceaux de bœuf. Des monceaux de salades de tomate et de laitue complétaient l'assortiment, avec des bols débordants de *chimichurri*, une marinade d'origan, d'ail et de persil.

---

1. « Parillero » : celui qui s'occupe de la *parilla*, du barbecue.
2. Le foulard autour du cou était l'un des éléments traditionnels de l'habillement des *gauchos*.

Tous les regards de l'assistance se tournèrent en direction de l'hydravion. On l'avait bien vu atterrir, mais personne n'y avait prêté attention. Maintenant qu'il était là, à quelques dizaines de mètres, avec ses gros flotteurs, c'était devenu l'attraction.

L'Américain gara son engin le plus loin qu'il put, mais, dès qu'il eut arrêté ses moteurs, une nuée de gamins se précipita vers l'appareil.

La guigne ! Comment faire pour examiner discrètement le contenu des sacs ? La seule solution était d'attendre que retombe l'attention de la foule. Il était environ 14 heures : les invités allaient bientôt dodeliner de la tête sous l'effet de la chaleur et des bouteilles de vin glacé. Les gamins s'épuiseraient sans doute, eux aussi. Quant au responsable de l'aéroport, Kruger avait pour lui une explication tout à fait plausible s'il en venait à lui poser des questions : comme son indicateur moteur de température d'huile était au rouge, il avait simplement voulu vérifier le niveau avant de poursuivre sa route.

Ses pressentiments n'avaient pas trompé Roy. Au bout de quelques minutes, un homme de courte taille, cheveux noirs de jais et chemise blanche largement déboutonnée, s'approcha de l'appareil. Pourtant, ce n'était pas pour lui demander des comptes. On voulait l'inviter à participer au banquet.

Kruger jeta un coup d'œil sur les sacs et ferma soigneusement les portes du Cessna.

— Vous arrivez au bon moment, dit son hôte en lui tapant sur l'épaule. C'est l'élection de Miss *Dorado* !

Une dizaine de prétendantes en maillot de bain commencèrent à défiler sur une estrade en bois, sous des tonnerres d'applaudissements et des hurlements avinés. Il trouva la situation cocasse : il avait manqué de se faire tuer, transportait un chargement suspect et était maintenant contraint d'assister à un défilé de Miss !

Comme les Latino-Américains ont l'habitude de terminer leurs repas au whisky, même sous la canicule, des bouteilles de Johnnie Walker commençaient à circuler, tandis que d'autres s'assommaient à la bière glacée.

Le voisin de Roy le prit immédiatement en amitié. L'Américain, répétait-il, devait absolument goûter un assortiment de tripes grillées pour saisir la différence entre les *chinchulines*, provenant de l'intestin grêle, et la *tripa gorda*, le gros intestin. Kruger chercha à dévier la conversation, mais l'homme se leva en titubant et revint vite avec une assiette pleine d'entrailles. Ne pas y goûter aurait été une insulte.

Roy surmonta son dégoût, noya la viande de *chimichurri* et avala une première bouchée. Surprise : ce n'était pas mauvais du tout ! La viande argentine était si bonne que même les bas morceaux, travers ou flanchets de bœuf, étaient savoureux.

Un tonnerre d'applaudissements traversa l'assemblée. Une blonde de 1,75 m en bikini rose et à l'opulente poitrine venait d'être élue Princesse du *Dorado*. Le président du club de pêche monta sur l'estrade en trébuchant pour lui poser une couronne sur la tête, au son des cymbales, puis la jeune fille s'enveloppa pudiquement d'une cape pour rejoindre la table de sa famille.

Roy jetait de temps en temps des coups d'œil vers son hydravion. Les gamins qui cherchaient à regarder à l'intérieur de l'appareil s'étaient fait réprimander par leurs parents, et l'amphibie était seul.

L'Américain tapa alors sur l'épaule de son voisin. La nuit allait tomber, Buenos Aires était loin, il devait décoller.

— Reste donc à Esquina ! s'exclama l'amateur de tripes. Il n'y a rien de mieux au monde !

Roy promit que ce n'était que partie remise, puis se leva en agitant la main pour prendre congé.

Les *asados*[1] latino-américains durent plusieurs heures, si bien que les invités arrivent et partent sans que personne s'en formalise. Le Montchenot rouge et les digestifs avaient assommé tout le monde ; plusieurs invités ronflaient sur la pelouse à l'ombre d'un hangar.

Kruger arriva à proximité du Cessna, déverrouilla la porte et monta dans l'appareil. Le soleil avait chauffé à blanc la tôle et le cockpit était brûlant, mais il était hors de question de le laisser ouvert tandis qu'il vérifierait le contenu de la besace.

---

1. « Barbecues ».

Il verrouilla le loquet, attrapa le sac d'Ortega et le posa sur le siège avant.

Le sac, qui arborait un écusson un peu usé sur le côté brodé du mot *Armada*, « Marine », pesait bien une quinzaine de kilos. Le tueur devait se fournir dans les surplus, ou bien avoir un passé militaire.

Où était-il maintenant, s'il n'était pas mort ? Pendant qu'il assistait au défilé, Kruger n'avait pas cessé de surveiller les alentours. Si l'homme appartenait à une mafia et avait réussi à donner l'alerte, ses complices pouvaient débarquer à l'improviste et l'enlever au milieu de la foule. On n'était pas en Colombie, certes, mais Roy s'attendait désormais au pire. Les narcos ne reculaient devant rien quand ils étaient menacés, et les trois policiers éméchés invités au banquet auraient eu de la peine à s'opposer à eux.

Le sac contenait plusieurs sacoches en cuir couvertes de poussière. Certaines avaient des traces blanchâtres qui ressemblaient à du plâtre. Sitôt qu'il fit glisser le fermoir de la première, l'Américain fut saisi de stupeur. Elle était remplie de parures de pierres précieuses, entassées les unes sur les autres comme de la verroterie. Des bracelets en saphir, des bagues serties de diamants, des pendentifs, des clips et des broches. Des kilos de saphirs, de diamants, de rubis et d'émeraudes. Roy y plongea la main pour s'assurer qu'il ne rêvait pas. Le tueur s'était emparé d'une fortune !

Il ouvrit la deuxième sacoche, puis la troisième, pour découvrir le même spectacle, une débauche de bijoux plus luxueux les uns que les autres... Le plus beau était une parure à décor floral dont chaque pétale était rehaussé de diamants sertis de rubis, de saphirs et d'émeraudes. Il y avait également de vieilles montres des années 1940, des boucles d'oreilles et des colliers de perles. Les bijoux, de toute évidence, n'étaient pas récents : certains avaient des traces de choc, des pierres précieuses manquaient et des bracelets étaient tordus.

L'Américain allait prudemment refermer les sacoches et les replacer dans le sac, quand les symboles qui figuraient sur certains objets le firent sursauter.

Plusieurs bijoux portaient des étoiles de David serties de pierres précieuses. Un presse-papiers en or massif arborait même le nom de son propriétaire, Abraham Reinhold, et une inscription ciselée sur le métal : *Für meinen lieben Vati. 4 Juli 1940. Heildelberg.* « Pour mon papa chéri, 4 juillet 1940, Heildeberg. »

D'autres bijoux portaient des inscriptions en hébreu, et Roy se sentit immédiatement mal à l'aise. À en juger par la date, certaines de ces pièces appartenaient à des familles juives vivant en Allemagne à l'époque du nazisme. Les hordes nazies avaient dû saisir leurs biens et s'emparer de leurs bijoux.

L'Américain eut la nausée. Les propriétaires de ces pierres précieuses étaient certainement morts dans des camps de concentration, et Roy avait la même impression que s'il avait soupesé les dents en or arrachées aux cadavres.

La sacoche dans laquelle il avait découvert le presse-papier contenait d'autres objets rectangulaires, un poudrier en or, une boîte sertie de diamants, ainsi que de petits sachets contenant des diamants bruts. Mais le pire était encore à venir.

Kruger eut soudain un mouvement de recul : au milieu des bijoux apparaissait une boîte à cigarettes en or massif, frappée d'une croix gammée.

Comment ces bijoux étaient-ils arrivés en Argentine ?

11

Installé dans une voiture de police devant le cimetière de la Recoleta, Bruno Casaletti n'en savait pas beaucoup plus à 14 heures qu'en début de matinée. Le ministre de l'Intérieur, Alvaro Santos, arrivé dans sa Mercedes 500, s'était engouffré sans rien dire dans la nécropole. Bruno avait essayé de le suivre, mais s'était fait refouler à l'entrée par les molosses. Pour un gradé comme lui, c'était humiliant. L'un d'entre eux l'avait poussé de la main, et il avait trébuché sur un tronc d'arbre pourri qui avait taché sa veste en lin.

Et puis, il y avait cette question qui le taraudait depuis la fin de la matinée : Ortega avait-il quelque chose à voir avec ce qui s'était passé dans le cimetière ? Si c'était le cas – Casaletti n'était pas naïf –, il se retrouverait dans une situation pour le moins délicate. Luis pouvait lâcher le morceau et le dénoncer. N'était-ce pas lui qui lui avait donné le nom du *gringo* ? Il était donc complice. Et Casaletti était bien payé pour savoir que ses supérieurs aimaient sanctionner des policiers pour se donner bonne conscience. En jetant au trou de temps en temps des individus comme Casaletti, on avait la paix, et le business pouvait prospérer.

Il fallait donc qu'il sache ce qui s'était passé dans ce maudit cimetière, et ce n'était pas en restant sur la banquette arrière de la Ford qu'il apprendrait quoi que ce soit. Bruno glissa son revolver dans sa poche et sortit de la voiture. Quelques gouttes d'eau venaient de tomber sur les grands arbres à caoutchouc et rafraîchissaient l'atmosphère.

Il avait une idée. Tous les policiers le savent : chacun de nous est un suspect potentiel. C'est le b.a.-ba du métier. Bruno s'éloigna en direction d'un coin tranquille et composa sur son cellulaire le numéro de sa secrétaire, une brune plutôt vulgaire d'une trentaine d'années.

— Qui patrouillait cette nuit dans le secteur de la Recoleta ?
— C'est la quatrième fois qu'on me pose la question !
Elle marqua un temps d'arrêt avant de répondre :
— La 12, avec Martinez, et la 15 avec Gasca.

Casaletti connaissait Martinez, un brave garçon qui avait une peur bleue des armes.

— Quand Martinez a-t-il terminé son service ?
— À 6 heures du matin, mais... Qu'est-ce que vous avez tous, à demander leurs rapports ? On a déjà téléphoné du SIDE, de la Direction générale, tout le monde voulait savoir si une voiture avait repéré quelque chose.

— Et alors ?
— Aucune des équipes n'a signalé de suspects.

Casaletti sourit. Ça l'arrangeait plutôt, que personne n'ait rien vu.

— Où se trouve Martinez ?
— Comment voulez-vous que je le sache ? Chez lui, je suppose. Il habite près d'Ezeiza, un long trajet en bus.

Casaletti se fit donner le numéro de téléphone de Martinez et raccrocha. À l'heure qu'il était, le policier devait essayer de dormir chez lui pour récupérer de sa nuit blanche. Avec un peu de chance, il n'aurait aucun mal à le joindre.

Bruno composa le numéro de téléphone et l'agent décrocha, l'esprit embrumé. Il reconnut tout de suite Casaletti. Avec ses subordonnés, comme excédé de devoir leur rappeler leur devoir, ce dernier employait toujours une voix traînante.

— Tu n'as rien vu la nuit dernière, près du cimetière ?
— Rien, *jefe*, je vous le jure ! Pourtant, on était en alerte, plusieurs personnes avaient été rançonnées à la sortie des restaurants...

Bruno le coupa :

— Et en fin de nuit ?

— La faune habituelle… Des traînards, des ivrognes et des gamins qui avaient emprunté la Mercedes de leurs parents sans savoir conduire.

— Aucun groupe suspect ?

— Personne, chef !

Casaletti passa un Kleenex sur ses chaussures.

— La place devant le cimetière n'est pourtant pas déserte, avec tous les vagabonds qui dorment sous les arbres !

— Je vous le disais, *jefe*, des traînards…

Les mocassins étaient en lézard. Bruno se fournissait chez Lopez Taibo, l'un des meilleurs bottiers de Buenos Aires.

— Je sais, Martinez, je sais. Mais il y a « traînard » et « traînard »… Que faisaient-ils exactement ?

L'agent Martinez s'assit sur le bord du lit et se frotta les yeux.

— Certains vendent de la coke pour ravitailler les automobilistes, mais il faudrait les prendre sur le fait. Pas facile.

— Tu n'aurais pas vu quelqu'un de taille moyenne, un peu corpulent ?

— De taille moyenne, un peu corpulent ?

— C'est ça.

Martinez chercha à se remémorer les silhouettes aperçues la nuit précédente. Taille moyenne, avec un peu de ventre ? Il faisait trop sombre…

Martinez ouvrit son col de pyjama et fixa le soleil qui chauffait sa fenêtre. Des chiens aboyaient dans la cour, on entendait des bruits de vaisselle, et cet appel matinal brouillait son esprit.

— En y réfléchissant bien, oui, certaines personnes pourraient répondre à ce signalement.

Casaletti, ravi, s'assit sur un banc et étira les jambes en écoutant les oiseaux piailler dans les arbres. Il était presque arrivé à ses fins.

Martinez, de son côté, se sentait perdu. On rencontrait des tas de gens, en patrouille de nuit ! Des jeunes, des vieux, des maigres, des boiteux… Mais oui, à bien y réfléchir, plusieurs répondaient *grosso modo* à la description de son supérieur. Oui, on pouvait voir les choses comme ça.

Bruno le laissa parler en attendant de prononcer le mot-clé : « suspect ». Il s'agissait de faire passer cette idée en douceur dans le cerveau de Martinez, afin qu'il soit persuadé qu'elle venait de lui.

— Bizarre, de se promener dans ce coin-là en pleine nuit ! dit-il en apercevant à quelques dizaines de mètres les garçons de la Biela en train d'installer les chaises en terrasse.

Le commissaire avait fichtrement raison. Vrai, l'endroit n'était pas vraiment attirant au clair de lune, et Martinez se souvenait maintenant d'avoir vu plusieurs personnes traverser rapidement le parc.

Il prit un verre d'eau sur la table de nuit, puis observa dans un miroir sa tête ébouriffée. Quand on marche vite, c'est qu'on est pressé de rentrer chez soi et qu'on a peut-être quelque chose à se reprocher. Casaletti avait du nez. C'est d'ailleurs pour cette raison qu'il était commissaire adjoint, alors que lui patrouillait de nuit, sans perspective d'évolution de carrière. Il vida le verre et le reposa sur la table.

— Je pourrais revoir mon rapport, commissaire, et signaler l'individu.

Martinez appelait toujours Bruno « commissaire ».

— Le suspect ?

— Ce type bizarre qui a traversé le parc en courant presque. Taille moyenne, plutôt corpulent…

Casaletti jubilait. Avec un peu d'habileté, on arrivait à faire dire n'importe quoi aux gens. Taille moyenne et début d'embonpoint, tout comme Luis Ortega. Si c'était lui qui avait fait le coup, Casaletti le tenait, mais, pour le moment, ce n'était pas Luis qui l'intéressait, mais le cimetière et ce sacré tombeau qui mobilisait depuis le début de la matinée toutes les forces de police.

— Ne t'inquiète pas, *che* ! C'est toujours difficile de repérer un suspect. Mais ajoute ces éléments à ton rapport, ils pourront servir par la suite.

Casaletti continua avec quelques banalités, puis félicita Martinez pour sa clairvoyance, mais le patrouilleur fut saisi d'un doute juste avant de raccrocher.

— Attendez… Commissaire, que s'est-il donc passé au cimetière ?

— *Algo gordo*[1], et ton aide sera appréciée en haut lieu. Impossible de t'en raconter plus.

Martinez se dit qu'il avait eu de la chance. Que se serait-il passé s'il n'avait pas repéré le suspect ? Heureusement que sa mémoire ne l'avait pas trahi !

Tandis qu'il se recouchait, sans grand espoir de retrouver le sommeil, mais fier d'avoir aidé à la résolution d'un problème d'envergure, Bruno se dirigeait d'un air décidé vers la porte du cimetière.

L'armoire à glace qui l'avait refoulé deux heures plus tôt était toujours de service. Comme elle se plaça ostensiblement au milieu de la grille, Casaletti lui lança un regard méprisant.

— Laisse-moi passer, je dois voir le ministre.

Avec son visage carré, son torse qui gonflait son complet bleu marine, ses mains énormes et ses chaussures noires de terrassier à semelles de caoutchouc, l'agent du SIDE avait une allure de bovin.

Bruno, qui se rangeait sans scrupule dans la catégorie des malins, détestait ce genre de personnages, ces brutes sans aucun discernement. À ses yeux, même Luis Ortega, auquel il n'arrêtait plus de penser, n'était pas aussi finaud que lui.

— Personne ne peut entrer, répliqua le bovidé.

C'était le moment de frapper un grand coup sur cet abruti – au figuré, bien sûr, Casaletti redoutant toujours de se mesurer physiquement à quelqu'un.

— Je ne serais pas si affirmatif, si j'étais toi : je suis le commissaire adjoint Casaletti.

L'armoire à glace éclata de rire.

— Et alors ?

— Eh bien, si tu ne veux pas changer de métier et te retrouver à charrier des kilos de viande dans un abattoir, à ta place, j'utiliserais le petit micro qui est coincé dans le revers de ta veste pour transmettre dare-dare un message au ministre.

Devant cette provocation, le bovin devint écarlate et fut tenté de lui envoyer son poing dans la figure, mais il se ravisa.

---

1. « Quelque chose d'important ».

Cette tantouse de flic paraissait si sûre d'elle. Ah! pas comme ce matin, quand il l'avait renvoyé dans sa voiture!

— Quel message?

— Ça ne te regarde pas, mais je vais te mettre au parfum, laissa tomber Casaletti, grand seigneur.

L'armoire à glace lui jeta un regard méfiant. Cette soudaine marque de sympathie ne lui disait rien qui vaille.

— Nous avons repéré un suspect.

« Nous » faisait plus professionnel, et puis on ne pouvait pas refuser d'écouter le rapport d'un groupe de policiers qui avaient travaillé dur pour découvrir quelque chose.

Un suspect? Cette tantouse aurait repéré un suspect? L'armoire à glace lui décocha de nouveau un regard fielleux, mais se dit qu'il était préférable d'alerter l'équipe qui accompagnait le ministre. Qu'avait dit ce flic pourri? qu'il risquait d'aller travailler dans un abattoir? Ce salaud avait peut-être raison…

Le bovidé s'écarta de deux mètres pour que Casaletti ne puisse rien entendre, puis il se pencha sur son micro.

— On va venir te chercher, revint-il dire au bout de quelques secondes.

Bruno prit l'air important et alluma une cigarette.

Le ministre Santos et le directeur de la Sûreté, Marco Stein, tenaient un conciliabule à quelque distance du tombeau d'Evita. Le marbre noir avait été éventré sur près de un mètre, et le mur contenait une cavité. Des spécialistes avaient relevé des traces de pas et des empreintes, mais qu'y avait-il derrière la cloison? Le mystère restait entier. On ne scelle pas une babiole dans un monument, qui plus est dans celui abritant la dépouille d'Evita Perón, et Santos se perdait en conjectures.

Stein avança une idée :

— Et si c'était une profession de foi? Un testament spirituel d'Evita que des péronistes mal intentionnés auraient déterré pour mettre en difficulté le gouvernement, en prouvant qu'il ne sert pas le peuple, mais les multinationales?

Des inconnus avaient bien ouvert en 1987 le cercueil du général Perón et lui avaient coupé les mains à la scie chirurgicale. Le gardien du cimetière avait également été assassiné, et l'enquête avait révélé qu'on lui avait volé la combinaison permettant d'entrer dans le mausolée.

Stein, descendant d'une famille d'Allemands installés dans le Sud, pesait une centaine de kilos et avait les cheveux gras, pleins de pellicules. Bajoues de saurien, cuisses énormes, il soufflait comme une locomotive à vapeur dès qu'il parcourait dix mètres et donnait à ses interlocuteurs l'impression d'être toujours au bord d'une attaque, mais son extraordinaire vitalité puisait continuellement dans sa graisse de quoi se régénérer.

Le général Perón avait flirté avec les nazis et admiré Mussolini, mais il restait une référence pour tous ceux qui voulaient flatter l'électorat populaire. De plus, le Président était péroniste, et les élections approchaient.

Santos alluma une pipe en réfléchissant. Cette affaire était décidément très gênante pour le gouvernement.

— Un testament politique ? Peut-être. En tout cas, ce ne sont pas des amateurs. Ils avaient tout prévu, l'échelle pour escalader le mur…

Santos était physiquement l'opposé de son adjoint. Lunettes rondes cerclées, études à Harvard, costume trois pièces, joueur de tennis, une allure de gestionnaire de patrimoine. Alvaro, pourtant, avait trempé dans plusieurs scandales financiers, à l'époque où il était gouverneur de la province de Corrientes, dans le nord du pays. On l'avait accusé d'avoir détourné plusieurs millions de dollars pour les investir en biens immobiliers en Floride.

— Voici le flic, grogna Stein.

Le saurien, qui avait passé la main dans le mur pour vérifier la profondeur de la cache, sortait maintenant un mouchoir de sa poche pour l'essuyer.

— Je le connais, dit-il à Santos tandis que Bruno s'approchait. Bruno Casaletti, la trentaine, un petit malin qui vit nettement au-dessus de ses moyens. Mêlé à divers trafics, mais efficace.

Stein passa le mouchoir sur son visage trempé de sueur.

— Je l'ai rencontré une fois, dit Santos, à l'occasion d'une remise de décorations.

Bruno avançait, souriant, dans la petite allée qui menait au tombeau d'Evita, et tendit la main aux deux hommes. Il n'aimait pas Santos. Tous les deux ne fréquentaient pas le même monde, et le flic le jalousait. Même en matière de corruption, il n'y avait pas de justice : quand Bruno se payait des costumes en lin, Santos empochait des millions. Question d'éducation, de milieu social. Le père de Casaletti tenait une épicerie, celui de Santos descendait d'*estancieros* qui avaient fait fortune dans le commerce du bétail et investi en masse à l'étranger, à l'époque de la parité peso-dollar. Le ministre était un redoutable homme d'affaires, un requin de la finance, et Bruno était mal à l'aise quand il le fixait à travers ses petites lunettes cerclées.

— Vous tenez un suspect ?

Casaletti sentit sa gorge se contracter.

— Ce n'est qu'une piste, *ministro*, mais cela a l'air sérieux. Un de mes hommes a repéré pendant la nuit un individu qui semblait sortir tout droit du cimetière. Il pourrait bien être celui qui a fait le coup.

Tout en parlant, Bruno se contorsionnait pour apercevoir le trou dans le monument, mais les agents du SIDE, à passer et repasser devant le caveau, lui bouchaient la vue. Un ouvrier en blouse bleue prenait des mesures pour réparer les dégâts.

— Quel malheur ! ajouta prudemment Bruno en se haussant sur ses talons. Le tombeau est-il très dégradé ?

Casaletti remuait les orteils dans ses escarpins. Comment poser au ministre la question qui le taraudait ?

— Ont-ils… ont-ils volé des objets ? Je veux dire, monsieur le ministre, le tombeau contenait-il autre chose que des corps ?

Bruno imaginait déjà la réponse sèche de Santos :

— Laisseriez-vous entendre que… ?

Et l'autre, le saurien de Stein, allait le regarder d'un sale œil. Pourtant, Casaletti se sentait plus à l'aise avec lui. Cette brute s'était rendue célèbre en suspendant les voyous dans des chambres froides pour casser leur résistance, mais il n'était pas aussi retors que le ministre.

— C'est tout, commissaire ?

Bruno sursauta.

— Je disposerai d'un compte rendu plus détaillé cet après-midi.

— Votre agent est-il bien sûr qu'il s'agisse de notre homme ? Il y a quelque chose que je ne comprends pas, *comisario* : si cet individu avait un comportement douteux, pourquoi ne l'a-t-on pas interpellé ?

Et vlan ! de nouveau ces petits yeux fouineurs… Santos était loin d'être bête. Casaletti tritura son menton.

— Fatigue, ou négligence. Je tirerai ça au clair. En attendant, j'ai bon espoir que nous puissions élaborer, si nécessaire, un portrait-robot du délinquant. Profaner la tombe de la *Señora* !

Il risqua un nouveau coup d'œil vers le monument.

— J'espère qu'on remettra ça rapidement en ordre. Si je peux vous aider en inspectant les lieux…

Il n'y avait rien de bizarre à ce qu'il manifeste ainsi sa disponibilité. Et s'il arrivait par la même occasion à jeter un coup d'œil de plus près à ce foutu tombeau…

Mais Santos le prit par le bras et l'entraîna dans la direction opposée. Si cet abruti de flic ne racontait pas d'histoires, on pourrait peut-être retrouver plus vite que prévu celui qui avait fait le coup, un cinglé ou un ivrogne. Dans ce cas, tout irait bien. Mais, si c'était par malheur un homme de main pour le compte d'une organisation quelconque, tout s'emballerait. L'affaire attiserait les haines et rappellerait de mauvais souvenirs, alors que le Président voulait justement ratisser large pour être réélu.

— Tenez, dit-il en griffonnant sur une carte de visite : voici mon numéro de portable. N'arrêtez personne sans m'en parler, et maintenez-moi au courant des moindres détails de votre investigation. C'est une affaire très sensible, vous en êtes conscient, mais ce n'est pas parce qu'on casse le mur d'un tombeau que le pays doit se déchirer. Des ivrognes, sans doute, qui ne savaient même pas ce qu'ils faisaient et ont perdu la tête quand ils se sont fait surprendre par le gardien. Qu'est-ce que vous en pensez, Marco ?

Le saurien, qui soufflait comme une enclume de forge, comprit la manœuvre du ministre :

— Je pencherais même pour des drogués. Il suffit de voir comment ils ont égorgé le chien et émietté sauvagement le crâne du gardien !

139

Santos prit un air affligé.

— Oui, la drogue fait des ravages dans notre jeunesse. Vous devez en savoir quelque chose, commissaire !

Casaletti prit un air désemparé, levant les yeux au ciel et ouvrant la bouche pour montrer combien ce problème le préoccupait. Puis Stein reprit la parole :

— Un pari stupide, peut-être. Quand le gardien est arrivé avec le chien, ils ont pris peur.

Les trois hommes s'arrêtèrent à quelques mètres de la sortie, près de la statue d'un militaire, d'au moins trois mètres de haut, qui serrait son épée entre les jambes. La petite place grouillait d'agents du SIDE, écouteurs dans les oreilles, et les cyprès chauffés par le soleil embaumaient la résine.

— Des drogués, des drogués... Oui, cette piste me paraît intéressante. Demandez donc à votre homme si le suspect ne pourrait pas être l'une de ces épaves qui traînent dans le parc. En tout cas, merci. Et n'oubliez pas : ne faites rien sans m'en parler !

Le ministre attendit que Bruno ait passé le bâtiment d'entrée, puis il prit Stein par le bras.

— Il a gobé notre histoire, mais il ne faudrait pas qu'il mette la main avant nous sur ce suspect. Active tes indics. Tu as été parfait.

Casaletti repassa la grille et se dirigea vers sa voiture. Il se sentait désormais plus détendu. Le ministre et son adjoint paraissaient calmes, et cette affaire de drogue était plausible. Bien sûr, il aurait préféré voir de plus près le mur défoncé, mais après tout, ce n'était qu'un panneau de marbre...

Pourquoi s'était-il inquiété à l'idée qu'Ortega était dans le coup ? La fatigue, sans doute. Entre ses activités « extraprofessionnelles » et son vrai travail de flic, il ne menait pas une vie de tout repos. Mais une chose continuait de le tracasser : si ce n'était qu'une affaire de drogués, pourquoi diable Santos avait-il donné l'ordre de boucler la ville ? À moins que le chef de la police ait simplement voulu se couvrir ? Ce n'était pas tous les jours qu'on profanait la tombe d'Evita !

Oui, c'était une possibilité.

Casaletti ouvrit la porte de la Ford et s'affala sur la banquette arrière.

— Conduis-moi au Calypso, dit-il au chauffeur.

Le gros connaissait l'adresse. C'était un *privado*, un bordel, avec une dizaine de filles. Casaletti y avait ses habitudes.

12

Roy jeta un regard sur la banquette arrière du Cessna pour vérifier qu'il ne rêvait pas. Le sac était toujours là.

Que faisait le tueur avec ces étoiles de David et ces bijoux nazis ?

Le Cessna ronronnait doucement dans la nuit tandis que les instructions des contrôleurs continuaient de grésiller dans les écouteurs. Horizon artificiel et instruments de navigation illuminés brillaient sur le tableau de bord. Les turbulences avaient disparu avec la tombée du jour. L'hydravion volait tout seul – ou en donnait l'impression.

Il ne lui était nul besoin de descendre d'une famille de diamantaires pour que l'Américain comprenne qu'il transportait une fortune. À eux seuls, les petits sachets contenaient des dizaines de pierres d'au moins un carat et parfaitement taillées. Mais, plus que la valeur du butin, c'est l'origine de certaines pièces qui donnait des frissons à Kruger. Hitler était mort soixante ans auparavant, mais l'Américain se sentait aspiré par le tourbillon de l'Histoire.

Il vérifia qu'il avait sous la main la carte d'approche de l'aéroport de San Fernando, et allait demander à commencer la descente lorsque le contrôleur de Buenos Aires glapit dans les écouteurs de son casque :

— Confirmez votre altitude, Echo Fox Alpha !

Roy sursauta et vérifia son altimètre.

— *Shit !*

143

Il avait mal réglé l'appareil, et volait 500 pieds plus bas que le niveau autorisé. Il bredouilla des excuses et en profita pour demander au contrôleur de descendre au niveau 50.

— Autorisé 50, Echo Fox Alpha, et vérifiez vos appareils.

Kruger était furieux contre lui-même. Il avait commis une faute impardonnable et s'était fait rabrouer comme un débutant par un aiguilleur du ciel.

Comment avait-il pu en arriver là, lui, si brillant pilote de ligne ? Et ce n'était pas tout : comment, aussi, avait-il pu se laisser gruger par cet Argentin et se laisser persuader qu'il était un amateur de *dorado* ? Lui, ancien agent des stups aux États-Unis ! Il lui fallait se ressaisir, arrêter de tout laisser filer. Encore heureux que ses réflexes ne l'aient pas lâché quand son passager avait cherché à le tuer…

Le vent avait tourné au sud. La piste en service à San Fernando serait donc certainement la 23, et l'aéroport était maintenant à 20 milles nautiques, soit environ huit minutes à la vitesse du Cessna.

La difficulté, avec l'hydravion, est de perdre de l'altitude : les contrôleurs n'aiment pas manœuvrer ces appareils, trop lents à leur goût, alors ils prennent un malin plaisir à les faire descendre au dernier moment, quitte à ce que les oreilles du pilote et celles des passagers en souffrent, faute de pressurisation.

Mais le contrôle, pour une fois, donnait l'impression de vouloir se débarrasser rapidement du petit Cessna qui volait au milieu des avions de ligne.

— Contrôle radar, Echo Fox Alpha, poursuivez la descente, 2 300 pieds QHN 1012, cap 120.

Roy vira à gauche vers l'Uruguay, en attendant de croiser l'axe de piste. L'aiguilleur du ciel allait ensuite lui demander de tourner à droite et le passer sur l'approche de l'Aeroparque, qui gérait les décollages et atterrissages aux instruments du petit terrain de San Fernando.

— Echo Fox Alpha, interceptez le 222[1] de San Fernando ! Aeroparque approche sur 120,6 ! Au revoir, monsieur.

---

1. Radial 222 de la balise de radionavigation installée sur cet aéroport permettant de s'aligner sur l'axe de la piste 23.

Kruger collationna et prit congé du contrôleur. Aiguilleurs du ciel et pilotes se montrent toujours très polis les uns avec les autres, les pires injures se résumant à des « négatif » exprimés d'un ton sec.

Roy contacta l'approche, qui le passa ensuite à la tour de l'aéroport ; à 19 h 15 locales, l'hydravion se posait sur la piste. Kruger s'arrangea pour retarder le toucher[1] afin d'arriver plus rapidement au hangar. Le seul chemin de roulage, côté ouest, se trouvait en bout de piste.

— Roulez vers Aeroservice et rappelez pour quitter.

— On rappellera pour quitter, Echo Fox Alpha.

Qu'allait-il faire des sacs ?

La situation était absurde. Un homme avait cherché à le tuer, mais c'est lui qui risquait de croupir en prison pendant des mois si la police découvrait ce qu'il transportait. Pourtant, pas question d'aller raconter son aventure aux flics : ils le tiendraient certainement à l'écart de l'enquête, et Roy voulait en savoir plus. On ne découvre pas tous les jours ce qui ressemble à un trésor nazi !

Le hangar d'Aeroservice était illuminé. Roy aperçut le gardien, qui garait un bimoteur avec son tracteur. Kruger avança l'hydravion et tira l'étouffoir pour arrêter le moteur. Puis il se sentit d'un coup extrêmement seul.

Lorsqu'il pilotait les avions de la mafia colombienne pour renseigner la DEA, il avait derrière lui une puissante administration et des centaines d'agents surentraînés disposant de moyens de communication ultramodernes, mais, à Buenos Aires, il comptait ses amis sur les doigts de la main : Barrington, le correspondant d'Europa News, et Hector, un fidèle en qui il avait toute confiance.

Barrington buvait certes un peu trop, mais il avait roulé sa bosse en Amérique latine, connaissait bien le coin, et puis il avait un sixième sens pour tout ce qui paraît étrange. Hector, son maître d'hôtel, ne lui avait jamais fait défaut. Il était réservé, mais une véritable amitié s'était instaurée entre les deux hommes. Marc, Hector… qui d'autre ?

---

1. Le « toucher » est le moment où l'avion pose ses roues sur la piste.

Jane, la sœur de l'Anglais ? Elle était trop écervelée pour qu'on la mêle à ce genre d'affaires, et d'ailleurs, elle n'aurait pas été d'une grande utilité, sa connaissance de l'Argentine se résumant aux derniers endroits à la mode. L'ambassade des États-Unis ? Inutile de compter sur elle. Kruger connaissait bien le représentant de la DEA, mais les services américains étaient de plus en plus procéduriers. Il aurait attendu plusieurs jours avant que l'on daigne s'intéresser à son cas.

Pourtant, il se sentait aiguillonné. L'Argentin avait dû le prendre pour l'un de ces expatriés qui jouent tous les soirs aux fléchettes dans les pubs de Buenos Aires, mais sans jamais finir par parler un espagnol correct. Eh bien ! il allait voir ce dont Roy était capable… si toutefois l'Argentin était encore vivant !

Kruger avait fait une autre erreur après avoir éjecté son passager de l'hydravion : il aurait dû refaire un passage à basse altitude, pour voir s'il nageait dans le fleuve – pas pour le tuer, mais pour savoir à quoi s'en tenir. Maintenant, c'était fini : il ne commettrait plus une telle maladresse.

La priorité était de mettre les sacs à l'abri. Avec cette Jaguar des années 1970, il ne courait pas le risque d'être contrôlé. Après, on aviserait. Voir, analyser, agir : en vol comme au sol, dans un environnement difficile, le principe demeurait le même.

Kruger rassembla les sacoches, les replaça dans le grand sac bleu qui portait l'insigne de la marine argentine, puis il sauta de l'hydravion. La nuit était tombée, mais l'air était encore chaud. On entendait dans le ciel les bruits des réacteurs en approche sur l'Aeroparque. L'Américain jeta son sac sur l'épaule et marcha vers le hangar, où le gardien écoutait la radio dans son bureau vitré. Roy s'approcha pour lui dire bonjour, l'homme se retourna.

— ¡ *Qué historia*[1] !

Le plus souvent, le transistor débitait les succès de Shakira ou de Ricky Martin, mais aujourd'hui l'homme se délectait des dernières informations.

— Ça continue, dit-il en baissant le son. Ce pays est maudit !

---

1. « Quelle affaire ! »

— Que se passe-t-il?

— On a dévalisé la tombe d'Evita. Certaines radios racontent même que son cercueil a disparu. ¡ *Dios mío!*

Le gardien se signa.

— On aurait dérobé des documents cachés dans le tombeau, des pièces très compromettantes pour le gouvernement, ou des bijoux... Tout est possible, dans ce pays! Même les banquiers sont des voleurs!

— Evita? La femme du général?

— On ne se débarrassera jamais des Perón. Ces imposteurs ont ruiné l'Argentine!

Le gardien cracha par terre.

— Des millions de gens ont cru à leurs boniments, et ils ont pillé l'argent du peuple et mis le pays à genoux! Sans parler des années sanglantes de la dictature militaire... Il ne faut quand même pas oublier que c'est eux qui ont provoqué le coup d'État en laissant la gabegie s'installer dans le pays.

Déchaîné, le gardien ne semblait plus vouloir s'arrêter:

— Je travaillais comme cadre dans une entreprise du bâtiment, et maintenant? Veilleur de nuit! Toutes mes économies se sont volatilisées dans le krach de 2001!

Roy cherchait à écouter la radio, mais les explications du journaliste étaient couvertes par la diatribe du vigile.

— On a découvert une cache dans le tombeau?

— Quelque chose comme ça, oui. Je n'ai pas très bien entendu.

Puis le gardien se tut subitement et désigna le grand sac bleu marine d'Ortega que Roy avait posé au sol.

— C'est du poisson, que vous ramenez là-dedans?

— Non, du matériel. Cannes et boîtes d'hameçons. On a laissé les *dorados* sur place.

— Et votre passager, le *gordito*?

C'est curieux comme certaines personnes sont douées pour se souvenir de tout, surtout aux moments les moins opportuns.

— Il est resté sur place: son oncle habite sur le Paraná.

Roy prit congé et se dirigea vers son cabriolet, garé devant un massif de fleurs sur le petit parking de l'aérogare. La boutique de fournitures aéronautiques et la salle d'embarquement

147

étaient fermées. Sur le terrain vague qui longeait San Fernando, des chiens errants hurlaient à la mort. Un peu plus loin, sur l'autoroute, des camions grondaient.

Plus il y songeait, plus il se demandait si son passager n'était pas l'un des casseurs du cimetière. Il y avait trop de coïncidences pour que les deux affaires ne soient pas liées : son arrivée à l'aube, alors qu'ils avaient pris rendez-vous une heure plus tard, sa nervosité au moment du décollage, son attitude à bord – il avait somnolé au lieu de regarder le paysage, comme s'il avait cherché à reprendre des forces –, et puis ce pantalon fripé et cette souillure, cette marque rougeâtre à la hauteur du genou. Peut-être une tache de sang.

Les stations de radio avaient tendance à affabuler, mais il y avait toujours un fond de vérité dans ce qu'elles racontaient. Un employé du cimetière avait ainsi assuré qu'il y avait une cache dans le marbre. L'Argentin venait-il de démolir le monument, avait-il récupéré les diamants dans la tombe ? Et, si c'était le cas, était-il plausible de découvrir ces insignes nazis sous le marbre ?

Une seule personne pouvait l'aider à élucider cette affaire : Barrington. Le journaliste, qui s'ennuyait quand il ne se passait rien, se passionnait pour les sujets d'investigation. Et puis, il savait être muet comme une carpe quand la situation l'exigeait.

Kruger décrocha son portable pour composer le numéro de l'Anglais, puis engagea la Jaguar sur la voie rapide, en direction de Buenos Aires. Il allait passer chez lui, déposer le sac dans son dressing, en espérant ne pas être cambriolé, et se rendre chez Barrington. Pas question de placer le trésor dans un coffre à la banque. Depuis le krach, les institutions financières étaient sur le qui-vive, et un tel dépôt aurait pu inciter à la dénonciation.

Kruger glissa un CD d'Andrea Berg dans son lecteur. La voix rauque et profonde de la chanteuse allemande et ses slows nostalgiques lui rappelaient les disques de Marlene Dietrich qu'on écoutait dans sa famille, quand il était enfant.

Une heure plus tard, il arrivait au pied de l'immeuble de Marc.

L'Anglais habitait dans une rue ombragée de tilleuls du quartier du Retiro, en face d'une galerie d'art moderne, au quatrième étage d'un élégant petit édifice construit dans les années 1980.

Il ouvrit la porte, pieds nus, vêtu d'un pantalon en toile trop long et d'une chemise en lin qui ressemblait à un pyjama. Sa voix était abîmée, des paquets de cigarettes traînaient sur la table du salon.

Le contraste était saisissant entre l'aménagement de l'appartement et l'accoutrement de son locataire. Parquet en bois clair, bar en métal gris au fond du living, baies vitrées. Tout était net et high-tech dans l'immeuble, mais Marc laissait traîner ses vêtements sur le sol, à côté de livres et d'annuaires téléphoniques. Son seul investissement avait été un écran plasma, pour visionner des films.

— Que se passe-t-il? demanda-t-il en se grattant la barbe.

Il entraîna Roy vers le salon, s'enfonça dans le canapé et se versa une rasade de Jameson. Le journaliste en avait déjà descendu plusieurs verres.

— Tu ne devrais pas, dit l'Américain. Tu vas avoir besoin de tout ton cerveau.

Barrington faillit s'étrangler. Kruger avait une bonne descente, lui aussi ; il était mal placé pour lui donner des conseils dans ce domaine. Mais son visage, ce soir, avait changé d'expression : ses yeux bleus, plus clairs que d'habitude, déchiraient l'air.

— Pas question d'écrire une ligne sur tout ce que je vais dire !

— Tu ne crois quand même pas que je te mettrais en difficulté pour avoir des reprises dans le *New York Times*!

— Promis?

— Juré.

Roy lui raconta alors toute l'histoire, en n'omettant aucun détail. L'apparence physique de l'Argentin, son apparition au restaurant, la détermination et la force dont il avait fait preuve pendant leur corps à corps dans l'hydravion…

— Pourquoi tu ne vas pas voir les flics? Il n'y a pas que des pourris à la police fédérale !

L'Anglais finit son verre de whisky. L'alcool semblait glisser dans son estomac sans avoir aucune incidence sur ses capacités de réflexion.

— J'y ai pensé tout à l'heure, mais je ne veux pas rendre les bijoux.

Barrington avait beau synthétiser vite, il ne s'était pas attendu à ça.

— Je n'ai rien demandé à personne, et me voilà mêlé à un trafic de pierres précieuses ! Qui plus est, avec un trésor d'origine douteuse. Tu ne penses pas que ça vaut la peine d'en savoir plus ? À propos, tu me trouveras naïf, mais pourquoi ne pas rendre les bijoux à leurs propriétaires ? Cette étoile de David sertie de diamants porte le nom d'une famille juive de Heidelberg, et d'autres appartiennent certainement à des Allemands morts dans des camps. Mais il y a autre chose de bizarre : ce type arrive à l'aéroport de San Fernando avec un sac bourré de pierres précieuses le jour même où l'on apprend que des inconnus s'en sont pris au tombeau d'Evita…

L'Anglais salivait. Quel dommage qu'il ne puisse pas écrire un papier sur cette affaire ! Avec tous les éléments que lui donnait Kruger, il remplirait les manchettes de toute la presse mondiale.

— C'est là que j'ai besoin de toi, ajouta Roy. Est-il possible que je me trouve en possession du magot d'Evita ? *Shit !* ça en inquiéterait plus d'un ! C'est tout le pays qui va me courir après, pas seulement le type qui a voulu me tuer !

Barrington, qui avait en général le mot pour rire, devint alors aussi sérieux qu'un chirurgien entrant en salle d'opération.

— On a volé quelque chose, mais personne ne sait quoi. Radio Libertad a sorti la première l'info citant un employé du cimetière. On est passé le voir, et il a vidé son sac. Oui, des maçons ont été convoqués d'urgence pour réparer les dommages, mais ils n'ont rien pu faire. Imagine : il faut trouver du marbre de la même couleur, le tailler sur mesure, etc. Mais le plus intéressant, c'est que l'employé du cimetière a entendu des agents du SIDE parler d'une cache…

C'était là une particularité de Barrington. Alors que, dans la conversation courante, ses explications étaient ponctuées de digressions, de retours en arrière et d'onomatopées hésitantes accompagnées de tapes amicales sur le ventre, ses démonstrations étaient toujours d'autant plus limpides que le sujet abordé était complexe.

— Quant à savoir si on avait caché des diamants dans le tombeau, tout est possible. Il faut dire que cette momie a excité les esprits pendant des décennies. Déjà, l'embaumeur d'Evita était tombé amoureux de son œuvre. Le cadavre a été mutilé, on a fait des radios pour s'assurer que ce n'était pas une copie. Difficile à croire, et pourtant tout est vrai ! Alors oui, la fortune des Perón était au moins équivalente à celle du roi Farouk, mais un mystère n'a jamais été éclairci : celui des fonds nazis qu'Evita aurait déposés dans des banques suisses.

— Les nazis ?

— Oui. Des millions de francs suisses, de dollars et de florins hollandais, et des caisses d'or et de diamants, aussi, que des sous-marins allemands auraient débarqués en Argentine à la fin de la guerre.

Barrington se versa une dernière rasade de Jameson.

— Perón, dépositaire du trésor Bormann, ne l'aurait jamais rendu aux Allemands. L'argent devait servir à financer le IVe Reich et à aider les dignitaires nazis en fuite. Et tu en as peut-être une partie dans ton placard !

Kruger le regarda sans répondre. Le trésor de Bormann, l'un des chefs du parti nazi et secrétaire particulier d'Hitler enfui du bunker après le suicide du Führer… Les dictionnaires mettaient toujours un point d'interrogation pour la date de sa mort, et tout le monde disait qu'il avait séjourné en Amérique latine, comme Mengele, Eichmann et tant d'autres.

S'il n'avait pas vu de ses yeux la croix gammée sertie de diamants dans l'une des sacoches de l'Argentin, Roy aurait éclaté de rire en suspectant l'Anglais de vouloir l'inquiéter, mais Barrington n'avait pas tort : si les bijoux provenaient du tombeau d'Evita, comme cela en avait tout l'air, on pouvait très bien y trouver des traces du trésor nazi.

Lorsque les effets personnels du couple Perón avaient été vendus aux enchères, on s'était déjà interrogé sur l'origine d'une boîte contenant des couverts en argent, au couvercle frappé d'une étoile de David en nacre.

— Il vaudrait mieux savoir qui était ton passager. Il a peut-être toute une organisation derrière lui.

— Ou retrouver son cadavre. Le passé n'est jamais dépassé, Marc, il en subsiste toujours des traces. Plus les drames sont récents, plus il est dangereux de remuer les cendres.

Kruger avait tout de même claqué la porte de Tropical puis échappé à la mort en Colombie comme agent de la DEA ! Là, pourtant, il était pris de court. Non seulement il ne savait pas si l'Argentin était mort, mais les bijoux faisaient sans doute partie d'un trésor nazi qui excitait les imaginations depuis la chute du IIIe Reich, et il était seul à Buenos Aires pour se sortir de cet imbroglio.

Oui, s'il voulait sauver sa peau, le plus urgent était d'en apprendre davantage sur son passager – à défaut de retrouver son corps. Kruger était au moins sûr d'une chose : si l'Argentin avait survécu à sa chute dans le Paraná, il ne tarderait pas à se manifester.

13

Le bureau du ministre de l'Intérieur au Palacio de Gobierno donnait sur le Río de la Plata. Des ouvriers achevaient de mettre au jour, dans un vacarme de minipelles, les soubassements de l'ancienne douane du port. De l'autre côté du fleuve s'élevaient les tours de Puerto Madero, nouveau complexe résidentiel construit sur les bords du delta.

La célèbre Casa Rosada, de la fin du XIXe siècle, était en travaux. Le bâtiment délabré ne supportait plus l'atterrissage ni le décollage des appareils sur l'hélisurface installée sur le toit, et le bureau de Santos occupait une pièce vieillotte au parquet décoré de tapis persans. Alvaro, deux jours après la profanation du tombeau d'Evita, ne comprenait toujours pas ce qui s'était passé.

Une conférence de presse était prévue en fin d'après-midi, mais il était arrivé dès 7 heures. Sa secrétaire avait reçu la consigne de ne le déranger sous aucun prétexte.

Le ministre noircissait depuis le début de la matinée des feuilles de papier A4 avec des schémas de réponses. « Si un journaliste me pose telle question, je répondrai ceci ; s'il m'accroche sur cela, je lui opposerai tel argument… » Formé à Harvard, diplômé de grandes écoles de marketing, Santos croyait à la toute-puissance de l'intellect, mais ses méninges, habituellement si prolixes, tournaient ce matin dans le vide. Il est beaucoup plus facile de cacher à la presse quelque chose que l'on sait que de démentir ce qu'on ignore. Or, Alvaro doutait désormais de tout.

Y avait-il vraiment une planque dans ce tombeau ? Certains monuments avaient bien deux parois avec un vide d'air au milieu, mais la sépulture de la famille Duarte était-elle construite selon ce schéma ? Il ne pouvait tout de même pas ordonner la démolition du côté droit pour s'assurer qu'il était bâti comme le gauche ! Personne ne pouvait le renseigner : les maçons qui avaient construit le monument étaient tous morts, et le dernier que l'on avait identifié avait disparu de son domicile quelques jours auparavant.

Et, s'il y avait bel et bien une cache, que contenait-elle ? Heureusement que ce policier – Bruno Casaletti, disait sa fiche, corrompu, vicieux et prêt à toutes les compromissions –, ce bellâtre qui lui avait signalé la présence d'un « suspect » n'avait plus donné signe de vie. S'il avait retrouvé son homme, il aurait fallu l'interroger, et ce qu'il aurait pu raconter pouvait exciter les esprits encore davantage.

Santos bourra sa petite pipe Dunhill pour la dixième fois et se leva pour changer sur un rayonnage la position d'une photographie le montrant en train de sauter un obstacle dans un concours d'équitation. Le bruit des ouvriers qui travaillaient sur la façade était exaspérant. Tout le palais du gouvernement résonnait de leurs coups de marteau.

Santos, excellent cavalier, jouait au polo, ce qui lui ouvrait les milieux les plus huppés de Buenos Aires : une belle villa a San Isidro, banlieue élégante, une épouse assez bien conservée qui lui avait donné quatre enfants et organisait sa vie sociale en fonction de ses ambitions politiques, de l'argent, un de ces gros 4×4 Chevrolet Tahoe dont les Latino-Américains raffolent pour aller à la campagne, un réseau d'amitiés et une dizaine de costumes Ralph Lauren à fines rayures.

Il était encore jeune pour prétendre à la présidence, mais il avait déjà été gouverneur et avait sa clientèle. Tous ces efforts allaient-ils être réduits à néant par ce maudit tombeau ? Une seule chose était sûre : si le situation se gâtait, l'actuel Président, locataire de la Casa Rosada, lui mettrait tout sur le dos. Santos l'incompétent, Santos l'inutile… on lui trouverait soudainement tous les défauts de la terre, et de bonnes âmes n'oublieraient pas de déterrer quelques affaires pas très nettes dans lesquelles il avait gagné des millions de dollars.

Alvaro ramassa toutes les feuilles noircies pour les jeter furieusement dans un broyeur. Quatre heures de travail acharné n'avaient produit que des confettis. Le ministre passa dans une petite salle de bains pour se rafraîchir le visage, puis réajusta sa cravate avant de revenir dans son bureau.

Marco Stein, costume bleu marine lustré par l'usage, chemise ouverte, venait d'arriver. À sa vue, Alvaro fut irrité. Pourquoi se laissait-il tant aller? Pourquoi ne suivait-il pas un régime protéiné pour perdre cette énorme panse, au lieu de se goinfrer de pâtes et de cuisine italienne, ou encore de jarrets de porc, en souvenir de ses origines allemandes? Santos le salua sèchement et s'installa derrière son bureau.

— Toujours rien?

— Ce n'est pas un coup de la mafia. Personne n'est au courant de quoi que ce soit dans les organisations péronistes, de gauche comme de droite.

— Que font les gars du SIDE?

Le gros Stein attendit quelques secondes, puis passa la main sous son col de chemise d'un air malicieux.

— Nos soupçons s'orientent vers une secte.

Santos eut un mouvement de surprise.

— Des nécrophiles, des profanateurs de tombes, une bande de cinglés amateurs de cadavres. Nous enquêtons…

Santos fronça un instant les sourcils, puis éclata de rire. Voilà comment il lui aurait fallu travailler depuis le début de la matinée: au lieu de partir de la réalité, il aurait dû s'en détacher au contraire, et chercher un scénario plausible.

Cette idée de secte était vraiment excellente!

Le ministre tira une bouffée, et Stein reprit:

— Les journalistes sont comme des chiens affamés à qui il faut jeter des morceaux de viande pour ne pas se faire mordre. Un employé du cimetière leur a parlé d'une cache? Eh bien! orientons-les vers quelque chose d'encore plus sensationnel!

Une secte nécrophile, par exemple ! Le fantastique est très en vogue, de nos jours…

Santos avait souvent été frappé par le contraste entre l'aspect physique de Marco, son corps adipeux et sa démarche pesante, et la rapidité, la subtilité, voire la perversité de sa pensée.

— Une secte ! répéta Santos. Un culte satanique ou quelque chose dans ce goût-là. Avec des ramifications à l'étranger, bien sûr : il faut toujours accuser les autres. Quelque chose venu d'ailleurs pour corrompre notre pays.

Il avait soudainement retrouvé du talent, de l'inspiration et des idées, lui qui ne jurait habituellement que par des discours posés, loin de la traditionnelle rhétorique latino-américaine. Pourquoi n'y avait-il pas songé plus tôt ? Accuser des adorateurs de cadavres était pourtant beaucoup moins risqué politiquement que de mettre en cause des casseurs, ou même des ivrognes…

Il anticipait déjà les questions. « Pourquoi des ivrognes se seraient-ils attaqués au tombeau ? Qu'auraient cherché à détruire des casseurs ? À quel symbole souhaitaient-ils s'attaquer ? Que voulaient-ils signifier en tapant à coups de masse sur le marbre noir ? » Ces questions n'auraient plus lieu d'être si l'on accusait une secte, puisque les sectes, par définition, échappent aux critères rationnels.

Ah ! ces fouineurs de journalistes ! Il les entendait déjà l'interpeller : « ¡ Ministro ! ¡ ministro ! » Soit, on allait leur donner de la charogne à mordre, de l'irrationnel dans lequel ils pourraient se vautrer et se délecter des perversités de la nature humaine.

— Nous pourrions même aller plus loin, Marco. Par exemple, les détraqués de la Recoleta voulaient s'en prendre au corps d'Evita et voler la momie pour je ne sais quel rituel… Qu'en penses-tu ?

Le saurien tenta de l'interrompre, mais le ministre continua sur sa lancée :

— Son corps est recouvert de plusieurs mètres de terre et de béton, mais peu importe, ces adorateurs de Satan n'étaient pas au courant, et puis, vu leur goût pour le morbide, les journalistes mordront à l'hameçon. « Le corps d'Evita est-il à l'abri ? Nos cimetières sont-ils protégés ? Le gouvernement n'est-il pas coupable ? » Le pouvoir en place, Marco, est toujours fautif ! Et, bien sûr, j'assumerai en prenant devant les caméras des tas d'engagements : tout vérifier de nouveau, passer la sécurité au crible, organiser des rondes de nuit, protéger nos défunts... La formule n'est-elle pas séduisante ? Après tout, tout le monde adore les morts ! Alors, on ne parlera plus d'Evita, mais d'une déferlante d'adorateurs de cadavres, et chacun oubliera cette histoire de cache, beaucoup plus embêtante pour nous. Le politique aura disparu, nous nagerons dans le fantastique !

Santos constata qu'il était déjà l'heure de la conférence de presse.

— Allons-y ! dit-il, rayonnant.

Il sautillait comme un gamin, un peu vexé néanmoins que cette masse de graisse, ce cerveau mal éduqué, mal formé, à l'état brut, ce gros Stein ait eu cette idée géniale, alors que lui-même, en dépit de ses diplômes, avait piétiné depuis le début de l'après-midi.

— J'oubliais, dit-il en prenant le pachyderme par l'épaule. Ne négligeons pas le gardien et son chien ! Le public a besoin de personnages. Le vigile entend du bruit et accourt pour surprendre les malfaiteurs. Ils prennent peur et cherchent à s'enfuir, mais l'homme leur fait face avec courage, lance sa bête contre eux, et les monstres le tuent sauvagement. Il faudra lui rendre hommage, donner une pension à sa veuve, distribuer des photos en couleur des corps !

Les deux hommes descendirent par l'ascenseur à la salle de presse où le ministre donnait ses conférences. La pièce ressemblait à une salle de cinéma, avec ses fauteuils alignés les uns derrière les autres face à une estrade.

Les journalistes, qui commençaient à s'impatienter, sirotaient des jus de fruits. Les fils des projecteurs couraient sur la moquette lie-de-vin, des photographes discutaient assis par terre. Barrington, lui, expliquait à son collègue de Reuters comment il avait réussi à obtenir une interview du leader du syndicat des camionneurs qui avait récemment déclenché une bagarre à coups de gourdin lors du transfert des cendres du général Perón.

Marc traînait toujours du côté des journalistes argentins, en principe mieux renseignés que les correspondants étrangers, mais personne n'en savait aujourd'hui plus que lui, pas même cette reporter de *Clarín*, grande brune à la coiffure afro, style intellectuelle tropicale, qui passait pourtant pour être l'une des mieux informées. Certains disaient qu'elle n'hésitait pas à user de ses charmes pour soutirer des infos aux politiques, mais peu importe : Barrington avait souvent regretté de ne pas avoir de scoops à partager avec elle.

L'Anglais s'assit à côté d'elle quand un brouhaha traversa la salle : Alvaro Santos venait d'entrer, suivi de son conseiller.

— Tu le connais ? marmonna Marc en se penchant vers la tigresse.

— Stein ! Un ancien tortionnaire, laissa tomber la fille avec ce regard hautain dont les belles Argentines balayaient les trottoirs.

L'Anglais n'eut pas le temps de répondre : elle se leva pour mettre en marche son magnétophone et partit ostensiblement s'asseoir plus loin. Résigné, Barrington sortit son bloc-notes.

Santos était en pleine forme. Il prit place derrière un pupitre, avec l'écusson de la presidencia de la República en arrière-fond, plaisanta avec des photographes accroupis devant lui, puis demanda aux équipes de télévision s'il pouvait commencer.

Comme la profanation du tombeau faisait les gros titres, pas moins de deux chaînes de télévision transmettaient en direct la conférence de presse. C'était pour Santos l'occasion rêvée de soigner son image auprès du grand public et de frapper un grand coup.

Alvaro, légèrement ébloui par les projecteurs, ajusta ses lunettes.

— Nous avons avancé très significativement dans l'affaire de la Recoleta. Marco Stein vous commentera les résultats de nos premières investigations, et nous répondrons ensuite à vos questions, mais je souhaiterais d'abord réaffirmer devant vous la conception citoyenne de ma mission.

Santos adorait ce mot, « citoyen », qu'il avait récemment découvert au cours d'un voyage en Europe, où il était accommodé à toutes les sauces. Une police citoyenne qui tape sur des manifestants n'est plus un corps répressif, mais un groupe de citoyens défendant les valeurs de la citoyenneté. Un président citoyen est un homme proche du peuple – même s'il se remplit les poches. Un ministre citoyen est le serviteur de ses administrés ; une réforme citoyenne, l'expression de la volonté populaire ; un restaurant citoyen, un endroit où le restaurateur ne se moque pas du client... Bref, le mot, utilisé à tout bout de champ, a le mérite de clouer le bec de ses détracteurs.

— Cette conception citoyenne de ma mission implique une parfaite transparence. Vous comprendrez que, pour ne pas la compromettre, on ne puisse pas révéler tous les détails d'une enquête, mais un ministre doit informer honnêtement ses compatriotes, dans une transparence citoyenne.

Santos continua, emporté par l'inspiration, tandis que les journalistes tapaient les premiers « urgent » sur leurs ordinateurs portables pour les transmettre aux rédactions : l'enquête avait avancé de manière « significative ». Le terme ne voulait pas dire grand-chose, mais il pouvait laisser supposer beaucoup. Cela valait bien un urgent et un développement de cent mots dans la foulée...

Tandis que les doigts frappaient les claviers et que les caméras tournaient, loin, très loin de la Casa Rosada et des plans machiavéliques qui s'y échafaudaient, un homme, nu sous un peignoir de soie rouge, fermait les yeux en gémissant de plaisir au troisième étage d'un petit immeuble de San Telmo.

Bruno Casaletti, dans un fauteuil de velours violet, avait la main gauche sur la télécommande de la télévision pour suivre la conférence de presse du ministre, et la main droite sur une tête dont les longs cheveux noirs lui caressaient l'intérieur des cuisses.

Le policier avait hérité de ses parents ce modeste appartement situé à deux pas de la place Dorrego, qui s'animait le dimanche avec un marché aux puces et des spectacles de rue. La chambre était plongée dans une demi-pénombre, éclairée seulement par un rai de lumière qui perçait les rideaux de velours.

Martha, une employée du Calypso, où le commissaire avait ses habitudes, avait débarqué de Lima quelques mois plus tôt, sans permis de séjour. Bruno l'avait facilement convaincue de lui rendre quelques services en échange de sa bienveillance. Dans le cas contraire, avait-il indiqué pour éviter tout malentendu, il serait contraint de la faire incarcérer en attendant son expulsion.

Tandis que la jeune femme aspirait le gland comme une ventouse, montant et descendant le long de la hampe, Bruno, avec cet amour des mots crus qui l'excitaient, lui précisa avec délice qu'il allait « se vider ». Alors, il lui saisit la tête et retira délicatement son membre pour faire durer la séance plus longtemps.

Il augmenta aussitôt le volume de la télévision.

Santos l'énervait avec ses grands discours, mais Casaletti ne voulait rien rater : les journalistes allaient le bombarder de questions, et il finirait bien par donner un détail que lui, Casaletti, saurait interpréter. Les déclarations de l'employé du cimetière l'avaient inquiété, et le fantôme d'Ortega hantait de nouveau ses nuits. S'il y avait bien une cache dans le tombeau, comme certaines radios l'affirmaient, on pouvait tout imaginer, et surtout le pire : que Luis ait fait le coup. D'autant qu'à son bureau personne ne savait où il était passé, ce qui ne faisait qu'augmenter ses craintes.

La fille reprit son souffle et leva la tête vers le commissaire :

— *¿ No te gusta, amor*[1] ?

Pour toute réponse, Casaletti se réajusta dans son fauteuil et lui enfonça son gland dans la bouche. Comment profiter pleinement de ce moment tout en écoutant cette conférence de presse ? Il aurait dû convoquer la fille une heure plus tard…

Comme la Péruvienne reprenait son va-et-vient, Bruno, qui sentait de nouveau monter le plaisir, eut un souffle rauque tout en dévorant des yeux le ventre bronzé de la fille. Mais la

---

1. « Ça ne te plaît pas, mon amour ? »

télévision continuait la retransmission. Il ne pouvait pas se laisser aller, pas encore.

Marco Stein avait pris la parole :

— Tout nous porte à croire que nous avons affaire à des adorateurs de cadavres appartenant à une secte satanique. Il est plus que certain que l'on voulait s'en prendre au corps d'Evita.

Aussitôt, les doigts des journalistes crépitèrent de plus belle sur les claviers. Cela valait un nouvel urgent, voire, si ce n'est un flash, du moins un bulletin, en seconde place dans la hiérarchie des priorités.

En entendant cette information, Bruno se sentit soulagé. L'essentiel avait été dit. Des adorateurs de cadavres, pourquoi pas ? Il réfléchirait tout à l'heure à cette affaire de secte. Pour le moment, il pouvait se concentrer pleinement sur la fille.

Il lui empoigna la tête pour mieux rythmer son mouvement et rectifia de nouveau son assise dans le fauteuil. Il se trouvait maintenant dans une position optimale de relaxation, face à une aquarelle représentant des skieurs sur une piste des Andes. Quel bien-être ! La fille s'activait toujours sur son membre, et il avait cette vision rafraîchissante en face de lui, ces superbes sommets de Bariloche couverts de poudreuse ! Il ne lui manquait plus qu'un peu de champagne glacé, mais l'importateur qu'il avait coincé en train de vendre des bouteilles sans taxes n'avait pas encore livré la marchandise.

Martha avait une vingtaine d'années, une peau mate et des yeux en amande. Elle était petite, mais bien proportionnée. Casaletti passait de temps en temps la main sous sa blouse pour pétrir ses seins chauds.

Il était 19 h 30, la soirée ne faisait que commencer. La fille était à sa complète disposition, sans limite horaire. Quand il serait rassasié, il lui commanderait un taxi – qu'il réglerait lui-même, *che !* grand seigneur – et dormirait d'une traite jusqu'au lendemain matin dans le vrombissement de l'air conditionné.

Bruno allongeait ses jambes pour se préparer à l'extase, quand il entendit un craquement. La chambre où ils se trouvaient était située au bout d'un couloir qui donnait sur l'entrée de l'appartement. Saletés de climatiseurs, ces vieux modèles encastrés dans les fenêtres! Il aurait dû les changer depuis belle lurette, mais il avait reculé devant la dépense.

La conférence de presse était terminée et le reporter de TV Noticias faisait des commentaires, le micro à la main.

Bruno caressa les cheveux de la fille en lui recommandant de travailler plus lentement et de resserrer l'étau de ses lèvres, quand le plancher craqua de nouveau. Cette fois, le doute n'était plus permis. Le bruit ne provenait pas d'un climatiseur : quelqu'un marchait dans l'appartement.

Il voulut se dégager de la bouche de la Péruvienne pour découvrir ce qui se passait, mais il entendit aussitôt des pas, le bruit d'une chute de guéridon puis le son d'une voix qu'il connaissait. Il sentit alors une terrible pression autour du cou. On cherchait à l'étouffer.

— Va-t'en! dit l'homme à la fille.

Bruno n'en croyait pas ses oreilles : cette voix rauque était celle de Luis Ortega!

Il chercha à se dégager, mais le souffle lui manquait. Une poigne de fer le maintenait collé au dossier du fauteuil.

La Péruvienne se mit à crier, puis ramassa rapidement ses effets et courut vers la sortie. Comme elle était encore tout habillée, elle disparut en quelques secondes. Bruno Casaletti sentait son membre devenir cotonneux, et une horrible douleur au cou. Il essaya de déglutir quelques questions, mais Ortega lui lança son poing dans la figure. Le flic perdit connaissance.

Au réveil, il était toujours assis sur le même fauteuil, nu sous son peignoir rouge, mais ligoté. Son membre s'était recroquevillé. Assis en face de lui, le tueur buvait une bière en le fixant de son regard d'animal. Son visage était tuméfié, un pansement recouvrait le bas du crâne. L'un de ses yeux était à demi fermé, sa lèvre inférieure était enflée. Une vision d'horreur.

— Qu'est-ce qui se passe, *che*? bredouilla le flic. Tu es devenu fou?

Bruno se sentait ridicule. Le peignoir était largement entrouvert, et le policier avait l'impression qu'Ortega fixait ses parties intimes. Bon Dieu, ce type était complètement cinglé! Il avait crocheté la serrure de son appartement et s'était jeté sur lui comme une bête fauve sans même dire pourquoi!

Bruno chercha à fermer son peignoir, mais la grosse corde à nœud avec laquelle Ortega l'avait ficelé entravait le moindre mouvement.

— Luis ! Écoute-moi, bon sang ! Je suis ton ami ! Si quelqu'un t'a raconté le contraire, *es un hijo de puta*[1], un salopard, et je m'occuperai de lui dès que tu m'auras libéré. Laisse-moi au moins te parler, dis-moi ce que tu me reproches !

Le policier n'eut pas le temps de continuer : Ortega cogna de toutes ses forces sur sa tête.

Bruno sentit un liquide visqueux couler le long de sa lèvre, puis une douleur atroce dans la mâchoire. Ce cinglé avait dû lui abîmer la gencive ou faire sauter un implant.

— Fumier ! lança le commissaire, hors de lui. Tu vas le payer cher !

— Tu veux m'impressionner, *maricón*[2], mais c'est toi qui vas rendre des comptes. J'ai toute la nuit devant moi…

Il le relâcha, partit vers la cuisine et en revint en claudiquant, une grande fourchette à la main. Bruno vivait un cauchemar. Que comptait faire cet énergumène ? Il donna un coup d'épaule pour tenter de libérer son bras droit ligoté à l'accoudoir, mais il était arrimé au siège. Ce fumier avait serré tous les nœuds, les cordes entraient dans sa chair.

Casaletti était foutu, il le sentait. Ortega lui releva le crâne et approcha la fourchette de son cou.

— Je vais te l'enfoncer très lentement au-dessus de la pomme d'Adam. Tu verras, mauviette, on ne meurt pas tout de suite.

Bruno recula la tête et la colla au dossier. Il venait d'acheter ce service à découper et l'avait inauguré le week-end dernier pour un rôti de filet. Les dents de la fourchette pénétraient dans la viande comme dans du beurre. Ce cinglé était bien capable de mettre ses menaces à exécution.

Quelle impression pouvait bien faire une pointe aiguisée qui rentre dans la peau ? Il avait lu quelque part, ou croyait se souvenir, qu'un coup de poignard glissait entre les chairs et ne

---

1. « C'est un fils de pute ! »
2. « Pédé. »

se sentait presque pas – du moins au début. Peut-être serait-ce la même chose ?

La main d'Ortega tremblait.

— Pourquoi tu veux me tuer, Luis ? C'est absurde ! Dis-moi pourquoi ! Tout s'éclaircira, tu verras que je n'ai rien à me reprocher !

Ortega éclata de rire et enfonça la fourchette, très peu profondément. Ce sadique allait bel et bien lui crever la gorge…

— T'as rien à te reprocher, hein ? *Maricón !*

— Dis-moi ce que tu souhaites, Luis, bon Dieu ! Mais ne m'enfonce pas ça dans le cou !

— L'Américain ! Je veux l'Américain ! glapit Ortega.

La paupière boursouflée masquait son œil gauche, mais le droit lui jetait des flammes. Sa joue était striée d'égratignures.

Casaletti ne comprit pas tout de suite :

— Quel Américain, *che* ?

Ortega enfonça la fourchette plus profondément.

— Celui que tu m'as recommandé, *maricón* !

Le flic rassembla ses idées le plus vite qu'il put. La situation n'était plus aussi désespérée : il savait du moins pourquoi Ortega était furieux.

— *¿ Qué pasó, Luis*[1] *?*

Ortega appuya de nouveau sur le manche.

— Un *gringo* passionné d'aviation qui avait un restaurant. Tu te souviens, *maricón* ? Un type sans problème, dont on n'avait pas à se méfier, *un idiota*, comme tous les *gringos*. C'est bien ce que tu m'avais dit, non ?

Casaletti faisait marcher sa cervelle à toute allure pour essayer de prendre de l'avance sur Ortega, mais ses pensées se brouillaient. Avaient-ils eu un problème technique dans l'hydravion ? Le *gringo* lui avait-il fait faux bond ?

— Tu n'as rien vérifié, abruti !

Ortega jeta la fourchette et lui flanqua une gifle. Puis il rapprocha une chaise, sur laquelle il s'installa à califourchon face à Casaletti. Il était hideux, et Bruno aurait payé cher pour lui

---

1. « Que s'est-il passé, Luis ? »

écraser le crâne d'un coup de talon. Mais le moment était mal choisi. « Vérifié » ? Que voulait-il dire exactement ?

— Il se la coulait douce comme beaucoup d'étrangers, son visa était en règle. Un visa d'investisseur, tu m'avais dit. J'espère que tu n'as pas oublié ce que tu m'as dit, *maricón*, car j'ai une excellente mémoire !

— Je te jure que j'ai mené mon enquête, Luis ! Crois-moi, si mes sources m'ont mal renseigné, elles entendront parler de moi.

Ortega poussa un soupir méprisant.

— Tes « sources » ? Pauvre imbécile !

— Détache-moi, Luis ! Cette situation est ridicule !

Le flic gardait un pistolet dans le tiroir de sa table de nuit. Si Ortega le relâchait, il se précipiterait sur son arme et pourrait inverser les rôles. Un éclair de furie traversa ses yeux, mais il se radoucit immédiatement. L'essentiel était pour l'instant de sauver sa peau.

Ortega se leva et envoya valdinguer la chaise de l'autre côté de la pièce.

— Un *gringo* sans problème ? Abruti ! Tu sais qui est cet homme ?

— Euh…

— Moi, je le sais ! Ce type n'est pas un patron de bistrot, mon Glock ne l'a même pas impressionné ! Il m'a fait une prise au bras avant de m'éjecter de l'avion, le gars connaît son affaire. J'ai eu de la chance de m'en sortir. Un peu plus, et…

Il montra le pansement sur son cuir chevelu.

— Et le gouvernail me coupait le crâne en deux ! Tu imagines un instant, *maricón*, que monsieur Tout-le-monde réagit comme ça ? Non, ce type-là n'a pas passé sa vie dans les cuisines !

— Je t'assure que je ne suis pour rien dans cette affaire, Luis. On m'a mal renseigné, c'est tout. Comment je pourrais t'avoir trahi, toi, un partenaire de longue date ?

— Eh bien, tu as intérêt à faire ce que je te dis, mauviette, sinon je reviendrai te planter cette fourchette dans le cou. Et cette fois, crois-moi, j'appuierai très fort sur le manche.

Casaletti fit la grimace en imaginant la scène.

— Ce type a piqué le chargement que je voulais passer au Paraguay, reprit Ortega. Il a peut-être de la famille en Argentine – une mère, une sœur, des enfants, une fiancée. Tu me donnes les informations, et je m'occupe du reste. Compris, *maricón* ?

Ortega ramassa la fourchette pour l'approcher de nouveau du cou d'Ortega.

— C'est bien clair ?

— Parfaitement, Luis.

— Demain soir ! Je veux avoir tous ces renseignements demain soir ! Et n'essaye pas de me coincer. Je n'ai pas peur de la police fédérale, tes collègues me léchaient les pieds il y a trente ans !

Il reposa la fourchette sur la table.

— Demain soir !

Casaletti avait retrouvé espoir, son bagout lui revenait peu à peu.

— Tu peux compter sur moi, *che*, je vais m'occuper de cet Américain. Mais dis-moi, Luis, juste pour savoir, puisque nous sommes des partenaires… Luis, ce chargement dont tu parlais et dont l'Américain s'est emparé, c'est… c'est quoi, exactement ?

Ortega réfléchit quelques secondes puis éclata de rire.

— Des rubis, des diamants, plus que tu n'en as jamais vu, *maricón*, des kilos de bijoux !

Casaletti eut un mouvement de recul. Avait-il fait un casse dans une bijouterie ou une banque ? Il n'avait entendu parler d'aucune affaire de la sorte. Pourtant, ce genre d'informations ne lui échappait pas, en général.

— Ça te démange, hein, de savoir où j'ai piqué tout ça ? Et tu n'oses pas insister, parce que tu as peur de ton ombre. Eh bien, je vais te le dire : j'ai volé le trésor d'Evita. Tu ne me crois pas ? Tu devrais, pourtant. Le casseur de la Recoleta, c'est moi !

Casaletti s'étrangla de stupeur. Ortega continuait de l'observer d'un air moqueur.

— Ça t'étonne, hein, que je te le dise ? Mais réfléchis un peu, pourquoi j'aurais peur de toi ? Tu ne vas quand même pas me dénoncer, alors que tu m'as aidé à organiser le casse ? On est des partenaires, ne l'oublie pas.

Bruno serra les lèvres. Cette ordure le tenait.

— N'oublie pas : demain soir !

Ortega s'éloigna, puis revint pour flanquer à Casaletti une dernière gifle.

— Dernier délai ! Et change ce napperon, dit-il enfin en désignant la table. Il est ridicule ! Comme tes couilles, d'ailleurs. On dirait des vieilles figues bouffées par les guêpes…

14

Kruger, qui avait fermé le restaurant pour quelques jours, avait demandé conseil à Hector. Pour lui, il n'y avait aucun doute : le tueur de l'hydravion était surgi de ces années terribles où les services spéciaux argentins répliquaient aux assassinats et aux enlèvements de la guérilla par une vague de terreur sans précédent.

On les appelait les *grupos de tarea*[1], les unités spéciales. Ils surgissaient en général de nuit, enfonçaient les portes des habitations et enlevaient leurs victimes, qu'ils frappaient, encagoulées, et transféraient dans des centres de torture. Vingt-deux mille personnes avaient été assassinées par ces commandos de la mort.

Hector avait la larme à l'œil à l'évocation de cette époque :

— Les *grupos de tarea* pillaient les maisons des « suspects » et se répartissaient ensuite le butin. Certains étaient contraints de céder leurs biens immobiliers aux tortionnaires.

Roy et son maître d'hôtel, assis dans le bureau de l'Américain à la Posada del Mar, discutaient devant la porte-fenêtre face au patio d'orangers. Le bruit de la fontaine rafraîchissait l'atmosphère, et les élégantes commençaient leurs courses dans les boutiques d'antiquaires de Palermo. Le contraste était

---

1. Inspiré de l'anglais *task force.*

saisissant : le cadre était idyllique, l'air tiède du matin remontait le long d'une tonnelle de glycine ; pourtant ils étaient là, à évoquer le passé et ces fantômes bien vivants qui hantaient encore le pays.

Les militaires avaient été chassés du pouvoir vingt ans plus tôt, mais, à cette époque aussi, même pendant les années les plus sanglantes, tout paraissait normal à Buenos Aires. Les restaurants étaient pleins, les boutiques de la rue Florida regorgeaient de produits de luxe... Certains soirs, pourtant, dans une *parillada* du Río de la Plata au nom prédestiné, Les Années folles, des clients prenaient des verres au bar, la chemise tachée de sang. C'était l'un des lieux de rendez-vous favoris des tortionnaires.

— Les sévices étaient effroyables. Effroyables...

Hector enfouit son visage dans ses mains. L'Américain se sentit gêné de voir ce grand gaillard craquer comme un gamin.

— Certains ont été jugés, mais beaucoup d'autres courent encore. Comme ils opéraient sous de fausses identités, les organisations des droits de l'homme ne les ont pas tous repérés. Ma mère a disparu pendant la dictature.

Kruger eut un choc. Son maître d'hôtel ne lui avait jamais parlé de ce drame.

— Appartenait-elle à un mouvement de guérilla ?

— À cette époque, pas besoin de faire de la politique pour disparaître sans laisser de trace. Elle travaillait comme infirmière dans une *villa miseria*, un bidonville de banlieue. Le centre médical fonctionnait grâce à une ONG européenne, et certains employés appartenaient à des organisations d'extrême gauche. Ma mère a été arrêtée avec eux...

— On ne l'a jamais retrouvée ?

— Elle n'est pas la seule. On jetait des prisonniers dans la mer, attachés à des blocs de ciment pour qu'ils ne puissent pas nager. Ils appelaient ça le *traslado*, le transfert.

Kruger revoyait les yeux de son passager dans l'avion. L'homme avait changé d'expression en quelques secondes, comme s'il était devenu un autre. Ce n'était plus le petit gros cordial rencontré au restaurant, mais une boule de haine.

— Pourquoi penses-tu que mon passager faisait partie de ces commandos ?

— Qui d'autre aurait su ce que contenait le marbre noir du tombeau d'Evita ? Il faut de sacrés contacts dans les eaux sales du péronisme pour avoir eu ce tuyau ! Seuls des types des services en sont capables.

Plus Hector parlait, plus l'Américain avait le sentiment d'être entraîné dans un abîme sans fond. À vrai dire, il n'y comprenait pas grand-chose, mais il estimait avoir une excuse, tant le péronisme échappait à toute définition claire. Le Mussolini de la pampa avait entraîné dans son sillage aussi bien l'extrême gauche que l'extrême droite, et ses successeurs étaient passés allégrement des grandes professions de foi sociales à des politiques serviles à l'égard des États-Unis.

Une seule chose était certaine : la collaboration de l'Argentine avec les nazis était un sujet tabou que tout le monde voulait oublier, voire effacer par la force. En 1992, un attentat avait détruit les archives d'un centre de recherches juif qui s'apprêtait à publier un rapport sur Martin Bormann, le dépositaire du trésor du Reich en Argentine. Ce n'était vraiment pas le moment, avec un péroniste à la présidence, de rappeler que l'or nazi avait jadis servi à financer les campagnes de Perón... Pourtant, Kruger en avait désormais la preuve dans son armoire.

L'Américain récapitula rapidement la situation. Deux possibilités s'offraient à lui : soit attendre que son passager ou des membres de sa bande se manifestent, mais, dans ce cas, il perdrait l'initiative, ce qui pouvait être très risqué ; soit tenter de savoir qui était son agresseur. Un adversaire que l'on connaît est moins dangereux qu'un inconnu qui cherche à vous abattre, mais comment mettre un nom sur le visage de ce type ? Une tête ronde, des sourcils broussailleux... Ce n'était pas facile.

Son ancien employeur, la DEA, était capable de retrouver en quelques minutes, parmi des milliers de documents numérisés, le visage de tel ou tel trafiquant. Des logiciels performants traquaient même ceux qui avaient changé de physionomie grâce à la chirurgie esthétique. Mais là, Kruger était seul.

Fallait-il consulter les archives des organisations de défense des droits de l'homme ? Rien que dans l'armée et dans la police, un millier de personnes pourraient être traduites en justice...

Kruger réfléchit : le tueur de l'hydravion avait la cinquantaine, il avait donc une vingtaine d'années à l'époque de la junte militaire.

— Ces organisations disposent-elles des photos des suspects ?

— Pour certains, oui, mais beaucoup sont simplement mentionnés par des noms ou des surnoms.

Cela écartait un certain nombre de personnes.

— As-tu des contacts avec certaines d'entre elles ?

— Bien sûr, dit Hector. Je recherche toujours la trace de ma mère.

L'Argentin hésita :

— On pourrait essayer...

— Essayer quoi ?

— De jeter un coup d'œil à leurs dossiers. Mais ce ne sera pas facile : les ONG craignent les taupes, ces personnes qui se présentent comme des victimes mais veulent en réalité les espionner, découvrir ce qu'elles savent pour avertir les tortionnaires et leur permettre de se mettre à l'abri. Cela dit, je connais la secrétaire de l'une d'entre elles, Maria Esteban, dont le fiancé, sociologue, a disparu. Elle travaille pour Contra el Olvido[1], où j'ai déposé le dossier de ma mère.

Hector sortit son cellulaire, comme s'il s'apprêtait à appeler sur-le-champ l'association, mais il le replia comme s'il avait oublié quelque chose :

— Il y a un autre problème : qu'allez-vous leur dire ?

— La vérité... Que je recherche quelqu'un.

— Il faudra leur raconter une histoire plausible. Vous êtes américain, ne l'oubliez pas ! Toutes ces associations se méfient comme de la peste de vos compatriotes !

À l'époque, la CIA collaborait en effet avec les tortionnaires, se voilant pudiquement la face sur ce qui se passait dans les centres de détention.

---

1. « Contre l'oubli ».

Hector réfléchissait à voix haute.

— Vous pourriez prétendre avoir été arrêté par les militaires. Non, ça ne colle pas... On vous demanderait des précisions. En plus, vous êtes trop jeune ! Vous pourriez avoir été mandaté par un ami, quelqu'un qui vous est cher, qui a eu des ennuis à l'époque et qui voudrait savoir. Savoir... Beaucoup de gens ont moins soif de vengeance que de vérité, surtout après tant d'années... Ça ne va pas non plus.

— Pourquoi ?

— Les détenus avaient les yeux bandés, ils ne voyaient pas leurs tortionnaires. Comment voulez-vous avoir eu le temps de mémoriser les traits physiques de tel individu et de vous en souvenir encore avec précision trente ans après ? Non, il faut trouver autre chose. On pourrait dire que vous êtes journaliste, que vous travaillez pour un média européen, ça les mettrait plus en confiance. Un journal... allemand, par exemple. Vous parlez allemand ?

Kruger confirma d'un hochement de la tête. L'Américain en connaissait un registre en matière de vol d'identité : pour un agent double, c'était le b.a.-ba du métier.

— Je pourrais être un journaliste du *Stuttgarter Bote*, une feuille de chou de Stuttgart, et faire un papier... Non, j'ai encore mieux : un livre sur la psychologie des tortionnaires ! Y a-t-il une typologie de la violence ? Comment devient-on criminel ?, etc. Qu'en penses-tu ?

— Il aurait été aussi simple de demander à votre ami d'Europa News...

— Il m'a déjà aidé, et je ne veux pas le mouiller davantage dans cette affaire.

Hector sortit dans le patio aux orangers avec son portable. Roy l'entendit expliquer que son ami journaliste restait très peu de temps à Buenos Aires car il faisait une tournée en Amérique latine. Puis l'Argentin se confondit en remerciements.

— Tu es un amour. Je t'embrasse.

On s'envoie des baisers pour un oui ou pour un non en Amérique latine... L'Argentin revint, un grand sourire aux lèvres.

— On peut y aller pendant la pause du déjeuner, mais elle ne veut pas que l'on fasse de photocopies.

Roy récupéra dans le tiroir de son bureau les clés de la Jaguar, et les deux hommes prirent la route de San Isidro, l'une des banlieues les plus verdoyantes de Buenos Aires, avec ses villas modernes enfouies dans des parcs et quelques anciennes demeures seigneuriales à colonnades.

Contra el Olvido avait installé ses bureaux dans une maison de maître de deux étages, dont les fenêtres étaient fermées par des volets vert pâle. La grille en fer forgée était rouillée, les arbres n'avaient pas été taillés depuis longtemps. La maison avait une façade décorée de petits angelots. À quelques centaines de mètres, on apercevait les eaux grises du delta, bordées de petites gargotes.

— Drôle d'endroit pour une telle association, dit Kruger.

— La propriétaire est une riche Uruguayenne. Ses frères combattaient dans un groupe armé décimé par les militaires. Ils ont été tués, et la vieille dame soutient l'ONG. Elle vit en Uruguay, recluse dans une station balnéaire à la mode sur les bords de l'Atlantique.

Roy se gara devant la maison, puis les deux hommes grimpèrent les marches du perron. Aucune plaque n'indiquait la présence de l'association. Après plusieurs coups de sonnette, un judas s'entrouvrit. Hector reconnut les yeux de Maria Esteban.

C'était une femme d'une quarantaine d'années, qui avait dû être très belle. Elle avait un visage fin, quelques mèches blanches dans ses cheveux châtains, et des yeux clairs. Sa longue robe imprimée de fleurs traînait presque sur le sol.

— Nous devons prendre des précautions : des inconnus appellent régulièrement pour nous menacer, dit-elle en demandant aux deux hommes de la suivre. La nuit dernière, on a cassé les vitres des fenêtres, et j'ai trouvé des croix gammées barbouillées sur la façade.

Elle les entraîna dans une enfilade de salons éclairés par d'énormes lustres en cristal ternis par la poussière. Des rayonnages de chemises cartonnées et de piles de journaux couvraient les murs, et les membres de l'association travaillaient sur des ordinateurs préhistoriques. Derrière le bâtiment, un jardin en friche s'étendait.

— Venez, c'est par là, dit Maria Esteban en poussant la porte de son bureau.

Deux portes-fenêtres donnaient sur un gazon jauni, une table en fer forgé et quelques chaises de jardin en plastique blanc. Deux chiens au long poil dormaient sous un palmier desséché.

— Hector m'a expliqué que vous prépariez un livre sur la violence? dit la jeune femme en s'asseyant derrière un bureau Empire.

Elle glissa une Viceroy dans un fume-cigarette en ivoire, puis, jetant un regard autour d'elle :

— Nous avons mis des années pour réunir tout ce matériel. Il y avait trois cent quarante centres de détention clandestins dans le pays...

— Pourquoi « clandestins »?

— Parce que les autorités niaient leur existence. Les détenus y devenaient des numéros et disparaissaient.

L'association avait déjà constitué des dossiers sur des dizaines d'entre eux. Certains étaient établis dans des bases militaires, d'autres portaient des noms étranges – la Casa del Cilindro, el Motel, la Petite École, le Sheraton, le garage Orletti... Figuraient dans ces dossiers des descriptions plus ou moins détaillées faites par les malheureux qui y avaient séjourné.

Dans la Casa del Cilindro, la Maison du Cylindre, les détenus couchés au sol étaient enchaînés à un cylindre métallique installé au milieu d'une cour. Au garage Orletti, les prisonniers étaient parqués dans d'anciennes fosses de vidange. Il y avait aussi l'École mécanique de la marine...

L'association menait un véritable travail de fourmi pour traquer les tortionnaires, comme Simon Wiesenthal l'avait fait pour les nazis à la fin de la Seconde Guerre mondiale. Elle cherchait, depuis la fin de l'amnistie, à traduire en justice les responsables des atrocités.

Certaines chemises cartonnées comportaient, agrafées, les photos des agents compromis dans les massacres, mais aucun d'entre eux n'avait une quelconque ressemblance avec le passager que Roy avait embarqué dans l'hydravion.

L'Américain se sentit découragé. Rien n'était numérisé, et il était impossible de trouver en quelques heures, dans un tel fatras, ce qu'il cherchait. De plus, il devait prendre garde à ne pas trahir sa couverture, continuer à interroger Maria Esteban sur les motivations des tueurs sans donner l'impression qu'il s'intéressait à l'un d'entre eux en particulier.

Le même argument apparaissait sans cesse : les tortionnaires faisaient valoir qu'ils étaient en guerre contre la guérilla d'extrême gauche.

Le carnet de notes de Kruger était déjà à moitié plein. La jeune femme tirait sans discontinuer sur son fume-cigarette, se levait pour apporter un dossier, l'ouvrait devant l'Américain en lui donnant le nom d'un responsable d'un centre de torture, le surnom d'un policier, des témoignages de détenus qui assuraient avoir été témoins d'exécutions...

Les photos les plus récentes montraient des inculpés arrivant menottes aux mains au tribunal, ou bien sortant, le teint bronzé, d'une limousine pour répondre aux accusations du ministère public. Les documents d'époque étaient rares, pour ainsi dire inexistants. À cela, il y avait une explication simple : les membres des services spéciaux qui opéraient dans la clandestinité n'avaient aucune raison d'avoir leurs photographies dans les journaux...

— Et ce dossier ? demanda Roy en prenant une chemise portant la mention « *sin especificar* ».

— Ce sont les tortionnaires non identifiés, ceux pour lesquels nous disposons seulement d'un prénom ou d'un surnom. Nous ne savons même pas à quel groupe ils appartenaient, s'ils étaient des policiers, des militaires ou des civils.

L'Américain souleva délicatement le calque qui protégeait certains des documents.

— Ce sont des dessins de détenus, continua Maria Esteban. Là, un artiste libéré après deux mois de torture se souvenait par miracle du visage de certains de ses gardiens...

Le prisonnier avait dessiné des caricatures au fusain. L'un avait une énorme moustache qui le faisait ressembler à un Turc du XIXe siècle, un autre, un visage angélique. Le dessinateur avait remplacé ses bras par des ailes et dessiné sur chacune d'elles une tête de mort.

L'Américain sursauta soudain. Le dixième dessin représentait un jeune homme d'une vingtaine d'années, les yeux enfoncés dans les orbites, les pommettes saillantes, le sourire malsain. La caricature portait, tout en bas, un nom inscrit au crayon : *El Lobo*. Le Loup.

C'était Ortega. Les traits du visage s'étaient accentués avec l'âge, mais on le reconnaissait parfaitement, grâce au talent du caricaturiste.

— Les documents classés dans cette chemise concernent des individus de la Triple A, une organisation paramilitaire responsable des pires exactions. Elle comprenait des civils, mais également des policiers et des membres de l'armée.

— Et cet homme ? demanda l'Américain.

— Lui, c'était un tortionnaire particulièrement féroce. Il introduisait des rats dans les parties intimes des détenus. Il a travaillé dans une *estancia* de la Pampa convertie en centre d'interrogatoires.

Kruger avait l'impression d'avoir ouvert une boîte de Pandore.

L'homme n'était pas seulement un criminel, mais un ancien paramilitaire qui bénéficiait certainement de nombreuses complicités dans le pays. Hector ne lui avait-il pas dit tout à l'heure qu'un millier de ses collègues étaient encore en liberté ? Et c'est à cet homme qu'il avait volé des sacs de diamants provenant du tombeau d'Evita ! Kruger avait vraiment le don de se mettre dans des situations inextricables...

Hector avait lui aussi reconnu l'homme qui était venu dîner à la Posada, mais tout ceci était pour lui presque du déjà-vu. Il avait une dizaine d'années à l'époque de la junte, mais il se souvenait comme si elle avait eu lieu la veille de l'irruption du commando qui avait enlevé sa mère.

Maria Esteban s'apprêtait à refermer le dossier quand l'Argentin posa la main sur le calque qui protégeait le dessin.

— Excusez-moi, mais... je n'ai jamais entendu parler de cette *estancia*. Où se trouvait-elle ?

— En pleine pampa, à trois cents kilomètres environ de Buenos Aires. Le domaine appartenait à la Mecánica, une entreprise de construction mécanique. Ils ont toujours nié être au courant, mais la Triple A les aidait quand il y avait des grèves, et plusieurs délégués syndicaux ont été assassinés. Vous devriez vous en souvenir, beaucoup d'encre avait coulé à l'époque.

Au cours des dernières vingt-quatre heures, Roy n'avait cessé de se demander où l'Argentin pouvait bien se planquer, s'il était encore en vie. Certainement pas dans cette propriété des bords du Paraná que l'Américain avait parfaitement localisée, mais pourquoi pas dans cette *estancia*, sous réserve qu'il y ait encore accès ?

Maria Esteban n'en savait malheureusement pas davantage. Les deux hommes prirent congé de la jeune femme pour se retrouver sous une chaleur accablante, qui devint encore plus étouffante sous la capote du cabriolet.

Si l'*estancia* avait fait parler d'elle à la chute de la junte, Barrington devait en garder des traces dans les archives d'Europa News. Avec un peu de chance, on trouverait de quoi repérer le domaine où « El Lobo » se préparait sans doute à l'attaque.

15

Ortega engagea son pick-up Chevrolet dans l'avenue Corrientes et chercha un endroit pour se garer. La circulation était fluide en ce milieu de matinée, mais les trottoirs commençaient à se remplir. Des grappes humaines en bras de chemise s'engouffraient déjà dans les *confiterías* pour siroter de petits cafés italiens, tandis que les officines de change levaient leurs rideaux de fer. Les cours du dollar et de l'euro s'affichaient en gros chiffres, des queues se formaient devant les guichets.

Casaletti avait bien travaillé. La petite amie de Kruger faisait régulièrement des photos de mode dans un studio de la rue Florida. Elle finissait ses séances vers 11 heures, puis traversait Corrientes avant de monter généralement au bureau de son frère, à quelques dizaines de mètres sur la gauche.

Florida était un véritable bazar. On y trouvait de tout : des vendeurs de sandwichs, des lunetteries, la grande librairie Ateneo, réputée dans toute l'Amérique latine, de la fringue bon marché, des boutiques de luxe… La foule était parfois si compacte qu'il fallait jouer des coudes pour avancer.

Casaletti n'avait pas mis plus de vingt-quatre heures pour communiquer tous ces renseignements à Ortega, mais, mort de trouille, il s'était bien gardé de lui révéler ce qu'il avait découvert au service des visas : les Argentins avaient accordé un visa à Kruger à la suite d'une démarche de l'ambassade des

États-Unis, ce qui confirmait que l'Américain n'était pas un simple patron de restaurant.

Ortega gara la Blazer le long du trottoir et laissa le moteur allumé. L'énorme 4×4 marron des années 1980 avait été volé en fin de matinée. Vu le rythme auquel la police argentine traitait ce genre d'affaires, les patrouilles ne disposeraient du signalement du véhicule que dans vingt-quatre heures environ – et encore faudrait-il qu'ils s'y intéressent. En général, ils avaient d'autres chats à fouetter...

Un autre 4×4, volé lui aussi, les attendait sur un parking de San Telmo, à proximité d'un parc. Il servirait à quitter la ville.

Luis poussa à fond la climatisation et se tourna vers le rouquin :

— Tu as bien mémorisé son visage ? C'est le visage, *che*, dont il faut s'occuper, pas du reste. Tu m'as bien compris ?

Patricio faillit s'étrangler dans son double cornet de glace au chocolat surmonté de crème chantilly.

— *Sí, jefe*[1], répondit-il en s'essuyant les lèvres.

À vrai dire, il n'avait pas beaucoup regardé le visage, mais plutôt les cuisses de Jane, Casaletti ayant obligeamment fourni à Ortega un exemplaire de *Divina*, un hebdomadaire féminin dans lequel la jeune femme présentait les dernières créations d'une boutique de lingerie.

Corrientes était à sens unique, ce qui faciliterait les opérations. La Chevrolet stationnait sur le côté gauche, en face d'une grande parfumerie, à quelques mètres de l'intersection de Florida. La fille était blonde, avait des cheveux courts, et les mannequins se baladaient en général avec des portfolios en carton sous le bras. Il serait facile de la repérer.

L'endroit rappelait à Luis l'une de ses premières opérations avec les mercenaires de la Triple A. Ils avaient enlevé des *Tuparamos*[2] au Liberty, un hôtel défraîchi situé de l'autre côté de l'avenue, qui n'attirait plus maintenant que des routards. Quatre Ford Falcon sans plaque étaient arrivées à 3 heures du matin. Les guérilleros n'avaient même pas eu le temps de sortir

---

1. « Oui, patron. »
2. Membres d'un mouvement révolutionnaire uruguayen fondé en 1962.

leurs pistolets qu'ils étaient déjà menottés, puis emmenés, avec des sacs sur la tête, dans un centre de torture.

Depuis cette époque, Corrientes avait changé. C'était moins coloré, jadis, et puis il n'y avait aucune enseigne de fast-food comme ce grand Burger King, de l'autre côté de l'avenue.

L'Argentin regarda sa montre. Il était 11 heures, la fille n'allait pas tarder à quitter le studio.

Deux mimes s'installèrent au milieu de Florida, des couronnes de fleurs dans les cheveux, comme les personnages des tableaux de Botticelli. Un peu plus bas, des danseurs de tango racolaient des badauds. Une femme en chignon et une jupe fendue jusqu'en haut des cuisses se pâmait dans les bras d'un sexagénaire gominé...

Luis attrapa une paire de Ray-Ban sur le tableau de bord puis vérifia qu'il avait bien son pistolet dans la poche de son blouson. Tout devait aller très vite.

11 h 05.

Une camionnette transportant des fleurs doubla la Chevrolet et s'arrêta quelques mètres plus loin pour approvisionner un kiosque à journaux. Le chauffeur descendit du véhicule, ouvrit le hayon arrière et commença à décharger roses et œillets, tandis que son collègue faisait la navette avec le dépôt de journaux.

Luis sentit la nervosité le gagner. Le pick-up bloquait une partie du champ de vision et, surtout, le livreur pouvait se révéler gênant quand il s'agirait de forcer la fille à monter dans la Chevrolet.

Peu importe. Dans ce genre de circonstances, la seule façon de s'y prendre est de faire preuve de la plus grande brutalité – à moins que la victime n'accepte gentiment de les suivre...

— La voilà ! dit Patricio en ingurgitant d'un seul coup le reste de sa crème glacée. À gauche, devant la boutique de fringues !

Ortega regarda dans cette direction et aperçut une grande fille qui remontait Florida. Elle paraissait moins élancée que sur les photos, mais c'était bien elle : de longues jambes, une jupe d'été très courte et une chemise nouée à la taille laissant à découvert une partie du ventre.

— Allons-y ! dit l'Argentin.

Les deux hommes bondirent de la voiture et coururent vers Jane, qui s'apprêtait à traverser l'avenue. Ortega sortit son pistolet et lui coinça le canon dans le dos pendant que Patricio lui barrait le chemin.

L'Anglaise lâcha son book, songeant immédiatement à un kidnapping express. Ce n'était pas la première fois qu'on enlevait pour quelques heures des promeneurs pour retirer le maximum d'argent grâce à leurs cartes de crédit. Pourtant, de tels kidnappings avaient lieu en général dans des taxis, ou bien le soir, dans des quartiers isolés, à la sortie des restaurants et des boîtes de nuit.

Le mannequin fixa quelques secondes le visage égrillard du rouquin, puis lui jeta à la figure la serviette en cuir qu'elle portait à la main droite. L'une des fermetures métalliques le frappa à l'œil.

— Salope ! cria-t-il en se protégeant le visage.

Des promeneurs abasourdis, témoins de la scène, hésitaient. À Buenos Aires, tout le monde sait que les délinquants portent souvent des armes et qu'il vaut mieux ne pas s'en mêler. Un cadre en veston sombre sortit son portable pour appeler la police, tandis que des femmes prirent la fuite en criant. Des touristes japonais, éberlués, contemplaient la scène sans réagir.

Jane hurla, cherchant à se dégager. Elle sentait le canon de l'arme dans son dos, mais, entraînée à la nage et à la course, sportive, elle n'avait pas l'intention de se laisser faire. Elle lança son coude en arrière, fit tomber le pistolet d'Ortega et essaya de s'enfuir, mais Luis la prit à bras-le-corps et la traîna en direction de la voiture.

Comme dans un manège, tout se mit à tourner autour d'elle : les tabliers des garçons de café, les visages terrorisés des passants, les enfants que leurs parents tiraient en arrière, les deux mimes, sur la droite, qui descendaient de leur estrade, le vendeur de fleurs, les livreurs, les bouquets éparpillés sur le sol…

11 h 10.

Les saltimbanques n'étaient pas des femmes, mais deux jeunes gens maigres comme des clous, avec des cheveux collés sur le crâne. Leurs perruques étaient tombées, ils s'étaient débarrassés de leurs jupes imprimées et couraient maintenant en maillot de corps vers l'Anglaise, avec leur matériel de jongleurs.

Les promeneurs avaient formé un arc de cercle. Le sac de Jane était par terre, les photos du book éparpillées sur les petits carreaux du trottoir. Un homme s'accroupit pour les ramasser. Une sirène de police sonna dans le lointain. La circulation continuait sur Corrientes : mis à part les quelques témoins directs, personne ne s'était rendu compte du kidnapping.

Patricio frotta son œil, aperçut au sol le pistolet de son patron, puis les deux mimes qui fonçaient dans sa direction.

— Viens m'aider ! cria Ortega.

Il n'était plus qu'à deux mètres du pick-up. L'Anglaise se démenait tellement qu'il allait avoir besoin d'aide pour la jeter sur la plate-forme.

Le rouquin ramassa le Beretta de Luis et fit quelques pas vers la Chevrolet, quand une violente douleur lui traversa l'omoplate. L'un des jongleurs avait lancé un bâton dans sa direction. Le cylindre avait frappé son articulation à la jointure de l'épaule. L'autre saltimbanque faisait tournoyer un élastique et s'apprêtait à lancer dans sa direction une boule métallique.

Les mimes connaissaient leur affaire. Ces projectiles pouvaient mettre KO, mais la boule rata de peu la tempe d'Ortega, avant d'aller percuter une vitrine, qui explosa sous le choc.

Ces saltimbanques, avec leur fard et leurs lèvres peintes ridicules, risquaient de les blesser. Le rouquin détestait ce genre d'individus, ces êtres efféminés qui polluaient le macadam. Lui n'était pas de cette espèce, mais au contraire solide comme un bœuf, avec des bras musclés dont il était fier et un torse qui sentait la sueur.

Il fixa les deux clowns avec dégoût, enleva la sécurité du pistolet et braqua le canon en direction des deux hommes. L'un des mimes, en équilibre sur le pied droit, faisait de nouveau tournoyer un élastique.

11 h 15.

Le rouquin visa la poitrine et tira deux fois.

La détonation claqua, la foule recula d'un seul mouvement, comme une vague, puis le clown tituba en portant la main à son T-shirt blanc.

Un liquide chaud et gluant dégoulinait sur l'étoffe à la hauteur du cœur. Avant que sa vue ne se brouille tout à fait, il aperçut l'être hirsute aux grosses lèvres qui avait tiré sur lui continuer de gesticuler au milieu de la rue.

Le jeune homme sentit qu'il perdait connaissance. Il essaya de se rattraper au kiosque à journaux, mais s'écroula au milieu des bouquets de roses. L'autre saltimbanque, paniqué, recula dans la foule.

Le rouquin tira plusieurs coups en l'air. Les badauds prirent alors leurs jambes à leur cou en remontant Florida. Des dizaines de promeneurs se réfugièrent dans une *confitería* toute proche. Le haut de la rue se vida en quelques secondes.

— ¡ *Maricones* ! hurla Patricio en tirant encore quelques coups dans leur direction.

Ortega continuait de traîner Jane vers la Chevrolet, mais l'Anglaise avait cessé de gigoter. Elle tremblait désormais. Ces deux hommes pouvaient très bien la tuer dans un moment d'exaspération, lui loger deux balles dans la tête et l'abandonner sur le trottoir près d'une bouche d'égout.

— Arrête ! cria Ortega en direction du rouquin. Arrête de tirer ! Viens plutôt m'aider à transporter la fille !

Luis craignait que la situation ne devienne dangereuse. On entendait des sirènes de voiture de police se rapprocher. Il y avait des bureaux de change dans le quartier, et les flics étaient sur les dents. Eux aussi avaient la gâchette facile – mais toujours moins que le rouquin, qui lui faisait parfois peur à ne jamais réfléchir.

Patricio arriva en courant.

— Monte sur la plate-forme et attrape-lui les jambes !

Jane n'avait pensé à rien, tout occupée à se débattre et à appeler à l'aide, mais, maintenant qu'elle était près de la Chevrolet et que les deux hommes s'apprêtaient à la pousser à l'intérieur, elle se demanda ce qui arrivait. Non, ce n'était pas un kidnapping express : les hommes n'auraient jamais pris de tels risques si ç'avait été le cas. Peut-être l'avait-on confondue avec une fille de banquier, ou de patron de multinationale, qui pourrait payer très cher pour sa libération ?

Le Blazer avait deux places avant et un espace de chargement bâché qui occupait tout l'arrière. Ortega souleva l'Anglaise, le rouquin saisit ses jambes et la tira vite à l'intérieur, puis Ortega referma rapidement la bâche et fit le tour de la Chevrolet.

Le pick-up puait la terre pourrie et les déjections d'animaux. Le rouquin se glissa vers Jane en souriant :

— On va te mettre à l'abri, *belleza*[1], dit-il en prenant une cagoule.

La jeune femme essaya d'expliquer, avec son accent londonien, qu'ils avaient dû faire erreur sur la personne, mais le rouquin lui avait déjà enfilé la toile sur la tête.

Luis appuya sur l'accélérateur, et l'énorme 4×4 s'arracha du trottoir dans un vrombissement de hors-bord, zigzagua entre les voitures puis dévala Corrientes avant de se perdre dans la foule des véhicules qui s'engouffraient sur le Paseo Colón. La voie rapide longeait de grands immeubles des années 1950 et quelques vestiges de constructions des années 1920 aux façades décorées de motifs de pierre. Aucune voiture suspecte ne les suivait.

Ortega roula aussi vite que le permettait la dimension de la Chevrolet et arriva en quelques minutes près de l'endroit où il avait garé l'autre véhicule qui devait leur servir à quitter la ville.

Le parc Lezama accueillait le week-end des spectacles de plein air, mais il n'attirait pas les foules en semaine. Le vent soulevait des papiers sales, les manèges pour enfants étaient déglingués.

Dans la Blazer, l'Anglaise épiait tous les bruits. Quand le moteur de la Chevrolet ralentit, elle ressentit une secousse et valdingua comme un colis de l'autre côté de la cabine. Puis le 4×4 stoppa.

Le plus étrange était cette sensation d'avoir pénétré dans un autre monde. La vie qu'elle connaissait continuait au-dehors avec ses bruits familiers, mais, derrière cette cagoule serrée autour du cou, elle se sentait presque morte.

---

1. « Beauté ».

Ortega descendit de la Chevrolet et jeta un coup d'œil dans la rue. Tout était normal.

Ils s'étaient garés devant une maison à la façade rouge un peu décrépie. Le centre Torcuato Tasso donnait le soir des spectacles de tango, et des artistes avaient décoré ses murs de fleurs stylisées, comme les carrioles des paysans de Sicile il y a cinquante ans. Le coin était désert. La rue était légèrement en pente, et un gigantesque *ombú* de la Pampa aux feuilles luisantes empêchait les promeneurs du parc d'apercevoir le pick-up. Le tronc était énorme, ses rejetons tortueux soulevaient la terre.

— C'est bon, dit Ortega au rouquin, qui attendait près de la bâche.

Patricio écarta la toile et se glissa à l'intérieur, puis dénoua les cordes qui entravaient les pieds de Jane. Il lui serra le bras.

— Viens par là, je te dirai quand il faudra sauter.

Le pick-up Toyota attendait quelques mètres devant eux.

— Pas d'entourloupe, *chica*, ajouta Luis. On ne te veut pas de mal.

Elle sauta au sol, la cagoule toujours sur la tête, et, guidée par le rouquin, s'approcha du véhicule.

— Là, c'est bien. Retourne-toi, maintenant ! Voilà… Tu sens la plate-forme ? Bien, soulève-toi en prenant appui sur tes bras.

L'Anglaise était terrorisée. Elle avait lu dans la presse, comme tout le monde, les récits des personnes enlevées à l'époque de la junte militaire, et tout semblait concorder. On ne l'avait pas encore torturée, certes, mais ceux qui l'avaient enlevée lui avaient mis une cagoule, comme ceux qui sillonnaient jadis Buenos Aires de nuit, armés de mitraillettes.

Le rouquin se glissa à côté d'elle, lui ligota de nouveau les pieds et les mains, et la voiture démarra immédiatement, remonta la rue puis contourna le parc par la droite. Des tags invitant la population à faire souffrir les riches décoraient les gradins d'un théâtre de plein air…

L'Anglaise était allongée, les bras derrière le dos, sa jupe remontée jusqu'en haut des cuisses.

— Une belle fille, *che*…, soupira Patricio.

Bon Dieu, qu'elle était appétissante, avec sa peau bronzée qui embaumait toutes les crèmes de la terre !

La banlieue de Buenos Aires n'en finissait pas. Immeubles en béton, terrains vagues, des kilomètres d'herbe sèche plantés d'affiches publicitaires, puis un immense bidonville, des maisons de brique entassées les unes sur les autres, des fils électriques passant d'une rue à l'autre. Un centre aéré, héritage du péronisme, puis une *parillada* déserte, où les familles qui en avaient les moyens venaient le week-end dévorer des kilos de viande.

La route s'étira enfin vers la Pampa. Il n'y aurait plus rien avant plusieurs centaines de kilomètres. Rien que de l'herbe brûlée par la lumière et cette bande d'asphalte luisant au soleil.

Dans la voiture, la chaleur était suffocante. Ortega s'épongea le front et mit la radio pour écouter les informations. On ne parlait que d'eux.

Le mime tué par Patricio était un étudiant, et la police n'avait pas encore communiqué le nom de la personne enlevée rue Florida. Les délinquants avaient pris la fuite sans qu'aucun *patrullero* de la police arrive à les suivre. La radio donna ensuite la parole à des hommes politiques qui critiquèrent l'inaction du gouvernement en matière de sécurité.

À l'arrière, sur la plate-forme, le rouquin respirait fort. Les jambes de la fille l'excitaient de plus en plus. Il aurait bien caressé sa peau, l'intérieur chaud et douillet de ses cuisses…

Le boss, avec ses Ray-Ban, fixait la ligne d'horizon, les mains sur le volant.

La fille, dont Patricio apercevait la culotte blanche, ne bougeait pas. Peut-être s'était-elle endormie, après toutes ces émotions ? Un instant, juste un moment, juste le temps de sentir sa peau… Il allongea la main, la posa doucement sur la cuisse de l'Anglaise. Jane réagit comme au contact d'un reptile.

Elle ne sommeillait pas. Elle se mit à crier aussi fort qu'elle put, du fond de sa cagoule, hurla à travers la toile, chercha à dénouer ses liens et tapa sur la tôle de ses deux pieds ligotés.

— Ne me touche pas, abruti !

« Abruti » ? Mais pour qui se prenait-elle, la *gringa* ? Il en avait vu de plus belles au Festival, une boîte de la banlieue sud où il allait parfois boire une bière, le soir. Se considérait-elle comme une princesse ?

La fille continuait de cogner de toutes ses forces contre la paroi du pick-up, de ses pieds et de ses épaules, pour faire le maximum de bruit.

Ce contact l'avait glacée. Elle avait imaginé de gros doigts remontant le long de sa chair. La main du rouquin tâtonnait, elle en était sûre, à quelques centimètres de ses jambes, prête à remonter le long de ses cuisses. Elle entendait son souffle, sa respiration animale.

Patricio se renfrogna. Il était gentil, il voulait juste la caresser, et cette salope s'était mise à crier. Il eut envie de lui flanquer une paire de gifles pour lui apprendre les bonnes manières.

« Abruti »... Elle se croyait supérieure à lui, c'est ça ? Il n'était pas assez riche, pas assez élégant pour lui plaire ? Elle s'estimait d'une race supérieure, elle était le genre de fille qui vous regarde de haut en bas dans la rue quand on lui lance des compliments en passant ? Ah ! elle allait voir, cette pouffiasse !

Patricio leva la main pour lui frapper la tête, mais la Toyota freina brutalement et s'arrêta sur le bord de la route.

Alerté par les cris, Ortega laissa le moteur tourner et fit le tour du véhicule pour voir ce qui se passait sous la bâche. Le rouquin était assis sur la tôle, à côté de l'Anglaise, qui continuait de taper, pleurait et jurait. Ses plaintes étaient étouffées par la cagoule, mais on pouvait la comprendre.

— Qu'est-ce qui se passe, là-dedans ? demanda Luis.

Jane reconnut la voix, celle du plus vieux, qui avait le blouson et les Ray-Ban, le petit gros qui l'avait tirée vers la Chevrolet au coin de Corrientes.

— Il m'a touchée, je ne veux pas qu'il s'approche ! *Señor, por favor,* je ne veux pas qu'il me touche !

La fille sanglotait.

— Descends ! ordonna Luis.

Le rouquin sursauta.

— C'est à moi que vous parlez, *jefe* ?

— À qui veux-tu que je parle ?

Incrédule, le rouquin sauta de la voiture.

— Tu l'as touchée, n'est-ce pas ?

— Juste pour m'amuser, *jefe*, je voulais rien faire de plus ! Pas très confortable, dans cette voiture, par cette putain de chaleur… *¡ Puta mierda, qué calor !*

Son visage était ruisselant. Il passa la main sur son front avant de l'essuyer sur son pantalon.

— Rien de plus, *jefe*, je vous assure.

Ortega le regarda d'un air attristé. Qu'il mate la fille si cela l'excite, soit, mais la toucher, non, c'était hors programme.

— Je t'avais dis « pas touche » ! Tu ne t'en es pas souvenu ?

— Je l'ai pas touchée, juste effleurée, *jefe*. Et quand bien même, d'autres lui seraient déjà passés dessus ! Mais je vous le dis, *jefe*, je l'ai juste effleurée.

Le rouquin se rebellait. Avec ses leçons de morale et cette façon qu'il avait de toujours imposer son point de vue, Ortega l'énervait. « Effleurée », qu'il avait dit ! Son boss n'allait quand même pas prendre la défense de cette pute !

Luis le fixa dans les yeux et le coup partit, une gifle en pleine figure qui claqua sur la joue droite. Médusé, le rouquin porta la main à son visage.

— Tu ne dois même pas l'effleurer, comme tu dis. Contente-toi de veiller à ce qu'elle ne dénoue pas ses cordes et donne-lui de l'eau si elle en demande. Sans qu'elle puisse voir quoi que ce soit, compris ?

Patricio baissa la tête.

— Qu'est-ce que tu marmonnes ?

— Rien, *jefe*. Vous pouvez compter sur moi. Mais je l'ai effleurée, pas même touchée…

À ces mots, Ortega eut envie de lui administrer une autre gifle, mais le rouquin leva les deux bras en signe de soumission.

— Je ne bougerai plus, sauf pour lui proposer de l'eau.

Jane avait entendu les cris à l'extérieur de la voiture, puis le bruit de la bâche qu'on relevait. Quelqu'un remontait dans le véhicule – ce gros porc sans doute, avec ses mains humides. Allait-il se coller de nouveau près d'elle ? Elle se poussa des coudes près de la tôle, puis la voiture redémarra et prit de la vitesse.

Où était le rouquin ? S'était-il approché ? Rampait-il vers elle ?

La route était mauvaise, le 4×4 sautait dans des ornières. Jane entendait des vibrations, des objets glisser, le vent, la respiration du rouquin, le bruit de son corps, de ses chaussures, une infinité de sons auxquels, plongée dans le noir, elle accordait toute son attention.

Elle tenta de se recroqueviller, mais les cordes entraient dans ses bras et brûlaient sa chair à vif. Comme elle aurait aimé disparaître, traverser la tôle, se fondre dans le bruit des roues qui fumaient sur le goudron.

Le rouquin alluma une Marlboro et s'installa au bout de la plate-forme, près de la bâche qui claquait au vent. Il aurait bien relevé la toile pour avoir plus d'air, mais le boss aurait encore râlé. On ne devait rien voir à l'intérieur du 4×4, bien sûr, mais soulever un peu la toile pour aérer n'aurait fait de mal à personne...

Patricio écarta alors, de quelques centimètres seulement, le tissu qui fermait le hayon. Il aperçut deux grands bâtiments blancs à l'horizon, et un petit avion qui grondait dans le ciel. La route longeait une *estancia*, avec une piste d'atterrissage. Il y en avait des centaines dans la Pampa.

Le rouquin n'était jamais allé plus loin que Mar del Plata, où la foule s'entassait sur le sable, le long de ces blocs de ciment qui cherchent à imiter Miami.

Il respira un grand coup, jeta son mégot puis referma le hayon. Il ôta sa chemise, la roula en boule, la glissa sous sa tête et tenta de s'endormir. Il y avait encore cinq heures de route. Tout droit, toujours tout droit, sans autre spectacle que le goudron fumant au soleil.

Le boss n'avait pas été correct avec lui en le giflant comme un gamin, avec son regard méprisant. Il avait plus d'éducation que lui, pour sûr, mais était-ce une raison pour le traiter de la sorte ? Non, ce n'était pas correct.

Sa tête dodelina. Il finit par fermer les yeux, bercé par le sifflement des pneus sur l'asphalte. Son bras endolori par les morsures du chien le lançait encore, mais les médecins l'avaient bourré d'antibiotiques et de calmants. Il se sentait mieux.

16

Dans les bureaux d'Europa News, sur l'avenue Corrientes, les archives occupaient un petit réduit de trois mètres sur quatre. On y avait accumulé depuis des années des journaux et des paquets d'herbe à maté pour préparer des infusions.

Marc alluma et, d'un signe de la tête, désigna à Roy un pan de mur entièrement couvert de rayonnages où s'empilaient des coupures de presse.

— Tout est là, classé année par année. Depuis l'arrivée au pouvoir de la junte en 1976 jusqu'au retour de la démocratie en 1983.

Devant ces dizaines de kilos de classeurs jaunis, bourrés à craquer de magazines et de journaux, Kruger ne put réprimer un soupir. Comment retrouver dans ce fouillis des éléments sur la Mecánica, la société de construction qui mettait jadis son *estancia* à la disposition des tortionnaires de la Triple A ? Quelque chose lui disait que l'homme qui avait voulu le tuer pouvait encore s'en servir comme base d'opérations, mais agissait-il seul ?

Comme les journalistes avaient installé dans la pièce un petit réchaud à gaz pour leurs gamelles de nourriture, une odeur d'oignons frits et de ragoût flottait dans l'air. Sur les rayonnages couverts de poussière, les articles de presse étaient classés dans des chemises en carton racornies empilées les unes sur les autres : « Biographies », « Faits divers », « Éco », « Sport », « Droits de l'homme ».

Quand Roy monta sur un escabeau pour tenter d'attraper un dossier de l'année 1980, toute la pile s'effondra. Elle contenait des dépêches d'Europa News sur la commission interaméricaine des droits de l'homme, des articles du *New York Times* et de journaux européens.

L'Américain s'épousseta les mains et, déçu, se tourna vers Marc :

— Autant chercher une aiguille dans une botte de foin.

Il s'était imaginé que les archives des agences de presse étaient mieux organisées. Ce qu'il voyait là tenait plus d'un dépôt de vieux papiers que d'un fonds consultable au pied levé pour y trouver rapidement des informations. Il venait de repérer un piège à souris sous une table.

— Vous avez des rats, là-dedans ?

— Le journaliste qui fait la permanence de minuit à 6 heures garde de la nourriture dans ce placard, il prétend en avoir vu. Moi, je n'en sais rien. De toute façon, c'est tout ce que je peux t'offrir. Europa News boucle difficilement ses fins de mois, le texte se vend de moins en moins bien… La presse écrite est en crise.

Barrington était vexé. Le bureau ne respirait pas l'opulence, certes, mais toutes les agences étaient logées à la même enseigne – sauf Reuters, dont le service économique lui assurait de bonnes rentrées d'argent. Et puis, c'est bien connu, les journalistes ne sont pas réputés pour leur extrême méticulosité.

— C'est vrai que c'est un peu compliqué de s'y retrouver tout seul… Mais je vais t'aider.

Son papier du matin, quatre cents mots sur un rassemblement péroniste prévu le surlendemain à Mar del Plata, avait déjà été envoyé – « roulé », comme on disait encore, comme à l'époque des téléimprimeurs.

— Qu'est-ce qu'elle fout ? ajouta-t-il en regardant sa montre.

— De qui tu parles ?

— De ma sœur. Elle devait passer me voir en fin de matinée après son booking, mais cette écervelée traîne certainement dans un grand magasin. Depuis qu'elle a fait un défilé au

Pacífico, en bas de Florida, elle ne jure plus que par les Mall à l'américaine. Oh ! je sais… Je sais qu'elle a d'autres charmes pour toi…

Il adressa un clin d'œil à Kruger.

— Bon, avant qu'elle arrive, réfléchissons. Par où pourrions-nous commencer ?

Dans le bureau voisin, entre deux bulletins d'information, Radio Continental diffusait de la musique. Même dans le cagibi, le bruit était assourdissant.

— Baisse-moi ça, bon Dieu ! gueula Barrington en direction de la rédaction. C'est infernal !

Le journaliste de service tourna docilement le bouton de la vieille radio et se leva pour faire chauffer une bouilloire de maté.

— Déjà, inutile de sortir les dossiers des années 1976-1983, expliqua Marc. Les journaux ne publiaient pas grand-chose à l'époque, par peur des Services. À vrai dire, personne ne se doutait de l'ampleur des disparitions – sauf ceux qui étaient concernés. On lisait dans la presse que telle personne avait disparu, que sa famille avait porté plainte, mais, comme la plupart des juges étaient à la botte des militaires, les demandes n'aboutissaient pas. Il faudrait regarder dans les années suivantes, quand les langues ont commencé à se délier…

C'était un boulot de chien, mais Barrington commençait à s'intéresser à l'affaire, même s'il avait promis à Roy de ne rien écrire à ce sujet. Cette histoire de trésor caché, de croix gammées dans le tombeau d'Evita était passionnante. Et ce fantôme du passé, ce tortionnaire de la Triple A qui avait mis la main dessus…

Tout était possible en Amérique latine. C'est pour cette raison d'ailleurs que la région lui plaisait. Pour rien au monde il n'aurait accepté d'être nommé à Bruxelles pour couvrir l'actualité européenne. Ils devaient mourir d'ennui, là-bas dans la grisaille. Et puis, il n'y avait pas la Pipeta. Bon Dieu ! mais qu'est-ce que sa sœur pouvait bien faire ? Il était près de midi.

Marc tenait à Jane comme à la prunelle de ses yeux : où allait-elle ? Que manigançait-elle en dehors de ses séances de photos ? En un sens, puisque tous les hommes avaient toujours couru après sa sœur, sa liaison avec Roy le rassurait.

— Jetons un coup d'œil là-dedans, dit-il à Kruger en désignant une pile de dossiers.

L'Anglais monta à son tour sur l'escabeau, attrapa un lot de chemises et les posa sur la table. Elles étaient à moitié déchirées, ficelées avec un ruban vert. La poussière remonta dans ses narines. Il poussa un carton de pizza pour faire de la place.

— Je vais chercher un fortifiant.

Pour oublier les odeurs de friture, Roy s'approcha de la fenêtre. Elle donnait sur une cour lépreuse, une caisse de résonance pour tous les bruits de l'immeuble, avec des fils électriques dans tous les sens.

L'Anglais réapparut avec une bouteille de Jameson et deux verres. Kruger eut un mouvement de recul : vu la chaleur, pas question de prendre une goutte d'alcool.

— Regardons en 1996, dit Marc. À l'époque, un militaire avait publiquement reconnu l'affaire des prisonniers jetés à la mer, et mon prédécesseur, une Australienne, avait écrit pas mal de papiers là-dessus.

Il vida son verre, fit claquer sa langue, et le reposa sur une armoire métallique où traînait une cartouche de Camel.

— Ça lui avait valu des menaces.

— Des menaces ?

— Oui, un cercueil miniature dans sa boîte aux lettres. La direction l'avait rappelée à Londres, par prudence. Les membres de la junte avaient été condamnés, mais les subalternes n'admettaient pas qu'on leur cherche des noises.

Barrington fouillait inlassablement dans les sous-chemises.

— Laisse-moi faire, je suis habitué à ce fatras. Tiens donc ! Je ne me souvenais même plus que c'était elle qui avait écrit ce papier. C'est peut-être à cause de ça qu'elle avait reçu la petite boîte noire ?

Le dossier contenait une série de reportages signés de l'envoyée spéciale d'Europa News, Diane Atkinson.

— Regarde le titre : « L'Estancia de la mort. » Elle n'y est pas allée de main morte !

L'*estancia* fait plusieurs centaines d'hectares et les bâtiments sont entourés de fils de fer barbelés et de miradors.

C'est là, selon les habitants du village, que les paramilitaires transportaient des détenus pour les torturer.

« On y voyait arriver des camions bâchés qui repartaient à vide, raconte le patron d'un magasin de fruits et légumes. Certains jours, quand le vent soufflait très fort, on entendait des hurlements. »

Plusieurs paysans affirment que des corps ont été jetés dans des fosses communes.

Selon des informations non confirmées, l'*estancia* appartenait à un groupe industriel.

— Pas de nom ? demanda Kruger.

— C'est toujours délicat, dans ce genre d'affaires : on risque des procès. Sans compter qu'à l'époque c'était encore plus dangereux que maintenant, de mettre son nez là-dedans. Mais regarde, elle donne le nom de la propriété : la Serena. Drôle de nom pour un centre de torture ! Et celui du village voisin : El Cruce, un hameau au croisement de deux routes à trois cents kilomètres au sud-ouest de Buenos Aires. Regardons dans l'atlas si on trouve quelque chose.

Barrington partit chercher un grand volume cartonné dont la reliure rendait l'âme. Il s'attarda quelques secondes sur les cartes.

— Pas assez précis, il y a des centaines d'*estancias* dans tout le pays ! Passons-lui plutôt un coup de fil. Non, je suis idiot ! Elle doit dormir, à l'heure qu'il est ! L'agence l'a mutée à Sydney.

— J'ai une idée, dit Kruger. Les *estancias* ont souvent des pistes d'atterrissage…

Il sortit du cagibi et y revint aussitôt avec sa mallette Jeppesen.

— J'ai là la documentation complète sur l'Argentine, y compris pour le vol à vue. On devrait repérer quelque chose…

Les cartes *Operational Navigation Charts* couvraient plusieurs milliers de kilomètres carrés. Elles étaient si encombrantes qu'en avion il fallait les plier pour ne garder sur ses genoux que la portion intéressante, toujours orientée dans le sens du vol. C'était l'une des premières choses que les élèves pilotes apprenaient.

— Trois cents kilomètres au sud-ouest de Buenos Aires, ça nous amène très exactement… ici !

Il pointa sur la carte une petite ville perdue au milieu de la Pampa : Bolivar.

— Je n'y suis jamais allé, dit Barrington. Et ces ronds bleus ?

— Ce sont des terrains d'aviation. Regarde, chaque *estancia* ou presque a une piste : *estancia* San Patricio, *estancia* San Miguel, *estancia* La Matilde…

Roy passait le doigt sur la carte.

— La voilà ! Au sud-est de Bolivar : la Serena. El Cruce est juste à côté.

Déjà, Kruger préparait mentalement son vol. Il allait proposer à Marc de l'accompagner, quand on frappa à la porte. C'était Alfonso Diaz, le timide journaliste à qui Barrington avait intimé l'ordre de baisser le volume de la radio.

Marc se retourna en bougonnant. Ce n'était pas le moment de venir le déranger avec des futilités telles que les résultats du tournoi de tennis de Palermo ! Londres attendait sa copie…

— Quoi ? lança-t-il, excédé.

— Un enlèvement, juste à côté. Avec un mort au tapis.

— Un mort ?

— Les types ont tiré sur la foule avant de prendre un otage. Sans doute un braquage de banque qui a mal tourné.

— *Shit !* dit Barrington en se tournant vers Kruger. Je vais être obligé de te laisser tomber. Ce n'est pas courant qu'on descende les gens en plein centre de Buenos Aires !

Il partit s'asseoir dans un bureau pour consulter sur écran le service de Noticias Argentinas, une agence de presse locale dont Europa News recevait le service. L'agence ne disait rien à ce sujet.

— Qui raconte qu'ils voulaient attaquer une banque ?

— Continental !

— Combien de fois t'ai-je dit qu'on ne devait pas prendre pour argent comptant les infos des radios ? Ils sortaient d'une banque ?

— Je ne sais pas, répondit Diaz.

La voix de stentor de l'Anglais l'épouvantait.

— Tu as envoyé quelque chose ?

— Je voulais vous en parler.

— Eh bien ! fais ton boulot ! Et l'agence officielle ? Regarde donc si Telam a déjà diffusé ou non un communiqué de la police. Ça donnera des arguments aux nostalgiques de la dictature ! grogna l'Anglais en retournant au cagibi.

Certains Argentins, excédés par la violence urbaine, regrettaient effectivement, à mots plus ou moins couverts, le temps de la dictature militaire.

Kruger avait calculé le temps de vol entre Buenos Aires et Bolivar : avec le Beech, un peu plus d'une demi-heure. La carlingue cabossée avait été réparée, et le technicien avait juré ses grands dieux que les instruments de radionavigation tombés en panne pendant l'orage fonctionneraient parfaitement.

Barrington semblait soucieux.

— J'espère que ma sœur n'a pas eu d'ennuis.

Roy leva la tête, soudain inquiet lui aussi.

— Il y a eu prise d'otage, et c'était sur son chemin… Elle remonte toujours par Florida en venant au bureau.

Les deux hommes se fixèrent un instant, angoissés, puis Marc tenta de détendre l'atmosphère :

— Pourquoi l'auraient-ils enlevée ? Elle avait sans doute un déjeuner, et elle aura oublié de me prévenir. D'ailleurs, il n'y a pas de banque au coin de la rue, Continental raconte des histoires !

Roy sortit son téléphone :

— Je vais l'appeler sur son portable.

Il composa le numéro, mais l'appel passa sur messagerie.

Il essaya de nouveau, puis referma son Nokia.

Sa peur soudaine était irrationnelle, mais tout ce qu'il avait lu depuis vingt-quatre heures lui faisait redouter le pire.

— Retournons au *desk* ! Diaz a peut-être du nouveau, dit l'Anglais.

Irrutegui, l'énorme journaliste d'origine basque, qui était arrivé entre-temps dans la salle de rédaction, avait aussitôt décroché son téléphone après les avoir gratifiés d'un clin d'œil.

À entendre sa conversation, il discutait vraisemblablement avec un flic.

Le journaliste connaissait tout le monde dans la police. Il travaillait depuis dix ans au bureau de Buenos Aires et avait toujours obstinément refusé d'être muté dans un autre pays.

— *Che!* Fernando! Ça ne t'engage à rien, et je protège toujours mes sources! Personne ne remontera jusqu'à toi.

Il posa un instant la main sur le micro du téléphone pour s'adresser à Barrington:

— C'est un copain des Antisecuestros, dit-il à voix basse. Il sait tout ce qui se passe.

Puis, reprenant la conversation avec le policier:

— Pas de problème, j'ai tout mon temps…

Le policier des Antisecuestros, le département spécialisé dans les enlèvements, lui avait certainement promis de s'informer. Le Basque attrapa un stylo-bille et alluma un cigarillo pour patienter, l'écouteur sur l'oreille. Son visage s'éclaira au bout de quelques minutes.

— Et la fille?

Roy frissonna. Pourquoi parlait-il d'une fille?

Le mégot aux lèvres, le journaliste discuta quelques minutes encore avec le policier tout en griffonnant un bout de papier, puis il raccrocha.

— J'ai tous les détails, dit-il. Celui qui a tué le mime est un jeune voyou avec un anneau dans l'oreille, la fille qui a été enlevée est de type anglo-saxon…

Il se penchait sur ses notes.

— Grande, cheveux courts, minijupe…

Marc et Kruger pâlissaient à vue d'œil.

— Qu'est-ce qui se passe, les gars? demanda Irrutegui d'un ton rieur. Vous la connaissiez?

Le Basque avait vu Jane plusieurs fois, mais il faisait le rapprochement pour la première fois.

— Oh! bon Dieu!

— On devait se voir en fin de matinée, articula Barrington. Pas d'autres détails?

— Non, dit Irrutegui, confus. Mais je rappellerai ma source dans un petit moment.

Roy songea à Jane, cette chic fille qu'il avait peut-être sous-estimée. Soit, elle ne pensait qu'à aller dans les boîtes à la mode, mais elle ne lui avait jamais fait de scène quand il oubliait de l'appeler pendant une semaine. Toujours disponible, toujours séduisante, de l'humour et une certaine dose de cynisme. Curieusement, il lui trouvait désormais de très nombreuses qualités.

Il sortit de nouveau son portable et composa le numéro de Jane. Toujours pas de réponse.

Barrington prit sa veste :

— Je vais descendre. Florida est à quelques dizaines de mètres sur la gauche, il y a peut-être encore des témoins.

Il fourra un bloc-notes dans sa poche et se dirigea à toutes jambes vers la sortie.

— ¡ Jefe ! ¡ Teléfono ! hurla Diaz juste à ce moment.

— Je n'ai pas le temps, bon Dieu ! Qui est-ce ?

— Pepe, le patron du kiosque à journaux de Florida. Il dit que c'est très important. Urgent, même. Il dit que…

Marc revint en courant et arracha le combiné téléphonique des mains de Diaz.

Pepe était un ancien chauffeur de taxi qui avait vendu sa voiture pour acquérir ce kiosque. Marc lui achetait régulièrement des cigares cubains de contrebande.

Pepe balbutiait :

— Je ne trouvais pas le numéro de votre bureau. Agencia… Europa News… Ça ne figurait pas à « Agencia », mais à « Europa »… Bref, j'ai fini par le trouver. C'est terrible…

Tirant le fil du téléphone, Marc s'assit sur une chaise devant le bureau de Diaz.

— Qu'est-ce qui se passe, Pepe ?

— La señorita ! Votre sœur… Ils l'ont kidnappée !

Barrington sentit un coup sur son estomac.

— Juste au moment où on me livrait des fleurs… Deux types, un rouquin et un autre plus âgé. Elle a fait ce qu'elle a pu, la pauvre, et le vieux a eu du mal à la traîner jusqu'à leur camionnette, mais les types étaient décidés. Le plus jeune a même vidé son chargeur sur un mime qui cherchait à s'interposer.

L'Anglais l'interrompit.

— Tu es bien sûr que c'est elle ?

— Absolument ! Votre sœur m'achète souvent des magazines de mode. Je n'ai aucun doute là-dessus.

— Et les agresseurs ?

— Quand ça a commencé à tirer, je me suis accroupi derrière les piles de journaux. Je n'en sais pas plus, sauf que l'aîné devait avoir dans la cinquantaine…

Barrington remercia le vendeur avant de raccrocher, livide.

Une terrible pensée l'envahissait : cet enlèvement avait-il quelque chose à voir avec Roy ? Ils n'étaient pas mariés, mais quelqu'un avait pu savoir qu'ils sortaient ensemble depuis quelque temps. Ou alors il s'agissait d'individus qui voulaient faire pression sur Europa News. Ces derniers mois, Marc avait écrit des papiers très critiques sur le mouvement péroniste, et des officiels avaient aimablement suggéré à l'ambassade de Grande-Bretagne qu'il ferait mieux de se calmer… ou de quitter le pays. Des extrémistes voulaient-ils l'effrayer ? L'affaire était quoi qu'il en soit extrêmement compliquée.

L'Anglais marcha vers son bureau et fit signe à Roy de le suivre. L'Américain était pâle. Il avait confusément le sentiment d'être responsable de la situation. D'abord, cette aventure au-dessus du Paraná ; maintenant, l'enlèvement de Jane. C'étaient Charybde et Scylla dans un marigot latino-américain où barbotent les crocodiles. C'était à lui de prendre la situation en main. Barrington ne pourrait pas s'en tirer tout seul.

Il regarda sa montre : 15 heures.

— Va à la police et raconte-leur ce qu'a dit le vendeur de journaux. Ça ne devrait pas mal se passer, puisque vous avez un contact aux Antisecuestros. Pendant ce temps, je vais voir à l'Aeroparque où en est la réparation du Beech. Il faut absolument qu'ils terminent les vérifications cet après-midi, on peut avoir besoin de la machine pour faire rapidement un tour près de l'*estancia*. J'oubliais : pas un mot de l'autre affaire !

Marc ne réagit même pas.

— Ça brouillerait les cartes, et ils risqueraient de ne rien faire en attendant des instructions de leurs supérieurs. D'ailleurs, nous ne savons pas si les deux affaires sont liées. Occupons-nous de l'enlèvement de ta sœur indépendamment du reste – jusqu'à preuve du contraire…

Barrington semblait incapable de prendre une décision. Roy, à l'inverse, avait accusé le coup, puis repris immédiatement le contrôle de lui-même. Pour traiter avec les ravisseurs d'otages, il avait appris à la DEA comment leur parler, comment négocier.

Voir, analyser, agir. Ne jamais bouger un doigt sans avoir parfaitement étudié et analysé la situation. C'était la clé du succès.

Kruger tapota l'épaule de l'Anglais :

— On va sortir ta sœur de ce pétrin, ne t'inquiète pas.

Marc trouva Kruger étrangement calme. Comme il l'entendait parler comme un spécialiste, il se demanda soudain dans quelle mesure il connaissait vraiment l'Américain. Ils s'étaient rencontrés au restaurant quelques années plus tôt, ils avaient joué au tennis, Kruger était sorti avec sa sœur, des amis communs les avaient invités à passer des week-ends dans leur maison de campagne...

— L'important, c'est que tu me fasses confiance.

Puis il le fixa quelques secondes dans les yeux, comme pour lui signifier qu'il ne pouvait en dire davantage.

— Méfions-nous des Argentins, je n'ai aucune confiance en leurs flics. Il doit y avoir des gens honnêtes, comme partout, mais ce n'est pas écrit sur leurs visages. Tenons-nous-en à ce que nous savons : ta sœur vient d'être enlevée par des inconnus.

Kruger serra l'Anglais dans ses bras, prit sa mallette Jeppesen et quitta le bureau.

Corrientes avait presque retrouvé son aspect normal. Des dizaines de promeneurs chargés d'emplettes attendaient aux passages cloutés, tandis que des employés municipaux finissaient de laver les taches de sang. Roy retrouva sa Jaguar au parking. Il fila vers l'Aeroparque en longeant la Villa 31, un bidonville enkysté dans la ville, un amas de tôles ondulées et de cartons puant au soleil qui accueillait des centaines de sans-papiers du Paraguay ou de Bolivie.

Il était 16 heures, le hangar d'Aerovia était ouvert. La société entretenait les gros bimoteurs, assurait les révisions des 50 et 100 heures, les grandes visites, et vérifiait également les installations radio. Les techniciens étaient compétents : Aerovia vendait les grandes marques américaines, King ou Collins, et en assurait le service après-vente. Ces matériels sophistiqués évoluaient très rapidement.

Dans le cockpit du Beech garé devant le hangar, Roy aperçut la tête d'un homme. Ce n'était pas bon signe : l'avion ne devait pas être encore prêt.

Chaque fois qu'il retrouvait son avion, Roy ne pouvait s'empêcher de l'admirer, tout en se disant qu'il était fou de voler avec un tel engin. C'était presque un avion de transport, et ses frais d'entretien étaient colossaux. Son précédent propriétaire, avant d'être ruiné par le krach, avait plusieurs affaires : la Posada del Mar, une chaîne de petits supermarchés et une société d'import-export. Kruger, lui, n'avait que le restaurant pour financer cette folie.

Cet avion était à l'image de sa vie.

Personne n'aurait jamais envisagé de voler avec ce turbopropulseur utilisé par des compagnies régionales, mais il s'était précipité dessus, sans réfléchir aux conséquences. À force de ne rien vouloir faire comme les autres, et puisqu'il n'aurait peut-être pas toujours une bonne étoile pour veiller sur lui, il finirait par avoir de sérieux pépins, qui sait ? Pourtant, dès que les ennuis commençaient, la rigueur reprenait le dessus, et Kruger réussissait toujours à s'en sortir, comme il l'avait fait en Colombie.

Un transistor diffusait un méli-mélo de rap tropical. Le technicien d'Aerovia plongeait la tête sous le tableau de bord. Le HSI[1] était encore sorti de son rack, et le réparateur avait branché un petit ventilateur sur le circuit électrique pour souffler un peu d'air dans le cockpit chauffé à blanc par le soleil.

— Avez-vous trouvé la panne ? hurla l'Américain pour se faire entendre.

Le technicien sortit la tête. Les hommes qui entretiennent les avions ressemblent à des chirurgiens : celui-ci portait une combinaison de travail blanche d'une propreté impeccable.

— On a encore vérifié les paramètres, vous ne devriez plus avoir de problème. Je n'en ai plus pour longtemps…

---

1. Indicateur de situation horizontale.

Roy eut envie de lui sauter à la gorge. Le système d'atterrissage aux instruments était passé au banc d'essai trois fois déjà, et trois fois Kruger avait repris l'avion avec la promesse que tout était réglé. Quelques heures de vol plus tard, la panne recommençait.

Il redescendit de l'appareil, décidé à rentrer chez lui pour préparer son vol vers la Serena.

Hector l'accompagnerait. Vu son parcours personnel, il le sentait motivé pour traquer d'anciens tortionnaires de la Triple A. Marc, lui, était trop affecté par l'enlèvement de Jane.

Kruger s'arrêta à la cafétéria de l'aéroport. Il téléphona à Hector, à Barrington – Marc était allé à la police, qui lui avait assuré qu'ils feraient tout ce qu'ils pourraient… –, puis remonta dans sa Jaguar.

Il habitait à Palermo, dans une rue ombragée de tilleuls et bordée de boutiques de mode. Son appartement avait été rénové par son ami Nabor, un architecte qui construisait des villas d'avant-garde pour les milliardaires chiliens, de l'autre côté des Andes. Décor minimaliste et tableaux abstraits au mur.

L'Américain posa sa mallette Jeppesen dans le salon, jeta sa veste sur un fauteuil et prit au bar un verre d'eau glacée. Le répondeur du téléphone clignotait. Comme on l'appelait le plus souvent sur son portable, les messages sur le répondeur étaient rares.

Roy décrocha le combiné et composa le code pour consulter sa boîte vocale.

Il reconnut instantanément la voix.

C'était l'homme qui avait voulu le tuer dans l'avion, le propriétaire des sacs de diamants maintenant entreposés dans son dressing. La voix était presque cordiale, à peine teintée d'une pointe de sarcasme, mais le message était glacial.

Si Roy ne lui rendait pas les sacoches, il tuerait la fille.

17

Ortega avait roulé plusieurs heures depuis Buenos Aires. Il avait eu beau pousser la climatisation au maximum, les vitres de la Toyota demeuraient brûlantes. L'atmosphère était étouffante en cette fin d'après-midi, et le ruban d'asphalte fumait sous le soleil.

> *Ton cœur est une rose blanche*
> *Qui me parfume l'âme...*

Le chanteur reprit son souffle et, après une sonnerie de trompettes, continua :

> *Tue-moi avec tes baisers,*
> *Tue-moi avec ta peau,*
> *Tue-moi avec ton sourire...*

Luis baissa le son de la radio, prit une bouteille d'eau et s'aspergea la tête. Il avait reconnu les maisons poussiéreuses d'El Cruce, les tours de forage qui pompaient l'eau d'irrigation et la route de l'*estancia*, à gauche, un chemin de terre qui filait vers l'est.

Le domaine était à une vingtaine de kilomètres. Des milliers de têtes de bétail broutaient les pâturages, surveillés par des gardiens à cheval qui n'avaient que peu de ressemblance avec les *gauchos* du début du siècle, si ce n'est leur adresse à garder les troupeaux et à galoper. Mais on organisait encore dans les villages des fêtes champêtres où ils attrapaient des bêtes au lasso…

Les pantalons boutonnés aux chevilles, la double ceinture de laine et de cuir ornée de pièces de monnaie et les autres tenues du siècle passé étaient désormais réservés aux propriétés transformées en hôtels de luxe. Mais la Serena n'était répertoriée dans aucun dépliant touristique. Elle avait été revendue après la chute de la junte militaire à la Casa, la Compañía agrícola de San Antonio, qui appartenait à une société d'entraide aux anciens agents de la dictature dont les fonds étaient gérés par un groupe financier brésilien établi à São Paulo. La Hermandad, c'était le nom de cette société, disposait de nombreuses complicités dans le pays.

Comme toutes les autres propriétés de la région, la Casa vivait de l'élevage du bétail, mais produisait également du fromage et des légumes. L'argent ainsi récolté était envoyé au Brésil avant d'être redistribué aux membres du réseau.

Des gardes armés et équipés de talkies-walkies patrouillaient le long des clôtures, empêchant quiconque de s'approcher des bâtiments. Les *peones*[1] qui travaillaient dans les champs alentour ou les cavaliers qui gardaient les troupeaux ignoraient tout de ses activités.

Luis roula quelques kilomètres au milieu des ornières, puis il s'arrêta sur le bord du chemin et attrapa une VHF pour prévenir l'administrateur de son arrivée.

Le patron de l'*estancia* était un ancien policier de Bolivar répondant au nom d'Oswaldo Zarate, un gaillard moustachu au visage énergique tanné par la vie au grand air. Il avait participé à des razzias et à des enlèvements pendant la dictature, heureux de n'avoir jamais été formellement identifié par aucun détenu.

On venait de toute l'Amérique latine à la Serena, pour un jour ou plus. Parmi les invités, on comptait beaucoup d'étrangers, Paraguayens, Chiliens, Uruguayens ou Brésiliens en difficulté avec la justice de leur pays. La Hermandad s'était

---

1. Ouvriers agricoles.

inspirée du réseau Odessa, mis en place par les nazis à la fin de la Seconde Guerre mondiale.

Par mail, on prévenait Zarate de l'arrivée de l'invité en lui donnant un nom de code par lequel il devait s'identifier. Le visiteur était ensuite conduit à la remise, un ancien corps de ferme à l'écart du bâtiment principal qui servait à héberger les hôtes encombrants.

Le nom de code, aujourd'hui, était *Gallo* – « le coq ». Assis dans une camionnette, près du portail d'entrée, une mitraillette à portée de main sur la banquette avant, Oswaldo scrutait l'horizon.

Il connaissait bien Ortega, *che*! c'était El Lobo! Mais Zarate ne transigeait jamais avec le règlement. Il se passait de drôles de choses dans l'*estancia*, et personne ne devait y mettre son nez. C'est pourquoi El Lobo lui-même devait montrer patte blanche.

La VHF grésilla. Oswaldo reconnut la voix de Luis.

— *Gallo. Gallo.*

Zarate collationna pour confirmer qu'il avait bien compris, puis Ortega annonça qu'il arriverait dans une demi-heure.

— La grange est prête, répondit Oswaldo.

C'était le code convenu. Si Zarate avait dit « Je vous attends » ou « Tout va bien », Ortega aurait immédiatement fait demi-tour, toute autre réponse que « La grange est prête » signifiant qu'il fallait rebrousser chemin : des acheteurs de bétail, des camions de livraison ou même – plus embêtant – des policiers fédéraux venant de Bolivar pouvaient être dans le secteur.

À la chute de la dictature, on s'était ému de ce qui s'était passé dans l'*estancia*. Des reporters avaient eu beau visiter la laiterie, sonder les meules de foin et caresser les mufles des vaches, ils étaient repartis bredouilles, avec seulement quelques bribes du passé, de vagues souvenirs arrachés aux habitants d'El Cruce. Quant aux policiers dépêchés sur place dans le cadre de commissions d'enquête parlementaires, ils n'avaient rien remarqué non plus. Les livres de compte étaient à jour, on travaillait aux champs, et puis, après tout, les propriétaires de la Casa avaient bien le droit de faire garder leur domaine par une milice armée jusqu'aux dents…

Zarate sortit de la camionnette et se couvrit la tête d'un chapeau de cuir à larges bords pour se protéger de la lumière.

À quelques kilomètres, sur le chemin de terre qui filait vers la route de Buenos Aires, un tourbillon de poussière montait dans le ciel. Zarate sortit ses jumelles, ajusta la vision, puis aperçut la silhouette d'un 4×4 juste avant que le véhicule ne disparaisse derrière une élévation.

El Lobo approchait.

Zarate était méfiant. On avait raconté tant d'horreurs sur les paramilitaires que l'administrateur de la Serena gardait ses distances avec Ortega. Les membres de la Triple A avaient mauvaise presse jusqu'auprès de ceux qui avaient collaboré avec la dictature. On leur reprochait d'avoir confondu leur intérêt personnel avec leur mission, d'avoir mené des opérations de grand banditisme sous couvert de la lutte antiguérilla. C'était un monde trouble et sans scrupule auquel d'anciens policiers comme Oswaldo préféraient ne pas se frotter. Mais Ortega avait l'appui de la centrale, et la centrale payait Zarate.

Tandis que le pick-up continuait de sauter dans les ornières, Luis tapa sur la tôle arrière de la cabine pour vérifier que le rouquin ne dormait pas.

Cela faisait trois heures qu'Ortega avait laissé son message sur le répondeur de Roy, trois heures pendant lesquelles l'Américain avait certainement élaboré un plan – mais lequel ? Luis avait donné vingt-quatre heures à Roy pour accepter son marché – la fille contre les pierres précieuses –, mais l'Américain faisait le mort. En outre, Ortega se sentait fiévreux. Le gouvernail de l'hydravion avait entaillé son cuir chevelu, et sa blessure à la tête risquait de s'infecter.

Le 4×4 cahota encore sur quelques kilomètres de terre sèche, puis Luis aperçut des toits et un bouquet de peupliers. Zarate les attendait.

Une plaque de métal suspendue par des fils de fer entre deux poteaux de ciment indiquait que l'on pénétrait sur le domaine de la Serena. Ortega laissa tourner le moteur. L'administrateur s'approcha de la Toyota.

— Tu connais les consignes ?

— Vérifie toi-même, dit Ortega en désignant l'arrière du pick-up. Il y a deux personnes : Patricio et... un paquet.

Après avoir ébauché un salut militaire, Zarate fit le tour du véhicule pour soulever la bâche arrière. Le rouquin allongé sur la plate-forme, se remuant à peine, désigna Jane du doigt.

L'Anglaise, épuisée nerveusement, avait dormi la cagoule sur la tête une partie du trajet, puis s'était réveillée dès les premiers cahots sur le chemin de terre menant à l'*estancia*. Elle épiait maintenant tous les bruits pour deviner où elle se trouvait. En pleine campagne, c'était sûr : elle avait entendu un meuglement de vache et senti comme une odeur d'herbe sèche. Mais quelle heure pouvait-il être ? Elle n'en avait pas la moindre idée. Elle avait été enlevée en fin de matinée, on était donc peut-être en fin d'après-midi, voire en début de soirée. Le coiffeur chez qui elle avait rendez-vous à 15 heures avait dû être surpris de ne pas la voir arriver...

Une chose la rassurait pourtant. Elle ne doutait pas que son frère, certainement déjà au courant de ce qui s'était passé, remuerait ciel et terre pour la libérer. Son enlèvement, dans une artère commerçante en plein centre de Buenos Aires, avait dû faire du bruit. Il y avait eu un mort – ou un blessé ? Elle avait vu le sang sur le gilet du mime. Son frère était journaliste, il ferait rapidement le lien entre l'absence de sa sœur et le kidnapping. Il connaissait des officiels dans tous les ministères, actionnerait son réseau de contacts...

Et Roy ? Un bruit d'avion venait de lui rappeler l'Américain. Il y avait sans doute un terrain dans le coin – un avion-taxi l'avait emmenée, un jour, faire une série de photos dans une *estancia* –, mais que pouvait-il faire ? D'ailleurs, peut-être ignorait-il encore tout, peut-être traînait-il simplement à l'Aeroparque avec les techniciens qui entretenaient son Beech.

Durant le trajet, l'Anglaise avait parfois repris espoir, l'espace de quelques minutes, en songeant au monde des vivants qui continuait d'exister de l'autre côté de sa capuche, mais elle avait connu surtout des minutes interminables pendant lesquelles elle pensait qu'elle allait mourir.

Ils avaient dû la confondre avec une autre et la liquideraient dès qu'ils auraient reconnu leur erreur. Elle roulerait dans un fossé, la tête dans la boue, ou bien disparaîtrait dans une décharge. Curieusement, la mort ne lui faisait déjà plus peur. Peut-être même serait-elle aussi douce que cette torpeur qui l'envahissait peu à peu...

Le pick-up stoppa pour de bon. La jeune femme entendit la porte s'ouvrir, un bruit de toile – sans doute la bâche arrière –, puis une voix à l'extérieur. Quelqu'un remuait sur la plate-forme où elle était recroquevillée, sans doute le rouquin dont elle avait senti la main humide sur ses cuisses.

Le pick-up s'était arrêté devant une maison à colombages construite au début du XXe siècle par des immigrés allemands. Elle comptait, sur deux étages, une trentaine de pièces éclairées par de petites fenêtres avec des balcons en bois, et se prolongeait sur la droite par une serre envahie de végétation. Là résidaient jadis les propriétaires du domaine, mais aujourd'hui toutes les persiennes de la demeure étaient closes, et des herbes folles grignotaient les terrasses.

— Vous connaissez le chemin, dit Zarate à Ortega en désignant de la tête un bâtiment en torchis, un peu à l'écart. J'y ai fait porter un peu de nourriture et des couvertures. Mettez la Toyota dans le garage, inutile que les *peones* sachent qu'on a de la visite. Si vous avez besoin de me parler, je dors là-bas, à côté de mon bureau. Mais, suis-je bête... vous connaissez les lieux !

Puis il désigna un bâtiment de plain-pied avec un toit de tuiles rouges, à demi caché par une haie de lauriers-roses :

— Personne n'a le droit de venir ici, sauf les gardes. Si vous voulez communiquer avec la centrale, laissez un message à la salle de contrôle.

Zarate mit le doigt à son chapeau et s'éclipsa. Moins Ortega en saurait, mieux ce serait pour tout le monde. En cas de descente des fédéraux, il pourrait toujours jouer l'ignorant, comme il l'avait fait à la fin de la dictature militaire.

Dans le pick-up, Jane entendit des voix se rapprocher et distingua le mot *gringa*.

Ses nerfs s'étaient relâchés. Elle avait eu l'impression de s'enfoncer dans un puits sans fond dont elle ne ressortirait plus, et voilà que, subitement, ce mot venait lui rappeler qu'elle existait.

— On va vous enlever les cordes pour que vous puissiez marcher, dit une voix. Si vous restez tranquille, tout se passera bien.

Ce n'était pas la voix du rouquin, mais celle du petit gros qui l'avait traînée vers le camion.

— Vous n'avez pas le droit !

— Nous avons tous les droits, dit l'homme en dénouant les liens. Aidez-vous de vos coudes pour avancer vers le bord de la camionnette.

— J'ai un passeport britannique !

— Tais-toi ! dit l'homme en la tutoyant soudain. Et dis *señor* quand tu nous parles !

Tout se brouillait dans la tête de Jane. Était-ce bien la voix de celui qui l'avait enlevée, comme elle l'avait cru, ou bien une autre équipe avait-elle pris le relais ?

— Londres, Buenos Aires, oublie tout. Ici, tu n'es rien !

Elle fut tirée par le bras.

— Tu as compris ?

— *Sí, señor, sí.*

La jeune femme portant toujours sa cagoule, elle tâtonnait dans l'obscurité.

— Posez les pieds par terre.

L'homme la vouvoyait de nouveau.

— Vous avez de la chance d'être tombée sur nous, ça aurait pu se passer beaucoup plus mal. Vous n'avez jamais eu ce genre d'expérience, pas vrai ?

Toujours ce chaud-froid déroutant, ces menaces suivies de propos rassurants…

Comme Jane sauta à terre, une autre main lui prit le bras. Elle trébucha, manqua se tordre le pied dans une ornière, puis marcha sur quelques dizaines de mètres. Une vague odeur de crottin de cheval traversait le tissu de la cagoule.

L'homme qui la guidait s'arrêta d'un coup. Une porte s'ouvrit, puis la même voix lui ordonna d'avancer.

L'air était plus frais et le sol qu'elle sentait sous ses pieds semblait être du ciment. Elle en conclut qu'ils devaient se trouver à l'intérieur d'un bâtiment. Une prison, un centre d'interrogatoire, ou alors une cellule où les otages pourrissaient pendant des mois avant d'être relâchés…

Une porte claqua, une autre voix résonna, puis des bruits de clés et de serrures. L'homme la fit encore avancer de quelques pas. Le claquement d'une clé qui ferme une porte, des pas qui s'éloignent, puis plus rien.

Était-ce une pièce ? un cachot ? À l'aveuglette, la tête toujours cagoulée et les mains liées dans le dos, elle fit quelques pas, trébucha sur un meuble, chercha à se repérer puis se cogna contre un objet métallique avant de s'effondrer au sol.

Elle se mit à pleurer, mais, recroquevillée ainsi sur elle-même, sur ce corps dont elle connaissait chaque recoin, elle se sentit du moins en terrain familier. Et puis, elle commençait à s'habituer à sa respiration rendue difficile par la capuche.

Elle recula de quelques dizaines de centimètres et sentit une paroi. Elle s'y cala, hésita quelques minutes, puis se laissa finalement aller. Honteuse, épuisée, elle vida sa vessie. L'urine chaude coulait entre ses cuisses, son corps se relâcha. Elle dodelina de la tête et s'effondra dans le sommeil.

Elle se réveilla à plusieurs reprises, pour retomber chaque fois dans la nuit, sans bouger ni rien sentir. Ses bras ligotés ne lui faisaient plus mal, ses jambes s'étaient évaporées. Elle cherchait un peu d'air derrière la toile de jute, puis sa tête retombait dans l'oubli.

Le soleil se levait enfin sur la Pampa quand une musique la réveilla, le son nasillard d'un accordéon et une voix langoureuse, un *vallenato* que l'on dansait en Colombie, sur la côte des Caraïbes.

> *Tu seras toujours mon étoile,*
> *Je te suivrai jusqu'au ciel,*
> *Reviens vers moi,*
> *Amour, reviens dans mes bras…*

Patricio s'aspergeait le visage d'eau fraîche dans une pièce contiguë, avant de partir au village chercher du ravitaillement et de la glace au chocolat.

L'Anglaise entendit des pas et des bruits de serrure. Sa jupe encore mouillée d'urine la faisait grelotter.

C'était Ortega. L'Argentin jeta un coup d'œil dégoûté sur la jeune femme et repartit immédiatement vers la chambre du rouquin, sans dire un mot.

Patricio grimaçait à quelques centimètres d'un miroir pour faire éclater un bouton sur son visage.

— La fille s'est lâchée, lui dit Luis en entrant. Habille-toi et va brancher un tuyau d'eau pour nettoyer cette porcherie !

Le rouquin, de mauvaise humeur après une dernière tentative pour crever le bourgeon, se retourna. Nettoyer la cellule ? Luis le prenait vraiment pour un domestique. Il renifla, enfila le pantalon de toile noire avec lequel il avait dormi sur la plate-forme de la Toyota et cracha.

— Tu as un problème ? demanda sèchement Ortega.

— Non, *jefe*. J'y vais tout de suite.

Luis avait mal dormi. Il était resté éveillé une bonne partie de la nuit, son portable allumé, mais l'Américain n'avait pas appelé. Pourtant, il en était persuadé, le *gringo* n'avait pas dû avertir la police. Ces gens-là préfèrent négocier eux-mêmes…

Il alla aider le rouquin à dérouler le tuyau. Jane sentit une pluie glacée s'abattre sur son corps, mais le jet était si puissant qu'il lui brûla la peau. Elle se débattit comme un animal, puis s'abandonna, tandis que le rouquin exultait. Il avait d'abord dirigé le lanceur sur ses jambes, mais il remontait maintenant sous la jupe.

— Assez ! cria Ortega. Passe le sol au jet ! Désolé, *señorita*, nous n'avons pas d'eau chaude…

La cagoule lui collait au visage et ces chiens la traitaient comme un pourceau, mais Jane se sentait sans volonté, fatiguée, lasse et complètement désarçonnée. Jamais elle n'avait connu un tel sentiment de renoncement et d'abandon.

Ortega observa la fille un instant, songeur.

On laissait aux prisonniers le bandeau sur les yeux pour les désorienter, les affaiblir, les préparer aux interrogatoires et leur faire peur, mais ils n'avaient aucune information à soutirer à la fille. Il fallait simplement qu'elle se tienne tranquille, et ce qu'elle avait vécu au cours des dernières vingt-quatre heures avait sans doute suffi à la calmer.

Ortega fit signe au rouquin, qui continuait de nettoyer le sol.

— Ça suffit, maintenant ! Enlève-lui la *capucha*.

Patricio laissa tomber le tuyau.

— La *capucha* ?

— Tu n'as pas compris ?

— Laissez-moi le temps de fermer le robinet, boss.

Parce qu'il avait entendu cette expression dans des séries américaines, Patricio donnait souvent du « boss », un mot qu'il jugeait moderne et opérationnel, à Ortega. Mais pourquoi enlever la cagoule de cette fille, alors qu'on pouvait la laisser pourrir dans la pièce ? Un coup de jet chaque matin, un peu de viande avec du riz, c'était bien suffisant pour cette prétentieuse. Ah ! si le boss ne l'en avait pas empêché, elle aurait vu ce dont il était capable ! Ces petites mijaurées rechignent toujours au début, mais, avec des gars comme lui, elles miaulent vite de plaisir.

Jane sentant qu'on s'affairait autour de son cou et, n'ayant pas entendu ce qu'avait dit Ortega, elle se mit à crier. Puis elle comprit qu'on allait la débarrasser de sa cagoule.

Le rouquin tira sur le tissu. La jeune femme cligna des yeux, éblouie par la lumière. La première chose qu'elle vit fut la silhouette de l'homme qui l'avait enlevée, son blouson de toile, puis le rouquin, à droite, qui avait tiré sur les mimes et enroulait maintenant le tuyau.

Dans la pièce peinte à la chaux, une image de la Vierge à demi déchirée était collée au plâtre. Des selles de cheval étaient entassées dans un coin, à côté d'un fouet, puis un seau, un lavabo avec un robinet, et, sur le sol, de grandes taches rouges que l'eau n'avait pas effacées. Du sang ? Une petite fenêtre à barreaux donnait sur le ciel bleu.

— C'est fini, dit Ortega. On va vous conduire aux toilettes.

— Fini ? répéta Jane, incrédule.

— Si vous ne faites pas d'histoire, vous n'aurez pas de problème, nous ne sommes pas des brutes. Mais vous resterez peut-être longtemps ici. Ça ne dépend pas de nous, mais de votre ami l'Américain. S'il tient vraiment à vous, ça ne durera pas. Sinon...

— Je ne connais pas le montant de la rançon, mais il ne dispose sûrement pas de la somme. Ma famille non plus n'a pas les fonds nécessaires. Mon père vend des voitures chez Ford...

— Vous vous trompez, coupa Ortega. Votre ami a énormément d'argent, bien plus que vous ne pouvez imaginer.

Il parlait sèchement, mais sa physionomie n'était pas désagréable. Jane en aurait presque cru qu'il était désolé de ce qui lui arrivait.

— On continuera à vous attacher, bien sûr, ajouta l'Argentin. Les gardes sont armés, et ce serait dommage qu'ils vous tuent si vous cherchiez à fuir.

Patricio restait silencieux, les yeux rivés sur les seins de Jane dont les mamelons gonflaient le tissu. Il lui passa une menotte au poignet droit.

— On vous trouvera des vêtements secs, continua Ortega. Ce sera plus confortable.

Autant bien la traiter. Ainsi, on éviterait les cris et les hurlements. Le moment venu, si l'Américain n'acceptait pas de lui rendre le butin, on passerait à une autre étape. Peut-être faudrait-il lui couper un doigt et l'envoyer au *gringo* pour lui prouver qu'on ne plaisantait pas. Zarate disposait certainement d'un sécateur pneumatique à l'*estancia*, et de quoi bander la plaie pour éviter l'infection.

Tandis que le rouquin partait avec la fille, Ortega retourna dans la pièce où il avait passé la nuit.

Il avait dormi sur un matelas à même le sol, et jeté dans un coin le sac de vêtements dans lequel il avait rangé son téléphone et des armes automatiques. Il vérifia son portable : il venait de recevoir un SMS.

« Libère la fille, ou tu vas mourir. »

Ortega serra les dents. Il avait bien du culot, ce *gringo* ! Voilà qu'il le menaçait, au lieu de chercher à négocier.

« Libère la fille, ou tu vas mourir. »

L'Argentin glissa rageusement le téléphone dans sa poche et sortit.

Dehors, deux cavaliers poussaient une centaine de bœufs. Zarate, toujours affublé de son grand chapeau de cuir noir, plaisantait avec l'un des gardes. La canicule s'apprêtait à avaler la Pampa.

« Tu vas mourir… »

Comment l'Américain pouvait-il être si sûr de lui ?

215

Le rouquin s'approcha :

— Je pourrais aller chercher du ravitaillement, *jefe*?

— C'est ça, dit Ortega en sortant une vingtaine de pesos. Ramène de la viande et du vin.

Le rouquin prit l'argent, grimpa dans la Toyota et fila vers El Cruce dans un nuage de poussière.

À quelques kilomètres de l'*estancia*, le village dormait. Une vingtaine de maisons aux murs peints à la chaux, une petite église et une épicerie où acheter salaisons, légumes et conserves. Quand les bœufs ne la traversaient pas, la piste en terre de l'aérodrome servait de terrain de football aux enfants. Personne ne venait plus à El Cruce. La manche à air déchirée n'indiquait même plus la direction ni la force du vent.

Patricio pila devant l'épicerie et sortit du 4×4 en jouant des épaules.

La *tienda*[1] avait un petit auvent sous lequel on mangeait des feuilletés à la viande hachée et au fromage. Il était 10 heures. Ce matin, quatre paysans jouaient aux cartes près de l'étal de légumes et de fruits envahis par les mouches.

Le rouquin entra sans dire bonjour, jetant tout de suite un coup d'œil vers le réfrigérateur et ses bouteilles de sodas et d'eaux minérales aromatisées. Aucune trace de glace au chocolat.

— Allez-vous en recevoir? demanda Patricio à la patronne.

— Je n'en sais rien, répondit la vieille, revêche. Ici, c'est la campagne. Si vous êtes pressé, roulez jusqu'à la station-service, à la sortie de Bolivar. Vous n'êtes pas du coin?

— Encore heureux! dit le rouquin en crachant son chewing-gum par terre. J'y passerai pas mes vacances!

— Peut-être, mais c'est pas une porcherie. Ramassez votre chewing-gum et foutez-moi le camp!

Le rouquin hésita. Pour qui se prenait-elle, cette vieille, à lui donner des ordres? Il prépara une injure, mais songea qu'il lui fallait composer avec la harpie s'il voulait avoir de quoi manger. Il se pencha par terre, ramassa le chewing-gum, le mit

---

1. Magasin.

dans un bout de papier journal puis le projeta dans la rue d'une pichenette.

— Donnez-moi des haricots et du riz, et les filets de bœuf qui restent dans le freezer. Je reviendrai en fin de matinée pour la glace.

Il sortit de sa poche les liasses de billets, cracha par terre, et écrasa son glaviot sur le ciment. Foutu coin ! Avec cet air sec mêlé de particules de poussière qui vous assèche la gorge au moindre tourbillon de vent...

Patricio remonta dans la voiture, appuya à fond sur l'accélérateur et mit un CD. Eduardo Garzotto, le dernier chanteur à la mode, fit vibrer sa voix langoureuse sur fond de trompettes et de guitares.

> *Quand je regarde dans tes yeux,*
> *Je crois voir des étoiles...*

Le 4×4 quitta le sol, et Patricio poussa un « ouah ! » de plaisir. Il n'avait pas trouvé de vin, mais, sitôt qu'il aurait vérifié que l'Anglaise était bien enchaînée aux barreaux des fenêtres, il allait pouvoir se défoncer à la bière puis faire une sieste à l'ombre des platanes. Ensuite, il reviendrait à l'épicerie pour sa glace au chocolat.

C'était plus fort que lui. À défaut de pouvoir caresser la *gringa*, il lui fallait se gaver de crème.

18

Roy passa au bureau de piste de l'Aeroparque, déposa son plan de vol pour El Cruce et commença à faire le tour de l'avion pour procéder au travail de routine avant chaque décollage : vérifier les niveaux, s'assurer que les commandes fonctionnent bien et que les réservoirs contiennent assez de kérosène pour le trajet.

En ce début de matinée, le ciel était laiteux sur le City Airport de Buenos Aires, où les employés de piste travaillaient en bras de chemise. La météo annonçait un plafond et une visibilité parfaite sur tout le trajet.

Kruger avait mal dormi.

S'il ne découvrait rien à El Cruce, tout serait à reprendre de zéro, mais il était tout de même heureux qu'Hector ait accepté de l'accompagner : un *gringo* en pleine Pampa était toujours une apparition suspecte.

— Il faudra me laisser faire, *che*! lui avait dit l'Argentin au téléphone.

Le laisser faire ? Jusqu'à un certain point seulement, avait décidé l'Américain en rangeant dans sa sacoche un pistolet automatique, souvenir de son passage à la DEA, avec une pensée émue pour les hélicos Bell dont il se servait en Colombie contre les narcos. Ah ! sûr que le tortionnaire et sa bande auraient rapidement déclaré forfait devant leurs mitrailleuses lourdes et leurs lance-roquettes d'alors! Mais c'était une époque révolue. Aujourd'hui, Kruger s'était mis tout seul dans ce pétrin, avec en outre une circonstance aggravante : sa petite amie risquait d'y perdre la vie.

Il l'aimait bien, sa belle Jane. Même si elle le fatiguait parfois à vouloir faire les fermetures des boîtes de nuit, il n'était pas question de l'abandonner.

El Cruce était à un peu moins de 200 milles nautiques de Buenos Aires, soit à une quarantaine de minutes, compte tenu de leur avion et du vent d'aujourd'hui. Grâce aux instruments de radionavigation dont ils disposaient, le repérage de la piste de 500 mètres ne poserait aucun problème.

Roy se glissa derrière le manche et tendit un casque à Hector.

L'Argentin avait le visage fermé. Habituellement rieur, il affichait maintenant une expression de bouledogue prêt à mordre. Il ne se dérida qu'au moment d'enfiler les écouteurs de son casque, lançant alors un clin d'œil à Roy :

— On les aura, *che*! Faites-moi confiance. Il faut débarrasser le pays de ces vermines!

Roy récapitulait le plan dans sa tête : se poser à El Cruce et tenter de savoir si l'*estancia* accueillait des hôtes suspects.

Quelqu'un, au village, aura peut-être vu passer Jane dans la voiture des ravisseurs. Ensuite, on verrait s'il était possible de libérer l'otage. Tout dépendrait de la milice qui gardait les installations. D'ailleurs, peut-être ne découvriraient-ils rien d'autre qu'une exploitation agricole perdue dans la Pampa? Ils en seraient alors quittes pour maudire ces journalistes qui les avaient entraînés sur une fausse piste...

Il jeta un coup d'œil à gauche : le poussoir de frein était bien enclenché, les commandes allaient dans le bon sens. Commandes d'hélice en drapeau, puissance au ralenti, carburant sur automatique. L'Américain termina la check-list. Tout était OK. Il appuya sur la touche émission du micro et appela la tour :

— Pour la mise en route, Zoulou Romeo Tango.

— Mise en route approuvée, Zoulou Romeo Tango, rappelez pour rouler.

— On rappelle pour rouler, Zoulou Romeo Tango, collationna Kruger.

Toujours tout vérifier, toujours collationner, c'est la règle. Un malentendu, une mauvaise écoute, et le pire peut survenir. Récemment, au Brésil, un Boeing avait percuté un jet d'affaires au-dessus de la jungle : cent cinquante-cinq morts. Les reptiles et les fourmis rouges s'étaient chargés des rares survivants.

Roy poussa le bouton de démarrage du moteur droit, la turbine commença à siffler, puis il passa au gauche. Tous les paramètres étaient au vert.

Le bruit des turbines lui mit un peu de baume au cœur. Furieux de ne pas avoir liquidé l'Argentin qui l'avait pris pour un imbécile et avait tenté de le tuer, indigné surtout de s'être laissé embarquer dans cette histoire de fous, Roy était en guerre avec lui-même. Mais ce trésor, ces croix gammées cerclées de diamants, ces étoiles de David arrachées à des juifs partant pour les camps de la mort, il ne pouvait s'en moquer. Il devait agir.

— Prêt à rouler, Zoulou Romeo Tango.

Le vent venait du sud-est, la piste en service était la 13. Le Beech roula jusqu'au point d'attente. Kruger fit les essais moteur, copia les instructions de décollage, et le bimoteur s'aligna derrière un avion d'Austral en partance pour la Patagonie.

— Autorisé au décollage, Zoulou Romeo Tango, vent du 100 pour 10 nœuds, rappelez sur le 128 de San Fernando.

Volets à 40 degrés. Nouveau contrôle des paramètres.

Kruger poussa la manette des gaz, et le King Air prit de la vitesse sur la piste. À 100 nœuds, Roy tira doucement sur le manche. L'avion s'élança vers le ciel de toute la force de ses turbines.

Train relevé. Volets zéro.

L'avion prenait de l'altitude et vira rapidement à gauche. Il était déjà sur le 128 de San Fernando, l'axe magnétique 128 de la balise FDO.

Kruger ne quittait pas un instant des yeux la carte Jeppesen, sur laquelle chaque balise était représentée par une petite rose des caps. Pour une fois, l'Américain n'avait aucune envie d'expliquer à Hector les subtilités du vol aux instruments. Sa seule préoccupation était d'arriver le plus vite possible à El Cruce, en raccourcissant les trajectoires au maximum.

L'avion était déjà à 9 000 pieds. Les avenues de Buenos Aires s'estompaient, sur la droite, dans la brume bleuâtre.

La ville s'étendait de plus en plus, les immigrés clandestins en provenance de Bolivie ou du Pérou gonflant inexorablement les bidonvilles. En dépit de la crise économique, l'Argentine était encore un Eldorado pour eux.

— On pourrait faire direct sur El Cruce ?

— Négatif, répondit le contrôleur. Poursuivez standard sur Egepa.

Poursuivre sur Egepa et allonger le temps de vol de quelques minutes ? Cette décision énerva l'Américain. Heureusement, les instruments de radionavigation fonctionnaient de nouveau parfaitement. Était-ce un miracle ou le fait du technicien qui avait passé les appareils au peigne fin ?

— Confirmez niveau 200, demanda le contrôle.

En général, les avions comme le Beech volent beaucoup plus haut, mais, vu la distance à parcourir, Roy avait choisi un niveau plus bas.

— 200, Zoulou Romeo Tango.

Avec sa piste en terre, El Cruce n'avait aucune procédure d'approche aux instruments, mais Roy avait calculé sa position avec précision. Le terrain était orienté nord-est/sud-ouest, avec une piste facilement repérable grâce aux VOR.

Une fois la descente amorcée, il faudrait continuer en vol à vue, et ce serait une longue finale, la plus éprouvante que Kruger ait jamais eu à négocier dans sa carrière de pilote, celle au bout de laquelle se trouvait la jeune femme qu'il voulait arracher aux griffes de ses ravisseurs.

Une demi-heure plus tard, le contrôle de Buenos Aires accéda enfin à sa demande, l'autorisant à procéder directement sur El Cruce. Roy donna un coup de coude à Hector, qui, en silence, regardait défiler la Pampa sur la droite.

— On va amorcer la descente. La piste est devant nous, droit devant, à dix minutes de vol.

Kruger réduisit les gaz et poussa le manche. L'altimètre commença à défiler.

15 000 pieds… 10 000 pieds…

Le Beech piquait du nez à 2 500 pieds-minute et avalait la descente.

5 000 pieds…

— On passe en vol à vue, annonça Kruger.

Le contrôle de Buenos Aires prit congé, et Roy commença son circuit visuel. On était encore trop loin pour apercevoir la piste, mais, avec un peu de chance, quelques maisons finiraient par apparaître dans la brume.

À basse altitude, les turbulences secouaient de nouveau l'appareil. Kruger vérifia ses instruments de navigation pour constater qu'il était juste dans l'axe : la piste était quelque part à l'horizon, entre les deux hélices, devant le capot de l'avion.

Comme il faut trouver au sol des points de repère visuels, il est malaisé pour un pilote de localiser un terrain avec une piste en terre, celle-ci se confondant parfois avec un chemin ou un terrain vague. L'Américain prit la grande carte qui lui avait servi à trouver le terrain et constata qu'il était à gauche de la route menant à Buenos Aires : à défaut de trouver la piste, il arriverait certainement à voir le ruban d'asphalte qui courait sur le sol.

La carte indiquait des lignes à haute tension sur des milliers d'hectares de ces prairies qui se couvrent au printemps de fleurs sauvages et brunissent dès les premières chaleurs. L'Américain, regardant plus attentivement par le hublot, finit par apercevoir un mince filet bleu métallique traversant la plaine. C'était la route de Buenos Aires : il lui suffisait désormais de la suivre sur la gauche pour tomber tout droit sur El Cruce…

Roy réduisit la vitesse à 130 nœuds et sortit un cran de volets.

3 000 pieds…

— Voilà El Cruce ! dit l'Américain.

Hector ne distinguait rien.

— Là, à gauche, sous le cône de l'hélice ! Regarde, on aperçoit quelques maisons !

Roy donna un coup de manche sur la gauche pour incliner l'avion, l'Argentin se pencha sur le côté. C'était bien ça. Quelques bâtiments et une bande de terre plus claire que les champs alentour. La piste !

Roy descendit un cran de volets, s'approcha en finale puis vira à droite pour inspecter le terrain, toujours méfiant à l'égard des pistes à demi abandonnées. Kruger se souvenait que l'un de ses amis s'était tué en heurtant en finale un troupeau de bœufs et, sans craindre d'en arriver à une telle extrémité, il souhaitait du moins vérifier l'état de surface pour ne pas casser le train d'atterrissage dans des ornières.

Passage à 1 000 pieds, la main sur la manette des gaz. Tout était OK.

L'Américain redonna un peu de puissance à la machine, vira sur la gauche en vent arrière, survola le village puis s'éloigna pour pouvoir s'aligner de nouveau en finale.

Pleins volets, 100 nœuds en courte, le Beech se posa comme une plume sur la bande de terre à moitié envahie par les herbes. Kruger gara l'appareil un peu en retrait.

La piste se trouvait à la périphérie du village, un village désert sommeillant sous la canicule. Un chemin de terre mieux empierré que les autres partait vers la droite. La plupart des maisons avaient des jardinets entourés de murets de brique ou d'arbustes desséchés. Toutes les persiennes étaient fermées pour lutter contre la chaleur. Un paysan sortit sur le pas de sa porte en ordonnant à ses gamins de rester tranquilles.

L'Américain, après s'être assuré que son pistolet était bien dans la poche de son blouson, descendit de l'avion. Il fallait mettre des cales sous les roues et protéger d'un cache la prise de pression statique pour éviter que de la poussière ne s'infiltre dans l'appareil.

Quand ce fut fait, Kruger regarda autour de lui. L'endroit semblait bel et bien désert, écrasé par le soleil. Néanmoins, la plupart des habitants du village travaillant à la Serena, il fallait se méfier. Peut-être des complices du tueur se trouvaient-ils parmi eux ?

— Par où commence-t-on ? demanda Roy à Hector.

— Avez-vous repéré quelque chose avant d'atterrir ?

— Une grande bâtisse à moitié cachée par des arbres, au nord-nord-est, reliée au village par une petite route. Pas une âme qui vive…

— Oui. En été, tout le monde se protège de la chaleur en se calfeutrant à l'intérieur… Prenons ce chemin, je suis sûr qu'on va trouver un commerce.

Une rigole d'eaux usées courait en bordure des maisons. Certains habitants avaient installé un baby-foot à l'ombre d'un acacia, d'autres avaient planté des fleurs ou des lauriers-roses. Chacun vendait ce dont il n'avait plus besoin : pots d'échappement, vaisselle ou vieux appareils radio. Des chiens errants traînaient dans la rue.

Un break Renault des années 1980 était garé en équilibre sur un cric, le long d'une haie de conifères desséchés. Allongé sous la voiture, son propriétaire réparait la transmission. Quand il entendit des pas, il sortit la tête. C'était un jeune type au visage émacié, cheveux longs et yeux noirs flamboyants.

Il regarda les deux hommes avec méfiance, mais s'adoucit en entendant l'accent argentin d'Hector.

— Où peut-on trouver de la glace, s'il vous plaît ? Il nous en faudrait quelques kilos pour les rapporter à l'avion.

Le garçon se redressa et, avec l'avant-bras, essuya la sueur sur son visage.

— La *negra*[1] devrait en avoir. Un peu plus loin, au prochain croisement, sur la gauche.

Puis il adressa un sourire aimable à Roy – un *gringo*, à n'en pas douter – avant de s'enfoncer de nouveau sous la carrosserie.

Le magasin allait fermer. Les joueurs de cartes avaient déjà disparu, et la vieille épicière couvrait les légumes avec une bâche pour les protéger de la chaleur. La boutique baissait son rideau de fer à midi pour rouvrir à 18 heures, quand la température commençait à faiblir.

Kruger entra sous l'auvent au moment où la vieille cadenassait son armoire frigorifique. Elle poussa un cri en sursautant :

— Vous m'avez fait peur ! J'ai pensé que le cinglé était revenu…

— Quel cinglé ?

— Un petit vaurien qui venait de la Serena. Sûrement un de ces nouveaux gardes, là, qui se croient tout permis…

---

1. Littéralement, « la noire ». S'applique aux brunes.

Roy regarda Hector. C'était leur jour de chance.

— C'est le pilote, dit l'Argentin à l'épicière en désignant Roy de la tête. On n'avait plus de glace à bord.

Un pilote ? À ce mot, la vieille, qui avait dû faire chavirer bien des cœurs quarante ans plus tôt, jeta un regard ému en direction de l'Américain, puis s'essuya les mains sur sa jupe.

— Combien en voulez-vous ? Deux sacs ? J'peux pas vous en donner plus.

Roy fit semblant de réfléchir.

— Ça pourrait aller. Et si vous aviez du café…

— Bien sûr, j'peux vous préparer un espresso ! On a même des *Kuchen* aux amandes et de la glace au chocolat toute fraîche, comme celle que voulait le monsieur de tout à l'heure. On vient de la livrer. Ah ! celui-là ! Il a dit qu'il repasserait, mais j'ai pas envie de le servir. J'fermerai tout dès que vous serez partis.

Roy eut immédiatement envie d'en savoir davantage, mais Hector l'interrompit d'un signe discret :

— Il y a du drôle de monde, dites-vous, à la Serena ?

— Oui, des gens qui sont pas du coin et viennent faire les courses au village. C'est comme ça qu'on les repère, et…

Au bruit de moteur qui se fit entendre au loin, elle s'arrêta.

— *Che !* Le revoilà, j'en suis sûre ! Je reconnais son pot d'échappement. Méfiez-vous, ces gens-là se promènent toujours avec un revolver dans la poche.

Tandis que la vieille apportait deux cafés italiens, Roy poussa une table sous l'auvent. La *negra* élevait des volailles pour vendre des œufs, et l'enclos, installé près des toilettes, dégageait une odeur aigre-douce.

— Cheveux frisés, boucle d'oreille… Ça ne devrait pas être difficile de le repérer, s'il traîne dans le coin.

— Vous parlez de qui ? demanda Hector en versant deux cuillerées de sucre dans sa tasse.

— De l'un des deux types qui ont enlevé Jane, le plus jeune, dont le signalement est le plus précis.

Le 4×4 du rouquin arrivait à toute allure.

Patricio avait liquidé à l'*estancia* le tiers des bouteilles de bière achetées dans la matinée et se sentait en pleine forme.

Pas ivre, non, mais avec un moral d'enfer, d'autant que son bras mordu par le chien ne lui faisait presque plus mal.

Arrivé devant l'épicerie, il pila dans un nuage de poussière. Les poules caquetaient derrière leur grillage, il secoua la clôture pour leur faire peur, poussa des onomatopées : « ¡ *Kaya, kaya !* », puis éclata d'un gros rire lorsque les animaux s'enfuirent en gloussant.

Oh ! que l'Anglaise était excitante ! Il l'avait reluquée plusieurs fois sans qu'elle s'en aperçoive, et il s'était senti en manque. Pas question de la toucher : le message d'Ortega avait été très clair. Mais quel bled pourri, bon Dieu ! Dans son bureau rafraîchi à l'air conditionné, Zarate lui avait confirmé que pas une seule fille n'était disponible ici. Il fallait aller jusqu'à Bolivar pour trouver un bordel. Un type hautain, d'ailleurs, ce Zarate, avec sa moustache et ses bottes cirées comme un miroir...

Le rouquin remonta son pantalon et entra dans le magasin. Cette vieille éclopée avait-elle reçu de la glace au chocolat ?

Lui tournant le dos, l'épicière finissait d'installer les bâches de protection sur ses légumes. À droite, deux types, un blond et un grand brun, buvaient leur café. Le blond avait une tête de *gringo* ; l'autre, avec sa moustache et ses cheveux noirs, était un Argentin, peut-être un *gaucho* qui organisait des rodéos – il en avait la tête, en tout cas. Mais que pouvaient-ils bien chercher à El Cruce ? Les habitants d'ici n'avaient pas d'argent pour se payer des spectacles...

Le rouquin rota bruyamment et tapa du pied pour attirer l'attention de la vieille. Il était de bonne humeur et avait envie de plaisanter. Il passa la main sous la bâche pour attraper une pêche.

— ¡ *Hola, guapa*[1] *!* Où as-tu mis les glaces au chocolat ? J'espère que tu ne les as pas vendues ?

Le jus de la pêche dégoulinait sur son menton.

— Je n'en ai pas reçu, répondit la vieille d'un ton revêche. Et je ferme.

---

1. « Alors, ma belle ! »

Des cheveux frisés, un anneau avec de la verroterie imitant le diamant à l'oreille gauche, de grosses lèvres, des coups de soleil comme des taches d'eczéma sur les joues... Roy et Hector n'avaient pas eu de mal à identifier le rouquin.

Ni fille ni crème glacée ? Pour soulager sa colère, Patricio cracha son noyau de pêche avant de le piétiner.

— ¡ *Pueblo de mierda*[1] !

— Personne ne vous a invité ! répliqua la vieille, enhardie par la présence d'autres clients.

Patricio eut envie de renverser ses cageots pour lui apprendre la politesse, mais il se ravisa :

— Où sont les toilettes ?

— Au fond, près du poulailler.

Tandis que le rouquin se dirigeait vers l'enclos, Roy et l'Argentin se levèrent comme un seul homme derrière lui.

« Pas normal, cette coïncidence, pensa aussitôt la *negra*. Il va se passer quelque chose... » Un truc sérieux, pas comme ces bagarres entre soûlauds, le soir, qu'un seau d'eau suffisait à calmer. Non, quelque chose de bien plus grave...

D'un coup, le *gringo* et le moustachu lui apparaissaient sous un autre angle. Peut-être les avait-elle mal jaugés ? Peut-être s'agissait-il de trafiquants ? S'ils étaient des malfrats, ils étaient en tout cas plus sophistiqués que les imbéciles qu'elle croisait habituellement à El Cruce...

Passant rapidement devant elle, les deux hommes filèrent le train au rouquin parti pisser près des poules. Elle les aurait bien suivis, pour voir, mais elle se ravisa. Le pilote et l'Argentin n'avaient pas l'air de plaisantins.

Le rouquin poussa la porte des toilettes, une petite salle aux murs de ciment blanc décorés de dessins obscènes et de grossièretés.

La chaleur et la puanteur du local lui donnèrent un haut-le-cœur. Réprimant son envie de vomir, il se dirigea vers le trou qui faisait office de pissotière, écarta les jambes pour diriger son jet, déboutonna sa braguette et goûta la délicieuse sensation de se délester d'un seul coup de tous ces litres de bière.

---

1. « Village de merde ! »

Se sentant revivre soudain, il cracha et entonna le refrain d'une chanson qui lui trottait dans la tête :

Lorsque je te vois
Frémir dans la soie…

Puis il ferma les yeux, secoua son membre et entreprit de reboutonner sa braguette.

Je sais que tu es à moi,
Toi, je n'ai que toi…

La suite des paroles s'étrangla dans sa gorge. On avait passé un bras autour de son cou pour le tirer en arrière. Patricio songea tout de suite à des voleurs, des villageois qui auraient voulu s'emparer des clés du 4×4. Ah ! ils allaient voir, ces pauvres types, ce qui les attendait !

Il lança son coude en arrière, essaya de rompre la prise, mais rien. Le souffle commençait déjà à lui manquer, et le gars avait des bras de python. L'inconnu l'éloigna de la pissotière et le retourna en un clin d'œil avant de le projeter contre le mur.

Son crâne vint heurter le ciment.

¡ Mierda ! Ce n'étaient pas des gens du village, mais les deux clients qu'il avait vus siroter leur café dans l'épicerie, le *gringo* et l'autre. C'était le brun, l'homme à la moustache, qui l'avait pris par le cou. L'autre, un petit revolver à la main, le regardait maintenant en souriant.

— On voudrait parler, dit le moustachu. Ça pourrait te permettre de sauver ta peau…

Patricio secoua son cou, le tournant dans un sens puis dans l'autre, tâta sa nuque… Non, rien n'était cassé. Mais que lui voulaient-ils, ces deux-là ?

— Parler, parler… Je vois pas bien de quoi…

Reprenant vite confiance en lui, il essayait de voir à qui il avait affaire. Le type avec le pistolet, à l'allure de *gringo*, semblait le plus dangereux, mais il en avait raisonné d'autres en faisant sauter leur arme d'un coup de pied. Quant à l'autre, c'était un véritable paquet de muscles – mais les muscles ne servent à rien si l'on n'est pas entraîné à la bagarre, et

Patricio avait suivi le cours des Buenos Aires Bodyguards. Ortega lui avait payé deux semaines de formation avant de l'embaucher, et il n'en était pas peu fier.

Oui, Patricio était un pro ; il allait vite reprendre l'avantage.

Il sautilla d'un côté puis de l'autre, comme il l'avait vu faire dans les feuilletons américains, mais Hector lui attrapa l'avant-bras en un clin d'œil et le plaqua de nouveau contre le mur, plus violemment que la première fois.

Sa tête heurta la paroi, il crut qu'elle allait se briser. Puis cette brute, ce paquet de muscles aux bras de python qui avait déjà manqué lui tordre le cou lui envoya son poing dans l'estomac.

Le rouquin se plia en deux. La bière ingurgitée remonta le long de son tube digestif. Roy attendit quelques secondes qu'il se ressaisisse, puis il sortit son automatique.

— Tu connais la roulette russe ? Je vais te faire une confession : j'adore les jeux de hasard, mais aujourd'hui je suis pressé, vraiment très pressé. Alors, j'ai un peu triché ; j'ai laissé deux balles dans le chargeur. Tu préfères parler ou commencer à jouer ?

Le *gringo* parlait l'espagnol avec un accent effroyable, mais son pistolet, lui, ne tremblait pas. Les maffieux de Miami, qui roulent en Ferrari dans les feuilletons mexicains, ont parfois ce genre de tête, mais l'inconnu semblait encore plus dangereux. Il s'exprimait comme celui qui a un boulot à faire et veut s'en acquitter au plus vite.

— Alors, tu veux commencer la partie ?

— Attendez, *che* ! On peut parler, je n'ai rien contre, mais qu'est-ce que vous voulez, au juste ?

Patricio sentit sa gorge se comprimer. Y avait-il un rapport avec l'Anglaise ? Bon Dieu ! Si c'était ça, il allait avoir du mal à s'en tirer…

Roy le regardait avec dégoût. Avec son pantalon tombé en accordéon sur les jambes, son teint écarlate, ses taches sur la joue, luisant de sueur et puant la bêtise, le rouquin était ridicule. Kruger l'aurait presque pris en pitié s'il n'avait pas tué l'un des mimes par imbécillité, comme on cogne sur quelqu'un qui vous a regardé de travers dans un bar mal famé. L'enlèvement, c'était plus que probable, avait été organisé par un autre. Ce patapouf aux allures de chérubin maudit en paraissait bien incapable...

— La *chica* ! La fille ! Où est-elle ? Si tu réponds, on te laisse tranquille. Parole d'honneur !

Puis, regrettant aussitôt d'avoir employé cette formule dont le rouquin, ce pourceau qui semblait ne pouvoir répondre qu'à ses pulsions, ne connaissait certainement pas la signification, Kruger corrigea :

— Tu ne nous intéresses pas. C'est ton chef qu'on veut.

Patricio se dandina d'un côté, de l'autre, regarda par terre, passa la main sur son pantalon...

— La fille ? Mais quelle fille ? Il n'y a pas de filles, ici, rien que de vieilles édentées. Vous recherchez quelqu'un, j'ai compris, mais je ne suis pas du coin...

Fallait-il tout avouer ou bien essayer de leur raconter des histoires ? Après tout, que savaient-ils au sujet de l'Anglaise, enchaînée dans sa chambre à quelques kilomètres de là ? Rien. Ils ne pouvaient pas savoir qu'elle était là. Le moustachu et le *gringo* avaient simplement reconnu en lui l'homme qui avait descendu le clown aux bâtons de bois, voilà tout ! Pour le reste, ils étaient probablement dans le vague. La preuve, ils tentaient de lui tirer les vers du nez...

Tandis que ces pensées s'entrechoquaient dans sa tête, Patricio reniflait, nettoyait d'un coup de langue le haut de ses gencives et essayait de se concentrer.

— Bon, d'accord. C'est vrai, j'étais avec le vieux quand ça s'est passé, mais on s'est séparés depuis. Je ne sais pas où il est. La fille est partie avec lui ; moi, je suis revenu ici. Je travaille comme chauffeur à la Serena, c'est pour ça qu'ils m'envoient chercher du ravitaillement.

Il tenta de donner à son visage une expression chaleureuse.

— Chauffeur. « Bonjour », « bonsoir », on ne dit jamais rien aux chauffeurs, vous comprenez ?

Comme Roy ne l'avait pas interrompu, le rouquin se sentit pousser des ailes. Le *gringo* ne parlait plus de roulette russe et son compatriote, l'Argentin aux cheveux noirs, l'écoutait maintenant les bras croisés, un petit sourire en coin. Ils avaient sûrement marché ! Mais le sourire se transforma soudain en grimace :

— Tu vas crier très fort, *chanchito*[1], si tu continues à faire l'imbécile ! Comme un porc dans la bouillasse quand on l'emmène aux abattoirs ! Tu vas couiner encore plus fort, *hijo de puta* ! Le monsieur a oublié de te dire : la roulette russe, c'était pour la fin.

Puis, sans prévenir, l'Argentin lui balança son poing dans l'estomac, lui releva alors la tête et le frappa sur la tempe. Une fois, deux fois... Le pourceau était de l'espèce de ces petits salauds qui avaient torturé sa mère quand elle avait disparu sous la dictature. Hector voulait lui fracasser le crâne, mais Kruger l'interrompit :

— Je suis sûr qu'il va tout nous dire...

Puis, s'adressant à Patricio :

— Ce que vient de dire mon ami est vrai : la roulette russe, c'est en fin de parcours. Un supplément gratuit, en quelque sorte, pour éviter la monotonie. Alors, où est la fille ?

Le rouquin se tâta la joue droite, couverte de sang. La brute lui avait amoché la dentition, sa mâchoire était en feu.

Il respira lourdement, le pistolet toujours braqué sur lui. Le *gringo* avait vissé un silencieux, preuve qu'il ne plaisantait pas.

— Bon, je vais vous expliquer. Mais faudra me croire, cette fois !

Il n'allait tout de même pas se laisser dépecer pour sauver son patron ! D'accord, Ortega l'avait toujours payé rubis sur l'ongle, mais il le considérait comme un moins que rien et lui donnait des ordres, sans considération ni respect. Il l'avait même humilié devant la fille pour une malheureuse caresse.

— J'y suis pour rien, *che* ! Bon, pour la *gringa*, c'est vrai. Mais j'étais le chauffeur, rien de plus !

Patricio avait enfilé la cagoule sur la tête de l'Anglaise, c'est lui aussi qui l'avait ligotée, mais, puisque les deux hommes ne pouvaient pas connaître ces détails, ce petit mensonge était sans danger.

---

1. « Porcinet ».

— Le mime voulait me tuer avec ses projectiles, alors je me suis défendu, c'est tout. Ç'a été plus fort que moi. Pour le reste, je sais pas bien…

Puis, comme Hector se rapprochait, l'air mauvais :

— Pour la fille, vous avez raison. Elle est là, dans l'*estancia*… mais je ne sais pas pourquoi. J'ai obéi aux ordres, c'est tout. Maintenant, laissez-moi partir.

— On va te laisser filer, dit Roy. Mais où est-elle exactement ?

— Dans un dortoir utilisé par les employés.

— Et l'*estancia* ? Et les gardes ? Qu'est-ce que tu sais des gardes ?

Le rouquin haussa les épaules.

— Alors ça, j'en sais rien ! La technique, c'est pas mon fort… Ils ont des écrans, c'est tout ce que j'ai vu. De la vidéo. Je sais pas comment ça marche, mais le chef – pas le mien, l'autre, le patron des ouvriers –, il surveille ça toute la journée.

Patricio commençait à craquer.

— Là, je sais pas, vraiment ! J'étais venu chercher de la glace au chocolat, c'est tout, avec de la crème Chantilly !

— Parfait, dit l'Américain. On va te laisser partir comme promis. Tu vas retourner à l'*estancia* et raconter tout ça à ton patron.

Le rouquin jeta un coup d'œil incrédule en direction de l'Américain, puis vers Hector. Pourquoi le libéraient-ils sans autre formalité ? Était-ce un piège ? L'Américain n'avait pas rangé son pistolet.

— Je peux m'en aller, vraiment ?

— C'est ce que je viens de dire.

Le rouquin hésita encore quelques secondes, puis marcha lentement vers la sortie des toilettes. Allaient-ils se jeter sur lui, ou bien lui tirer dans le dos ?

Dehors, Patricio tâta sa poche. La clé du 4×4 y était encore. Bon Dieu ! Il avait sauvé sa peau ! Il se précipita vers la voiture, mit fébrilement le contact et démarra sur les chapeaux de roue.

Hector et Roy le regardèrent disparaître dans un virage.

— Pourquoi l'avoir laissé filer ? demanda l'Argentin.

— Pour faire monter la pression. Son patron saura qu'on est là, et il va se poser des tas de questions. Lui qui se croyait en sécurité, il va guetter tous les bruits, désormais. Les nerfs, ça se travaille… Il faut le faire craquer petit à petit pour qu'il relâche Jane sans l'abîmer.

L'épicerie était fermée, la rue était déserte, la chaleur avait bâillonné les oiseaux.

— Allons du côté de l'*estancia*! dit Roy.

Le rouquin avait parlé de caméras vidéo. Où étaient-elles? Couvraient-elles toute l'enceinte de la propriété? Peut-être un angle mort pouvait-il permettre de tenter une percée?

19

« Des inconnus enlèvent en plein centre-ville un mannequin anglais. » La nouvelle s'étalait en deuxième page de *La Razón*.

Attablé au lugubre café Dorrego, un ancien magasin de graines et d'épices de San Telmo au sol carrelé, aux tables en bois noir et au comptoir strié d'inscriptions au couteau, Bruno Casaletti écrasait un à un ses mégots dans le cendrier.

La Razón expliquait que le restaurateur s'appelait Roy. Le policier n'eut aucun mal à reconnaître le pilote qu'il avait recommandé à Ortega.

« Sale affaire ! pensa Casaletti en jetant un coup d'œil sur ses escarpins de lézard noir. Me voici dans un beau pétrin... » Le policier avait commandé plusieurs espressos, tourné des dizaines de fois sa cuillère dans les petites tasses, y ajoutant tant de sucre que le mélange l'écœurait, mais aucune idée ne lui était venue à l'esprit.

Coupable ? Non coupable ? Il était les deux à la fois. Coupable d'avoir aidé Ortega, mais non coupable dans la mesure où il ignorait alors ce que Luis avait en tête. C'est en tout cas ce que son avocat essaierait de démontrer à la cour...

Bruno sentit son estomac se contracter. Quelle idée avait-il eue, bon Dieu, de se mêler de cette histoire ? Certes, il avait ignoré qu'Ortega allait s'emparer du trésor d'Evita et qu'il avait décidé de se débarrasser de l'Américain, mais c'était lui, en revanche, qui l'avait mis sur la piste de ce mannequin anglais. Et maintenant, c'était du sérieux : complicité d'enlèvement – voire de meurtre, si Luis venait à tuer la fille. Bon Dieu !

Il était 14 h 30. Une vieille dame coiffée d'un chapeau de paille décoré de fleurs artificielles entra avec son chien et alla s'installer près de la fenêtre qui donnait sur une boutique d'antiquités. L'épagneul commença à le fixer en remuant ses oreilles.

« Que me veut-il ? se demanda le policier. Les chiens ont du flair, ils savent souvent ce que cachent les humains. Il me plaint, peut-être ? Ou alors, il pense que je suis un imbécile ? Dans les deux cas, il a raison... »

Puis le chien ferma les yeux. Bruno tira la jambe droite de son pantalon pour éviter de le marquer aux genoux.

Il avait bien de la chance, cet épagneul ! Sa maîtresse ne lui refusait rien, il avait un poil luisant, passait régulièrement chez le vétérinaire, vivait une vie fastueuse. Casaletti, lui, portait bien une cravate de soie violette avec pochette assortie, un blazer noir et une chemise crème en coton léger spécialement faite pour les après-midi torrides de Buenos Aires, mais à quoi tout ceci lui servirait-il en cellule ? Les prisons argentines sont terribles, en particulier pour les flics. Les détenus ne le rateraient pas.

Songeant aux outrages qu'allaient bientôt subir ses deux fesses rebondies, Bruno jeta un coup d'œil en direction du chien endormi, commanda l'addition et fouilla sa poche à la recherche de trois pesos, furieux contre lui-même et jaloux du chien qui le narguait malgré lui.

En sortant quelques billets crasseux de sa poche, il tomba sur une carte de visite : *Alvaro Santos, Ministro del Interior.* En haut, l'emblème de l'Argentine, deux mains serrées sous un bonnet phrygien, le tout entouré de fleurs de lys et surmonté d'une moitié de soleil ; en bas, griffonné au stylo à bille, le numéro de portable du ministre. Il le lui avait donné au cimetière de la Recoleta.

Bruno se souvenait encore très précisément de ses paroles : « N'arrêtez personne sans m'en parler, et maintenez-moi au courant des moindres détails de votre investigation. »

Casaletti n'avait pas exactement suivi ces consignes, mais enfin il avait le numéro personnel du ministre : il pouvait l'appeler à l'heure qu'il voulait sans passer par tous les barrages, et en évitant, surtout, son adjoint Marco Stein, le pachyderme.

Bruno se gratta le menton, hésitant. Avant de se rendre au commissariat pour y signer de la paperasse, il se dit qu'il pouvait encore flâner à San Telmo. Il n'avait de toute façon pas le cœur à aller traîner ailleurs aujourd'hui pour flairer les bonnes affaires.

Il commanda un *licuado*, un citron pressé allongé d'eau.

Santos... Oui, il avait son numéro de téléphone, mais à quoi pouvait-il lui servir ? En qualité de ministre, Santos avait la police sous ses ordres, une partie des services spéciaux, ces gorilles qui l'avaient accompagné au cimetière de la Recoleta et d'autres encore, plus discrets, mais tout ceci lui serait-il d'une utilité quelconque s'il était accusé de meurtre ?

Santos était maître dans l'art de manœuvrer les flics, de les orienter vers de fausses pistes, de bloquer des enquêtes, de ralentir le travail des juges... Oui, il avait beaucoup de pouvoir, cet Alvaro Santos, derrière ses petites lunettes cerclées et son allure d'expert financier ! Mais comment s'en faire un allié en cas de pépin ? Afin qu'il mette tout son poids dans la balance pour tirer Casaletti d'affaire, il fallait lui rendre un très grand service, un service dont il se sente redevable à jamais et qu'il soit obligé de toujours se rappeler.

Le garçon apporta le *licuado*. Le jus de citron vert n'était pas frais et avait un goût amer, mais Bruno l'avala d'un trait, ragaillardi par sa réflexion.

Un grand service en échange d'un grand service. Il avait le cadre de l'accord – les cases, en quelque sorte. Restait à les remplir. Pour la sienne, il n'avait pas de difficulté : « Je compte sur votre compréhension, monsieur le ministre, s'il surgissait des malentendus sur mon rôle dans cette affaire... » L'autre case, en revanche, demeurait vide. Que pouvait-il offrir à Santos en échange de son éternelle reconnaissance ?

Et s'il lui déballait tout ? Le ministre ne savait certainement pas qui avait défoncé le tombeau, et la perspective de coffrer Ortega pouvait l'intéresser. Bien sûr, il avait orienté l'affaire sur des sectes, mais Casaletti, qui avait du flair, était persuadé que cette hypothèse n'avait servi qu'à amuser la galerie. La vérité était que le ministre ne savait rien.

Laissant flotter son regard sur les affiches de Marilyn Monroe collées au mur, Bruno imaginait déjà le discours qu'il servirait à Santos : « J'étais sur le coup depuis un petit moment, je vous avais même mentionné un suspect. Eh bien ! *ministro*, j'ai fait des recoupements. Je me suis rappelé la conversation que j'avais eue avec un indicateur, un drôle de type, un certain Ortega, qui m'avait donné l'impression d'être sur un gros coup. Je ne voulais pas vous en parler avant d'avoir tous les éléments, blablabla… C'est pourquoi je vous appelle seulement maintenant… »

Comme le serveur avait mis un CD de Fiorentino, un chanteur de tango des années 1940, la salle du café Dorrego lui parut soudain plus gaie, avec ses armoires vitrées pleines de bouteilles de vermouth Gancia et d'amaretto. Plus gaie, ou plus sinistre encore ? Cela dépendait de l'humeur du moment. Bruno en avait assez de ces airs nostalgiques qui ne rimaient plus à rien. L'épagneul, en tout cas, semblait trouver la musique entraînante. Il s'était levé et tirait sur sa laisse.

Alvaro Santos, Ministro del Interior. Casaletti tournait et retournait sa carte de visite. Le ministre finissait probablement de déjeuner. Il était délicat de l'appeler alors qu'il était peut-être en discussion avec d'autres personnes, mais il avait précisé : « Appelez-moi sans hésitation. » Et puis, personne ne l'avait obligé à lui donner son numéro de portable. S'il l'avait fait, c'est bien qu'il était prêt à être dérangé à toute heure du jour et de la nuit…

Bruno n'arrivait pourtant pas à se décider. Et si Santos, dans un accès subit d'honnêteté, refusait le marché ? Il pouvait le faire arrêter en compagnie d'Ortega, ou même lui seul s'il n'arrivait pas à mettre la main sur Luis, et Bruno mijoterait alors en prison pour quelques années. Pourtant, quelle autre option lui restait-il ?

Ortega avait enlevé la fille, il se ferait coincer. On remonterait jusqu'à lui, il serait foutu, sans aucune possibilité de se défendre. Il prendrait le double, peut-être le triple d'années de prison.

Dans le café, des *valsecitos*, ces valses du temps passé à se tirer une balle dans le crâne, prirent le relais des tangos de Fiorentino. *Roses d'automne, Petit morceau de ciel...* Bruno connaissait par cœur ces succès d'Alberto Podestá et de Nelly Omar. Ah ! comme Buenos Aires resplendissait, à l'époque ! En écoutant ces violons, Bruno faillit se mettre à pleurer, mais il se ressaisit. Ce n'était pas le moment de flancher.

S'il allait au-devant des autorités, n'écoutant que son devoir et sa conscience de flic honnête, cela pouvait marcher, cela devait marcher.

Il sortit de sa poche un aérosol à l'eucalyptus, s'aspergea le fond du gosier et, se redressant sur sa chaise comme s'il avait eu Santos en face de lui, composa le numéro du ministre.

Celui-ci finissait de déjeuner à La Bourgogne, un restaurant français de Buenos Aires aux tarifs exorbitants. Décor minimaliste, sièges de cuir rouge, tartelette feuilletée aux cuisses de grenouille et lièvre au vin de Syrah. Il terminait son repas avec un café et un cognac.

L'enquête sur le saccage du tombeau d'Evita n'avait pas avancé, mais le trait de génie de son adjoint Marco Stein, son idée de secte nécrophile, avait porté ses fruits. Les journalistes s'étaient rués dessus comme des fourmis sur du sucre. Les obscurs adorateurs de cadavres qu'ils avaient fini par retrouver s'étaient bien sûr défendus de tout lien avec cette affaire, mais les médias ne s'étaient pas déclarés vaincus pour autant. L'envoyé spécial d'un journal à sensation assurait ainsi avoir découvert, en Bolivie, un village indien où les descendants des Incas perforaient les crânes des défunts et buvaient leur sang dans de petites coupelles en or. Le journaliste avait laissé entendre que ces communautés avaient des ramifications en Argentine et qu'ils pouvaient ainsi avoir été à l'origine du coup. Tout était inventé, naturellement, et le reporter fut expulsé pour insulte au peuple bolivien, mais la nouvelle avait fait grand bruit.

Santos, qui avait fini son cognac, avait déjà sorti sa Dunhill quand son portable fit vibrer la poche de sa veste. Peu de personnes avaient ce numéro : ses proches collaborateurs, son épouse et quelques amis triés sur le volet.

— Casaletti ? Bruno Casaletti ? marmonna-t-il en entendant le policier se présenter. Pardonnez-moi, mais je ne vois pas…

En tassant le tabac dans sa pipe, il fouilla dans ses souvenirs et finit par se remémorer le flic : dentition de cheval, costume de lin, sourire mielleux et manières affectées.

— Mais oui, bien sûr ! Je me souviens ! Que se passe-t-il, commissaire ?

Tout lui revint d'un coup en mémoire : le flic avait repéré un suspect, mais n'avait pas donné suite. Et maintenant ?

— Êtes-vous sûr de ce que vous avancez ?

Santos pâlit à l'écoute du boniment que Bruno lui servait. Il avait réussi à étouffer l'affaire et à lancer les journalistes sur de fausses pistes, et voici que ce policier corrompu affirmait avoir identifié l'auteur du casse ! Restait que, officiellement, puisque le gouvernement n'avait jamais admis l'existence d'une cache dans le tombeau d'Evita, il n'y avait pas eu de cambriolage.

Ce témoignage tombait vraiment mal. À vrai dire, c'était même une catastrophe. Si ce crétin vendait la mèche, l'hypothèse de la secte tomberait à l'eau, et les journalistes dénonceraient l'incompétence du gouvernement, en particulier celle du ministère de l'Intérieur. Et ce ne serait pas le pire ! L'honneur du péronisme étant en jeu, les conservateurs s'en donneraient alors à cœur joie. De très mauvais souvenirs seraient remués, on relancerait des affaires de corruption, on ternirait l'image du justicialisme. Tout cela était regrettable, extrêmement dommageable pour l'image du gouvernement.

Santos remonta ses lunettes et regarda sa Rolex. 15 heures. Vu les circonstances, il était préférable de rencontrer immédiatement Casaletti pour lui tirer les vers du nez, mais certainement pas au ministère. On se demanderait pourquoi le ministre recevait le commissaire – ou commissaire adjoint, il ne se souvenait plus au juste. Non, ici, à La Bourgogne, ce serait parfait.

— Rejoignez-moi, *comisario*. Vous connaissez l'endroit ? Bien, je vous attends, nous parlerons de tout cela. Venez immédiatement.

Santos raccrocha, prit une mignardise et se dirigea vers le bar, où il n'y avait personne. On s'y arrêtait plutôt avant le déjeuner et puis l'endroit, avec son mobilier moderne un peu défraîchi, ne respirait pas la gaieté.

Un exemplaire de *La Nación* traînait sur l'une des tables. On y annonçait la tenue d'une grande marche contre l'insécurité. Encore une pierre dans le jardin péroniste...

Santos essaya de lire l'éditorial, mais il n'arrivait pas à se concentrer.

S'était-il trompé ? Peut-être ce flic n'avait-il rien repéré du tout et cherchait-il seulement à se mettre en valeur pour avoir de l'avancement. À titre personnel, l'homme ne lui inspirait pas confiance, et il avait en outre une très mauvaise réputation, qu'on lui avait confirmée quand il l'avait accosté au cimetière. Tout était donc possible. En revanche, s'il avait vraiment une piste sérieuse, il faudrait trouver un moyen de le faire taire, d'étouffer l'affaire.

Santos réfléchissait encore à cette question quand la silhouette de Casaletti apparut à l'entrée du bar.

Bruno le gratifia d'un large sourire, comme s'ils avaient usé leurs culottes sur les mêmes bancs d'école, et s'assit à sa table. Hâbleur et prétentieux. Santos n'aimait pas le flic, et le flic le lui rendait bien.

Casaletti connaissait La Bourgogne, mais il ne fréquentait pas ce genre d'établissements. Non seulement le patron ne lui aurait fait aucune réduction, mais il refusait en outre de supporter les regards méprisants du personnel. Le maître d'hôtel l'avait d'ailleurs dévisagé de haut en bas avant qu'il prononce le nom de Santos, et le commissaire adjoint ne se sentait pas à l'aise. Son domaine à lui était la rue, les petits trafiquants, les gogos à plumer, les commerçants à qui offrir une protection, et non pas cet endroit où flottait à l'heure des repas une odeur de secrets. Pas comme les siens, non, de vrais secrets qui se chiffrent en millions de dollars, des conspirations qu'on se souffle à l'oreille, en fin de repas, dans la fumée des havanes.

— Alors, commissaire ? Je ne m'attendais plus à votre coup de téléphone.

Santos l'appelait « commissaire » alors que Bruno n'était qu'adjoint, mais c'était plus simple ainsi, et puis Casaletti se sentait flatté. C'était également une façon de lui signifier que sa promotion était acquise.

Le ministre lui fit signe de rapprocher son fauteuil.

— Auriez-vous une piste sérieuse pour l'affaire de la Recoleta ?

Depuis quelques jours, le gouvernement ne parlait plus du « casse » du tombeau, et encore moins de la « profanation » de la dernière demeure d'Evita. Le mot « affaire » était privilégié. Accolé à un nom de lieu, il pouvait signifier n'importe quoi. Oubliés, le marbre défoncé, le gardien mort et son chien étranglé. Il s'agissait désormais d'une « affaire » parmi d'autres, dont le souvenir, espérait-on, allait se dissoudre dans le flou de la terminologie.

— Le pillage du tombeau ?

À ces mots, Santos faillit lâcher son verre.

— Que voulez-vous dire ?

Casaletti n'avait pas prévu cette réaction du ministre. Il s'attendait plutôt à des « nous ne savons pas » ou à des « toutes les hypothèses sont permises »… Bruno le sentait bien, le gouvernement ne voulait entendre parler ni de trésor ni de butin, et lui, pauvre imbécile maladroit, venait de mettre les pieds dans le plat.

Vite, répondre à une question par une autre question. Pour se sortir d'affaire, Bruno avait toujours apprécié cette méthode. C'était dans d'autres circonstances, avec des dockers du port qui l'accusaient d'avoir empoché une partie des pots-de-vin qu'ils recevaient pour décharger des pièces de Mercedes de contrebande, mais la technique valait dans tous les milieux, dans les bas-fonds comme dans les salons.

— Vous ne pensez pas comme moi ?

Le visage de Santos se renfrogna. Le flic était moins stupide qu'il ne paraissait. Où voulait-il en venir exactement ? Il avait obtenu ce rendez-vous sous prétexte d'avoir des renseignements à fournir, et voilà qu'il se permettait de questionner un ministre. Pour qui se prenait-il ?

Santos regarda sa montre pour se donner une contenance.

— Venons-en aux faits, commissaire : tenez-vous un suspect ?

— Absolument, monsieur le ministre, un homme que je surveillais depuis pas mal de temps, et dont le signalement correspond exactement à celui de l'homme vu la nuit en train de quitter le cimetière de la Recoleta.

Dios mío, comment éviter le pire ? Tout n'était peut-être pas perdu : Casaletti n'avait peut-être pas identifié le type avec certitude, et l'on pouvait encore espérer s'en sortir. Santos s'engouffra :

— L'un de ces cinglés, adorateurs de Satan ou autres sectes nécrophiles ? Beau travail, mais alors comment s'appelle sa confrérie ? Les Adorateurs de la Lune, ou quelque chose dans le genre ?

Puis, désignant un tabloïd qui traînait sur la table :

— Tenez, on en découvre tous les jours ! Il paraît même que des écoliers organisaient tous les samedis des orgies sataniques dans un cimetière de Tucumán...

Ortega en adorateur de Satan, en chef d'une secte satanique ? Casaletti n'avait pas pensé à cette option, mais elle ne collait pas avec le personnage. Tout se serait effondré à l'arrestation de l'intéressé. Non, Bruno ne devait pas entrer dans le jeu du ministre, mais dire la vérité, en insistant sur les aspects positifs de son action. Il avait déjà commis assez d'erreurs depuis le début de cette affaire pour ne pas compliquer encore le dossier.

— Non, monsieur le ministre, je ne crois pas à cette piste. Je n'y ai d'ailleurs jamais cru.

Santos lui lança un regard désagréable, mais Casaletti continua :

— Notre homme est beaucoup plus dangereux. Je le soupçonne même d'avoir été mêlé à... comment dirais-je ? aux activités des Services, à l'époque du gouvernement militaire.

Casaletti avait su choisir ses mots. Santos était certes ministre d'un gouvernement péroniste, mais il appartenait à l'oligarchie qui avait soutenu la junte. La plus grande prudence était donc de mise : en Argentine, le vocabulaire employé valait proclamation politique.

— Qu'est-ce que c'est que cette histoire, commissaire ? Un paramilitaire, dites-vous ?

— Ou quelque chose d'équivalent. Il faudrait bien sûr enquêter plus avant, mais, quand j'ai voulu le faire, eh bien! les documents de l'état civil avaient été effacés… Notre homme dirigeait Protector, une agence de sécurité de la rue Florida. Il a disparu.

Santos mordillait sa pipe pour se donner une contenance. À cause du zèle de cet imbécile, le casse de la Recoleta risquait bien de se transformer en affaire d'État – à moins que l'on puisse présenter cet individu comme un exalté.

— Et pourquoi aurait-il saccagé le tombeau?

— Pardi! Pour s'emparer du trésor qui y était caché!

Casaletti en avait assez de jouer au plus fin. Il partit dans un grand éclat de rire.

— ¡ *Una fortuna, che!* C'est ce qu'il m'a dit, et je l'en crois capable!

Santos se fit tout expliquer puis, soupçonneux, interrompit son interlocuteur au bout de quelques minutes:

— Récapitulons, commissaire. Vous connaissez un individu qui est sur le point de commettre le casse du siècle, c'est le moins qu'on puisse dire, mais… comment pouvez-vous être au courant de ces détails? À moins que ce ne soit vous qui lui ayez soufflé le nom de ce pilote, auquel cas vous seriez une sorte de…

Casaletti ne le laissa pas terminer:

— Complice, je sais. Et c'est la raison de mon coup de fil, je souhaite éviter tout malentendu. Le type me demandait comment évacuer rapidement la marchandise vers le Paraguay, et je lui ai répondu en riant: « Eh bien! *che*! tu n'as qu'à trouver un pilote d'hydravion! »

— Mais comment savez-vous qu'il a effectivement pris cet hydravion?

— Il me l'a dit lui-même, *ministro*. Ortega m'a tout raconté: ils se sont battus, et l'Américain s'est emparé du butin. Un trésor, *ministro*! Il y avait une fortune sous le marbre, et ce bandit était furieux de s'être fait doubler. Il m'a menacé de mort si je ne lui donnais pas des renseignements sur l'Américain, alors j'ai paniqué, *ministro*, je lui ai filé le nom de l'Anglaise… Mais jamais je n'aurais pu imaginer qu'il l'enlèverait!

Bruno s'arrêta, satisfait de sa prestation. Il avait reconnu ses torts, se présentait comme une victime, et Santos disposait désormais de tous les éléments pour mettre Ortega hors d'état de nuire. Quant à l'Américain, il se débrouillerait avec la justice : ce n'était pas sa priorité.

— Vous avez bien fait de venir me voir, *comisario*. C'est en effet, euh… une affaire assez compliquée.

En d'autres circonstances, si le trésor avait été déposé dans le coffre d'une banque et si Casaletti était venu donner au ministre les noms des braqueurs, celui-ci l'aurait gratifié d'une tape dans le dos et d'un généreux sourire. Mais le trésor ne se trouvait pas au Banco de la Nación. Il provenait du tombeau d'Evita, et cela changeait tout.

— Avec des implications, vous le comprendrez, qui dépassent largement celles d'un simple hold-up.

« Implications » ? Qu'entendait-il par là ? L'enthousiasme de Casaletti retomba brutalement. Santos le fixait d'ailleurs avec une expression ambiguë qui pouvait signifier « que va-t-on faire de lui ? », mais il se ressaisit et vida sa pipe dans le cendrier.

— Bien sûr, je sais où vous joindre, mais veuillez noter vos coordonnées personnelles sur ce petit bout de papier, je vous prie.

Il déchira une feuille de son calepin.

— Si j'ai besoin de vous parler, ce sera plus rapide. Appelez Marco Stein pour lui donner toutes les informations dont vous disposez, et surtout…

Il s'arrêta quelques secondes, ménageant son effet.

— Discrétion absolue ! Je vais demander un rendez-vous auprès du Président. Et n'ébruitez rien ! Pas de rapport, pas d'avis de recherche, rien, absolument rien ! Cette affaire doit rester un secret entre vous et moi… et Marco, bien sûr, j'ai toute confiance en lui. Ne parlez surtout pas de cette cache dans le tombeau d'Evita, m'avez-vous bien compris ?

Casaletti voulut esquisser un sourire, mais sa mâchoire s'était crispée. Ni Ortega, ni l'Américain, ni l'Anglaise n'intéressaient le ministre, mais seulement le fait qu'il y ait eu une cache dans le tombeau.

— Puis-je vous déposer quelque part ? demanda Santos pour dégeler l'atmosphère.

En temps normal, Casaletti aurait été ravi de profiter des sièges en cuir de la Mercedes, mais il avait envie de retourner seul au commissariat, après s'être arrêté dans un café pour réfléchir au calme. Il avait voulu clarifier la situation, et celle-ci semblait lui échapper encore un peu plus.

— Non ? Eh bien, je dois prendre congé, conclut Santos en se levant.

Les deux hommes se dirigèrent vers la sortie, puis Alvaro grimpa dans sa limousine, abandonnant Bruno sur le trottoir. Casaletti regarda s'éloigner la Mercedes dans la rue Ayacucho, songeant que ces sales airs de tango l'avaient peut-être mal inspiré. Il n'aurait sans doute jamais dû venir ici. Des oiseaux de malheur ! voilà ce qu'ils étaient tous, ces chanteurs des années 1940, à vous remuer les tripes !

Puis il avisa, un peu plus loin dans la rue, un cireur de chaussures. Quelques minutes à se faire cirer les escarpins lui clarifieraient l'esprit, pensa-t-il naïvement.

Il ignorait que sa conversation avec le ministre venait de signer son arrêt de mort.

20

Les rues d'El Cruce étaient désertes.

Roy regarda disparaître dans le ciel blanchâtre le tourbillon de poussière du 4×4. Il but la moitié de la bouteille d'eau qui traînait sur l'une des tables de l'épicerie, puis la passa à Hector. Un vent sec brûlait la Pampa, soulevant de fins nuages de poussière sur le village endormi. Seule la frappe d'un marteau venait rompre le silence.

Roy repensa soudain à l'homme aux cheveux longs qu'ils avaient croisé en chemin, couché sous son break.

— Tu crois que ce type accepterait de nous emmener à la Serena ?

— Tous les gens du coin doivent avoir peur de se frotter aux gardes. Mais on peut toujours essayer.

Les deux hommes quittèrent l'épicerie et repassèrent devant la haie de conifères desséchés. Le vieux break gisait toujours sur le bas-côté, mais la réparation devait être terminée, puisque l'homme aux longs cheveux retirait son cric. Il avait enlevé sa chemise, son torse squelettique était plein de taches d'huile.

— Ça vous dirait de gagner quelques dollars ? demanda Roy.

L'Argentin s'essuya les mains sur son pantalon et ramena ses cheveux noirs en arrière. Depuis le krach, un dollar valait trois pesos, et quelques billets verts étaient une chance inespérée dans un coin pourri comme El Cruce, où le seul événement était le passage du car de Bolivar, tous les jours vers 10 heures.

— On voudrait aller à la Serena.

Puis, pour lui éviter d'avoir à réfléchir :

— Dix dollars, ça vous irait ? Comment vous appelez-vous ?

— Pablo.

— Eh bien, Pablo ? *¿ Trato hecho*[1] *?*

Kruger sortit des billets de sa poche.

— À la Serena ?

— Oui, c'est à une quinzaine de kilomètres, d'après la carte. Vous nous raccompagnerez ensuite au terrain d'aviation, c'est d'accord ?

L'Argentin ayant soudain changé d'expression, Hector pensa que la partie s'engageait mal.

— Mon ami voudrait voir à quoi ressemble une *estancia*. Comme il y en a une dans le coin, c'est l'occasion, pas vrai ? Vous connaissez la route ?

— Oh ! je pourrais y aller les yeux fermés ! J'y ai même bossé, avant qu'ils me mettent à la porte. Je travaillais pas assez dur, à ce qu'ils disaient, et depuis, je crève la faim. Si je n'avais pas cette vieille guimbarde pour faire un peu le taxi, je serais déjà mort, ou alors j'aurais dévalisé un bureau de change…

— Eh bien ! dit Roy en tendant son billet. Nous tombons donc à pic !

Pablo remuait la tête de droite à gauche, comme s'il cherchait à se débarrasser d'une contraction musculaire.

— La Serena, hein ? À votre place, j'irais pas me balader dans le coin. Allons à la Ponderosa, près de Bolivar. Ils y donnent des cours de barbecue aux Japonais, à 150 dollars la séance. À la Serena, non, j'irais pas, si j'étais vous. Ils n'aiment pas les étrangers.

— Qu'est-ce qu'on risque ?

— Ce qu'on risque ?

Pablo passa un pouce sur son cou.

— Une balle dans la peau. Si vous avez envie d'aller voir les champs, pas de problème, mais je pense pas que ce soit ce

----

1. « Marché conclu ? »

qui vous intéresse, pas vrai? La maison, non, on peut pas s'en approcher. Même les travailleurs agricoles sont tenus à l'écart...

Roy et Hector se regardèrent, sans rien dire.

— Pas moyen de l'apercevoir depuis le chemin?

— Non, impossible de la voir derrière les arbres, et aucun véhicule ne passe le portail sans être annoncé. Sinon, le flic a vite fait de rappliquer avec sa Jeep.

— Quel flic?

— Zarate. Un ancien policier de Bolivar, le chef de la sécurité. Il a une demi-douzaine de gardes sous ses ordres, avec fusils et pit-bulls, et personne ne peut s'approcher de la vieille maison. Non, je vous assure, allons plutôt à la Ponderosa, c'est moins dangereux.

La conversation risquait de s'éterniser, et Kruger pensait au rouquin, qui devait déjà être en train de raconter sa mésaventure à Ortega. Il sortit alors une liasse de billets et fixa Pablo droit dans les yeux:

— C'est la Serena qui m'intéresse, vous comprenez? Combien voulez-vous pour nous emmener là-bas? 20 dollars? 40?

L'Argentin baissa le regard. C'était une fortune, mais, si les types de la Serena repéraient sa voiture, ils descendraient au village pour lui demander des comptes, et il avait peur de Zarate, l'homme au chapeau. Il l'avait vu tabasser des ivrognes qui s'étaient approchés trop près de la maison. Les gars pouvaient lui casser les os, brûler sa voiture, le laisser pour mort dans un fossé.

— 100 dollars?

Roy sentait que l'homme allait lui échapper.

— 500! Je vous offre 500 dollars.

Il sortit cinq billets et les montra à l'Argentin.

— 200 tout de suite, et le reste quand vous nous aurez ramenés à l'avion. Ça vous prendra une demi-heure, pas plus, le temps d'y aller et un quart d'heure sur place.

500 dollars? 1 500 pesos! C'était une somme énorme. L'Argentin déglutit et se mit à réfléchir. Une petite route longeait la Serena et filait vers San José, un autre patelin des

environs. Si on venait lui chercher des ennuis, il pourrait toujours dire que ses clients voulaient voir le village avant de reprendre leur avion. Après tout, il n'était pas interdit d'aller à San José, ni même de s'arrêter en chemin près de l'*estancia*. Mais pas longtemps, quelques minutes seulement, comme pour prendre l'air.

— D'accord, dit finalement l'Argentin, mais on s'attardera pas.

Puis il tendit la main pour empocher les dollars.

— J'espère que la voiture ne va pas nous laisser en plan…

Il ouvrit la porte arrière d'un coup de poing pour permettre à Roy de monter. Hector s'assit à l'avant. Le moteur démarra instantanément.

La Renault roulait dans un bruit assourdissant. La transmission et les cardans donnaient l'impression de lâcher à chaque tour de roue, et l'Argentin arriva difficilement à passer la seconde, mais la voiture finit par s'assagir et prit un peu de vitesse.

— Les amortisseurs sont morts ! annonça le conducteur en évitant un trou.

La route n'était pourtant pas en si mauvais état, mais les passagers se seraient crus à bord d'un 4×4 sur une piste des Andes. Les banquettes défoncées sonnaient la ferraille. À chaque ornière, les trois hommes bondissaient. Quand la voiture manqua se briser dans un trou, Hector se cramponna à un reste de poignée.

— Voici l'entrée du domaine, dit enfin le chauffeur en désignant du doigt la barrière devant laquelle s'était arrêté Ortega. Je vais prendre sur la droite, vers San José.

Au bout de un kilomètre, l'Américain tapa sur l'épaule du conducteur et lui demanda de s'arrêter. La route filait le long de l'*estancia*, séparée du domaine par un talus de quelques dizaines de centimètres de hauteur. Le chauffeur gara le break près d'un bosquet d'arbustes jaunâtres, puis il descendit.

Les bâtiments de la Serena étaient juste en face, à deux ou trois kilomètres à vol d'oiseau, cachés derrière un bouquet d'arbres. Avec ces tours de guet dressées aux alentours, on aurait dit un camp de prisonniers.

Roy regretta de ne pas avoir apporté de jumelles pour vérifier les installations, probablement munies de caméras vidéo. Quiconque s'approcherait à découvert serait immanquablement repéré. Il faudrait donc opérer de nuit, monter sur l'une des tours, neutraliser une caméra et se risquer ensuite entre les bâtiments. Resterait à déterminer l'endroit où se trouvait Jane, et les possibilités semblaient infinies.

— Ça me semble assez grand, dit Kruger en se tournant vers l'Argentin. Vous connaissez les lieux ?

— Pas très bien. Il y a la maison principale, toujours fermée, et le bureau, plus deux ou trois bâtisses qui servent de logements pour le personnel. Les jours de paie, les ouvriers font la queue sous la surveillance de gardes armés. Interdit de s'éloigner ou d'aller voir ailleurs : on passe à la caisse et on dégage !

Jane pouvait être n'importe où : dans l'une des dizaines de pièces de la maison de maître, enfermée dans une grange, ou encore dans une dépendance de l'administration. Impossible de privilégier une piste.

L'Américain regardait à droite, à gauche, mémorisant chaque détail. Ils n'étaient clairement pas assez nombreux pour tenter un coup de force. Il aurait fallu une dizaine d'hommes au moins pour neutraliser toutes les sentinelles et surprendre les gardiens de la jeune femme sans leur laisser le temps de réagir.

— Tirons-nous ! dit Pablo, soudain très nerveux. Ils vont finir par se demander ce qu'on fait là.

À trois kilomètres de là, dans le centre de contrôle vidéo de l'*estancia*, Mauricio, le préposé à la surveillance, commençait lui aussi à devenir nerveux. Zarate avait embauché cet ancien réparateur de télévisions au gros ventre et au teint visqueux pour ses connaissances en électronique. Il assurait aujourd'hui la maintenance des installations et surveillait les écrans pendant les plages de repos des autres vigiles.

Quand Mauricio avait aperçu la voiture d'El Flaco[1] sur l'un des moniteurs, il ne s'en était pas inquiété tout d'abord.

---

1. « Le maigrichon ».

El Flaco faisait souvent le taxi ; il devait donc simplement conduire des clients. Mauricio s'était alors replongé dans la lecture d'un vieux numéro de *Computer Weekly*, mais le break avait brusquement stoppé le long de la clôture, et deux hommes qui lui étaient inconnus en étaient descendus. Mauricio connaissait pourtant tout le monde au village...

Aucun doute : le grand blond et l'autre ne venaient ni d'El Cruce ni des alentours. Mauricio se souvenait maintenant qu'un avion avait ronronné dans le ciel en fin de matinée. Il n'y avait pas prêté attention, mais peut-être ces deux hommes étaient-ils arrivés avec l'appareil ? Quand bien même, la réponse à cette question n'aurait pas résolu le problème principal : pourquoi diable stationnaient-ils maintenant en lisière de la propriété ?

Mauricio décrocha le téléphone intérieur et appela Zarate. C'était le début de l'après-midi. À la Serena, tout le monde faisait la sieste, sauf les gardiens en patrouille autour des bâtiments. Zarate s'était assoupi sur son lit, tout habillé, une tapette à mouches à la main.

— Désolé de vous réveiller, *jefe*, mais il y a un problème.

Mauricio avait une peur bleue de l'administrateur. Zarate mesurait près d'un mètre quatre-vingts et lissait toujours sa moustache en parlant d'une voix forte.

— Quel problème ?

— Des gens qui observent l'*estancia*, de la route de San José.

Zarate se redressa sur le lit et secoua la tête.

La veille au soir, il avait fait la fête au Capricornio, un bar à putes de Bolivar, et en était revenu vers 5 heures du matin, le crâne dans un étau. La matinée avait été un calvaire. Il avait à peine échangé quelques mots avec Ortega et s'était recouché, sans même enlever ses bottes, après avoir avalé un sandwich au poulet.

Il renifla et regarda l'heure.

— Quelles gens ?

— El Flaco et des inconnus. Ils sont arrêtés sur le bord du chemin depuis une demi-heure.

— J'arrive ! grommela Zarate.

Il rentra sa chemise dans son pantalon. El Flaco ? Cet abruti allait le regretter ! Si quelqu'un savait qu'on ne doit pas s'arrêter longtemps près de la clôture, c'était pourtant bien lui !

Zarate détestait le propriétaire du break. Jamais content, toujours en train de râler ou de discuter les ordres. En d'autres temps, il l'aurait fait embarquer par les brigades spéciales qui parcouraient la région, mais cette belle époque était révolue.

L'administrateur remonta son pantalon, s'aspergea le visage et quitta ses appartements pour se rendre au poste de surveillance, un bâtiment entouré de lauriers-roses et d'arbres de la Pampa, avec, sur le toit, une antenne radio de plusieurs mètres.

Le technicien entendit des pas crisser sur le gravier, puis la silhouette de Zarate apparut dans l'embrasure de la porte.

— Ils sont toujours là ?

— Toujours, *jefe*. Regardez.

La salle de contrôle comprenait quatre moniteurs reliés aux tours de vigie, plus un écran d'ordinateur sur lequel on pouvait appeler l'une ou l'autre des images pour zoomer sur certains détails. Zarate ne comprenait rien à l'informatique, mais il était fasciné.

— Tu pourrais grossir les trois silhouettes ?

— Bien sûr, *jefe*.

Mauricio tapota sur son clavier, centra une croix sur le groupe et rapprocha au maximum les images des trois hommes.

— Vous avez entendu l'avion, *jefe* ?

— Quel avion ?

Mauricio eut peur d'avoir posé la question de trop.

— J'ai pu me tromper, mais j'ai entendu comme un bruit de moteur à la mi-journée.

« Juste au moment où je dormais, pensa Zarate. Pas de chance. »

— Il volait haut ou bas, cet avion ? C'était pas compliqué de voir s'il allait se poser !

— Je sais pas, *jefe*, je suis resté devant les écrans.

Zarate était furieux. Mauricio lui faisait songer à ces masses blanchâtres qui s'accrochent aux rochers, sans qu'on sache si elles appartiennent au règne végétal ou animal. Il n'avait aucune initiative et restait affalé sur son siège pendant des heures. Mais il est vrai qu'il était bon, et même excellent, quand il s'agissait de réparer des circuits défaillants ou de trafiquer des logiciels.

Zarate se sentait mieux qu'à son réveil, mais sa tête était encore lourde, et puis cette voiture qui stationnait sur la route sans qu'on sache pourquoi, cet avion qui avait survolé le coin… La situation l'énervait. Ah ! ça se serait déroulé autrement quand il était à la police de Bolivar ! Il savait alors tout ce qui se passait à plusieurs dizaines de kilomètres à la ronde. D'ailleurs, quand le général Videla, patron de la junte militaire, était venu en tournée dans le coin, il avait tenu à le féliciter.

Et voilà où il était aujourd'hui, à la Serena… Chef de la sécurité, certes, mais sans aucun moyen d'action à l'extérieur de la propriété. C'était d'autant plus rageant que ses successeurs à Bolivar n'agissaient pas contre les délinquants. Zarate avait parfois envie d'aller faire des rondes lui-même, le soir venu, à El Cruce ou à San José, pour ramasser les petits voyous et leur faire passer l'envie de recommencer à coups de cravache. Dans ce domaine, il savait s'y prendre aussi bien que des types comme Ortega ou d'autres paramilitaires envoyés par la centrale. Mieux qu'eux, d'ailleurs : Zarate restait persuadé qu'avec lui on n'aurait pas eu tous ces problèmes.

Sur l'écran, les trois silhouettes stationnaient toujours près de la clôture, tandis qu'El Flaco faisait de grands signes avec ses bras.

— On va leur donner une leçon, grommela Zarate.

Il attrapa une radio VHF et appuya sur la touche émission. Les gardes postés sur les tours de vigie portaient tous des radiotransmetteurs branchés sur la même fréquence, qui changeait tous les jours pour éviter que des petits malins s'amusent à écouter leurs conversations. À cent kilomètres à la ronde, personne ne disposait de scanners, mais c'était une mesure de prudence. « On ne sait jamais, répétait Zarate. Par les temps qui courent, tout est possible. »

— Quelqu'un aperçoit-il les types qui stationnent près de la clôture ?

Deux gardiens postés côté sud répondirent « oui » en même temps.

— Qui est le plus près ?

L'un des vigiles ajusta le viseur de son M-24 avant d'annoncer :

— D'ici, je pourrais facilement me les payer tous les trois. ¡ *Chuk, chuk !* Ils s'en rendraient même pas compte !

— Ne fais pas l'andouille, Humberto ! On n'est plus les maîtres, ici. Il faut leur faire peur, c'est tout. Compris ?

— Parfaitement, *jefe*, répondit le garde en épaulant.

Il jubilait. On n'avait pas tous les jours l'occasion de s'exercer sur des cibles réelles, et son fusil avait une détente très douce qui contribuait à la précision du tir.

Par lequel des trois allait-il commencer ? El Flaco ? Oui, ce serait amusant de le voir sauter, courir comme un lapin au milieu des balles, se protéger derrière sa voiture ! Ou bien le grand type musclé au T-shirt noir qui ressemble à un dresseur de chevaux ? À moins qu'il ne vise le grand blond au blouson et aux cheveux mi-longs ? Le garde hésitait comme devant un buffet de pâtisseries.

— Alors ? tonna Zarate dans le VHF. Tu te décides, oui ?

— J'y vais, patron. Ils vont décamper, ne vous inquiétez pas.

Les jambes d'El Flaco tremblaient déjà. Pour lui, ils étaient arrêtés depuis bien trop longtemps sur la petite route, mais ses deux clients, le *gringo* surtout, continuaient de discuter tout en évaluant des distances. Ils semblaient planifier quelque chose.

— Vous ne les connaissez pas ! dit El Flaco. Ça va mal se terminer, ces gars-là sont des cinglés, et je…

Il n'eut pas le temps de finir sa phrase que des coups de feu claquaient déjà. Une balle frappa une grosse pierre à deux mètres de ses chaussures, d'autres vinrent marteler le gravillon du chemin.

— Je vous avais prévenus ! dit l'Argentin en fonçant vers le break. Ils tirent d'abord à côté, mais après ils visent les jambes…

Le garde posa son fusil pour attraper sa VHF :

— Vous avez vu El Flaco, boss ? Il a détalé comme un cabri ! Je vais lui en remettre un peu pour qu'il coure plus vite.

— Occupe-toi des autres, au lieu de t'amuser ! répondit Zarate, les yeux rivés sur l'écran. Ils se sont couchés au sol.

Roy et Hector s'étaient jetés derrière un talus dès les premiers coups de feu, mais ils n'étaient pas totalement à couvert. De son poste, le garde pouvait encore les descendre comme des lapins.

Hector vit le chauffeur courir vers la voiture et se tourna vers Roy :

— Il va filer, *che*! et nous laisser en plan ! On fait quoi ?

La joue dans la poussière, l'Américain répondit posément :

— On va se lever et marcher tranquillement vers la voiture. On serait déjà morts, s'ils l'avaient voulu.

Hector lança un regard inquiet à Roy. « Marcher tranquillement », la bonne blague ! Comment être tranquille, quand un cinglé vous tire comme du gibier ?

— J'ai reconnu la détonation. C'est une arme de précision, utilisée par les snipers de l'armée américaine. Avec ce genre de fusil, il faudrait être aveugle pour rater sa cible ! Ils ne veulent donc pas nous tuer, juste nous éloigner. Levons-nous, fais-moi confiance !

Roy se redressa, prit le temps d'épousseter son blouson et se retourna quelques secondes vers la tour d'où étaient partis les tirs. L'Argentin se mit debout à son tour, puis ils se dirigèrent tous deux vers la voiture.

— Ils s'en vont, annonça le garde dans le micro de son VHF, mais je vais leur faire passer l'envie de revenir.

Puis, sans attendre la réponse de Zarate, il ajusta son viseur et vida le chargeur autour des deux hommes. Comme autant de grêlons, les balles dessinèrent des traînées dans la poussière.

El Flaco enclencha la première, entreprenant de faire demi-tour.

— Je vous l'avais dit, bon Dieu ! Vous étiez prévenus ! Maintenant, je vais vous ramener à El Cruce, et vous allez me donner le reste de mon argent !

Il braqua à fond, manqua de peu le fossé, et reprit le chemin qu'ils avaient emprunté à l'aller.

Kruger était déçu. Il avait pensé que le chauffeur de taxi avait exagéré, que la réaction des gardes ne serait pas si rapide, mais il avait pu constater qu'Ortega et sa bande étaient protégés par une véritable armada devant laquelle il se sentait impuissant.

Peut-être aurait-il dû négocier avec le tueur et lui rendre les pierres précieuses ? Mais comment être sûr qu'il n'aurait pas tué Jane de toute façon ? N'aurait-il pas mieux valu tout raconter à la police argentine, malgré les risques ? Au gouvernement, personne n'avait intérêt à ce que cette affaire s'ébruite. On pourrait même s'arranger, en haut lieu, pour faire supprimer tous les témoins.

S'il s'était agi d'un enlèvement comme un autre, la police fédérale serait intervenue sans états d'âme, mais la situation était exceptionnelle. Face à la légende d'Evita, la vie d'une jeune Anglaise ne pèse absolument rien.

Zarate observa la voiture disparaître du champ des caméras vidéo et lissa machinalement sa moustache, pendant que Mauricio s'affaissait de nouveau devant les écrans.

— Tu devrais faire un peu de sport, pour faire marcher tes muscles. Ça te redonnerait du tonus. Prends exemple sur moi, dit-il en frappant le bas de son abdomen : cinquante-cinq ans, et pas un poil de graisse ! Ce que j'en dis, c'est pour ton bien, hein ? J'aime que les gens de mon équipe se sentent bien dans leur peau.

La porte du centre s'ouvrit brusquement, Ortega fit irruption dans la salle. Il avait des cernes sous les yeux et paraissait furieux.

— C'était quoi, ces coups de feu ?

Zarate le toisa de son mètre quatre-vingts. Décidément, Luis commençait à s'empâter. Il aurait dû faire de la culture physique lui aussi, mais le moment semblait mal choisi pour lui donner des conseils de cet ordre.

— Des rôdeurs, au sud de la propriété. On leur a fait peur, ils sont partis à toute allure.

— Des rôdeurs ? Par une chaleur pareille ? Non, ils cherchaient quelque chose. Où est Patricio ?

— Je l'ai entendu se garer sous le peuplier.

— Vous avez un enregistreur, je suppose ?

— Bien sûr, intervint Mauricio. Tout est numérisé.

— Repassez-moi les images.

257

Zarate eut envie de rétorquer à Ortega qu'il était le seul à donner des ordres à la Serena, mais il garda pour lui cette remarque. Luis était protégé par la Hermandad, et la Hermandad avait de l'argent et de nombreux appuis – Zarate avait eu tout le loisir de le vérifier depuis qu'il dirigeait l'*estancia*. Malgré son mètre quatre-vingts et ses bottes lustrées, Oswaldo Zarate ne se sentait pas de taille à discuter avec ces gens-là. Ils étaient trop dangereux.

— Fais ce que dit M. Ortega ! aboya l'administrateur à Mauricio.

Le technicien souleva sa bedaine, rapprocha son siège de l'ordinateur, tapota sur le clavier, attendit quelques secondes, puis remplit une ligne d'instruction.

— Quelle période vous intéresse ?

— Remonte au moment où tu as vu arriver la voiture, dit Zarate. Tu devrais t'en souvenir, c'est toi qui m'as alerté.

Puis, pour se donner de l'importance aux yeux d'Ortega, il en profita pour préciser :

— Je ne pouvais pas être là, je consacre toujours les débuts d'après-midi aux tâches administratives.

Mais Ortega ne l'écoutait pas.

— On y est ! dit Mauricio. La voiture arrive, se gare sous l'arbre, et les trois types en descendent. El Flaco et les deux autres.

— Arrête l'image, demanda Ortega.

Mauricio cliqua sur l'écran, Luis approcha son visage.

— Vous recherchez quelqu'un ? demanda Zarate, soudain inquiet.

Luis observait l'écran sans répondre. Il ne reconnaissait pas le premier homme, mais il n'avait aucun doute sur l'identité du second, le grand blond aux cheveux mi-longs : c'était le pilote de l'hydravion.

Comment savait-il qu'Ortega se cachait à la Serena ?

— À votre place, je ferais renforcer les gardes, recommanda Luis. Il est possible qu'on ait encore de la visite.

L'administrateur le poursuivit jusqu'à la porte.

— Dites, vous les connaissez ?

— Pas vraiment. Mais l'un des deux, le blond, a quelque chose à voir avec la fille. Disons que nous sommes en discussion. Et les tractations de ce genre durent toujours très longtemps...

Sans comprendre précisément, Zarate soupçonna une prise d'otage : le blond voulait sans doute récupérer la fille, et Ortega posait ses conditions.

Luis s'arrêta un instant, puis, pour le plaisir de remuer les tripes de ce poseur de Zarate, qui lui rappelait Casaletti en version *gaucho*, ajouta :

— J'oubliais : le blond est américain.

Zarate fit la grimace. Un *gringo* ? On n'en voyait pas souvent, dans le coin. Et le type allait certainement revenir, il ne se serait pas déplacé pour rien.

— *Señor* Ortega ?

— Oui ? dit Luis en se retournant.

— Il faudrait conduire la fille dans le tunnel. On a toujours procédé comme ça quand des policiers sont venus de Buenos Aires. Les bouches d'aération permettent de respirer plusieurs jours et puis, l'Américain pourra prétendre ce qu'il veut, personne ne lui mettra la main dessus.

Le tunnel faisait partie des installations de l'*estancia* qui avaient survécu à l'époque de la dictature militaire, quand la Serena servait de centre de détention. La Hermandad avait fait démolir des salles de torture et un petit hôpital où l'on réanimait les détenus entre deux séances, mais certaines des installations souterraines avaient été conservées, pour que les hôtes de passage puissent s'y réfugier au besoin.

— J'y pensais aussi, dit Ortega, qui connaissait le tunnel. Installez-lui un matelas, et prenez ses affaires. Je me charge de la préparer.

Cette expression bien à lui signifiait qu'il allait la bâillonner et la ligoter de façon à la réduire au silence le plus complet.

Tandis que Zarate partait donner ses instructions, Ortega posa la main sur le capot du 4×4 avec lequel Patricio était allé au village. Le moteur était encore chaud.

Pourquoi le rouquin était-il resté là-bas si longtemps ?

D'un coup de pied, Luis poussa la porte de la chambre de Patricio, et le surprit la tête sous le robinet.

— Alors ? dit-il en s'approchant du lavabo. Je crois que tu as beaucoup de choses à me raconter…

Le rouquin se frotta les yeux.

— J'ai un peu tardé, c'est vrai, *jefe*. Je suis resté boire un coup à l'épicerie après avoir fait les courses.

Cherchant une serviette, il jeta un regard furtif en direction d'Ortega, dans l'espoir qu'il goberait son mensonge.

— T'es quand même pas resté deux heures à boire de la bière ?

Le rouquin se moucha dans une feuille de papier hygiénique.

— C'est vrai, j'ai fait une bêtise.

— Quelle bêtise ? demanda Ortega, qui ne pouvait s'empêcher de penser encore à l'Américain.

— La femme d'un ouvrier agricole. On a un peu discuté, ses enfants étaient à l'école… Et elle m'a amené chez elle.

— Et alors ?

— Eh bien ! pas besoin de vous faire un dessin, boss… Sauf que je me suis endormi, après, à cause de la bière.

— Endormi ?

— Ouais, comme une masse. C'était une vraie salope, cette fille !

— Mais je m'en fous, de la fille ! Qu'est-ce que tu lui as dit ?

— Rien, boss, rien du tout ! On a bu de la bière, on a un peu regardé la télé en mangeant une pizza, et puis…

— Elle t'a pas demandé ce que tu foutais à El Cruce ?

— Comme ça, juste en passant. Je lui ai dit que j'étais chauffeur.

Puis le rouquin passa la serviette sous le robinet pour se nettoyer le visage, évitant ainsi de croiser le regard de son patron. Il était stupéfait d'avoir si bien menti.

— Bon, grogna Ortega, habille-toi.

Luis s'était bien demandé si le rouquin ne lui racontait pas des histoires, mais il le jugeait incapable d'avoir inventé un tel épisode. Et puis, il était effectivement assez bête pour être allé boire des bières avec cette fille, au lieu de revenir rapidement à l'*estancia*.

— Prends une pioche et va creuser une fosse. Après, tu reviendras me voir.

Si la situation se dégradait, Ortega tuerait la fille et enterrerait le corps pour protéger la Hermandad, comme on l'avait fait naguère avec une dizaine de disparus jetés dans une fosse commune, à une cinquantaine de mètres des peupliers. Ensuite, il quitterait l'*estancia* et repartirait de zéro contre l'Américain.

Un moteur d'avion résonna dans le lointain. Luis se précipita à l'extérieur. Le bruit provenant d'El Cruce, l'appareil venait sans doute de décoller. Ortega eut un petit sourire : c'était certainement Kruger qui s'en retournait à Buenos Aires. Non seulement il repartait bredouille, mais Ortega avait toujours sa meilleure carte en main : l'Anglaise.

Passant la main devant ses yeux pour se protéger de la luminosité, il aperçut après quelques minutes une tache blanche dans le ciel. L'avion se rapprochait...

Dans le cockpit, Kruger cherchait à repérer l'*estancia* en volant à basse altitude. Le Beech était stabilisé à 2 000 pieds, et la route qui menait à la Serena était parfaitement distincte.

— Nous y voilà ! dit l'Américain en inclinant l'aile sur la gauche.

Hector aperçut le portail d'entrée, le chemin où ils s'étaient arrêtés, puis Roy poussa le manche de l'autre côté, pour virer à droite et perdre encore de l'altitude. 1 500 pieds, 1 000 pieds. L'avion volait à 130 nœuds, comme s'il avait été en approche.

Kruger vit alors le 4×4 du rouquin, la grande maison de maître à colombages, des hommes qui couraient autour des bâtiments, et, près d'une maison, une petite silhouette immobile qui semblait regarder vers le ciel.

Ortega. L'Américain était sûr que c'était Ortega.

Il redonna un peu de puissance à l'appareil, vira à grande inclinaison et repassa encore plus bas au-dessus des bâtiments, frôlant presque les grands peupliers, avec le fol espoir d'apercevoir le visage de Jane à travers une lucarne.

Loin, trop loin de la petite fenêtre et enchaînée à un anneau cimenté, l'Anglaise avait entendu comme tout le monde le grondement des moteurs. Elle allongea le cou pour tenter de voir un morceau de ciel, mais c'était impossible. L'avion passa une nouvelle fois, presque en rase-mottes, puis s'éloigna. Le grondement des moteurs disparut.

La jeune femme s'allongea sur le sol, sale, ébouriffée, les fers des menottes lui brûlant la peau. Ses vêtements sentaient l'humidité, le plâtre des murs et l'odeur du bétail.

Était-ce le Beech de Roy qu'elle avait entendu, ou bien un de ces avions-taxis qui font la navette entre Buenos Aires et les *estancias* du coin ? L'Américain était certainement au fait de son enlèvement, et, dans ce cas, il devait sûrement tout faire, avec son frère, pour la retrouver. Mais comment y parvenir, dans cette immense Pampa ?

Quand Jane entendit du bruit dans le couloir, elle leva les yeux vers la porte.

Ortega était entré dans la cellule.

21

Dans le cockpit, l'ambiance était sinistre. Tandis que défilait la Pampa sous les ailes de l'avion, Roy et Hector étaient perdus dans leurs pensées, songeant à Jane, prisonnière dans cette *estancia* gardée par une bande de tueurs.

Roy avait survolé une dernière fois la Serena, puis appelé le contrôle pour monter au niveau 200 en route vers Buenos Aires. Avec 40 nœuds de vent arrière, le vol retour allait être encore plus rapide que l'aller.

L'Américain mit l'avion en palier, enclencha le pilote automatique et se tourna vers Hector :

— Il faut trouver autre chose, attaquer l'araignée qui a tissé cette toile, la liquider, l'empêcher de nuire. Sinon, ce sera l'échec. Ces gens-là se croient très forts, ils entretiennent une milice privée au vu et au su de tous, tirent sur les individus qui osent s'arrêter près de l'*estancia*, et tout ça à quelques centaines de kilomètres de Buenos Aires, sans que personne y trouve à redire.

Se mêlant à la brume du soir, des stratocumulus morcelés couvraient l'horizon. En temps normal, un tel spectacle aurait eu sur Kruger un effet apaisant, mais aujourd'hui, même la voix rauque et les slows nostalgiques d'Andrea Berg n'auraient pas suffi à le détendre.

Kruger se rappelait une histoire similaire qui s'était déroulée au Chili. Une colonie allemande, dirigée par un ancien caporal de la Wehrmacht, avait servi de centre de torture aux sbires du général Pinochet – c'est du moins ce qu'on avait lu dans les journaux, Kruger n'avait pas approfondi la question. La différence était qu'au Chili le nouveau régime avait détruit l'araignée, la colonie avait été démantelée et ses dirigeants incarcérés, de sorte qu'il n'y avait plus eu d'État dans l'État. Dans d'autres pays latino-américains, en revanche, les séquelles du passé n'avaient pas encore été éliminées. Et Kruger n'ignorait pas que, pour mener à bien une telle mission, un homme seul, perdu dans le puits sans fond de l'Histoire, ne peut rien.

L'approche de l'Aeroparque privilégiait les avions de ligne, mais il se montra cette fois de bonne composition : il prit le Beech en contrôle radar pour l'amener directement sur l'axe de percée. Vingt minutes plus tard, il était en finale sur la 13 et posait l'avion sur la piste.

Le ciel était invisible, mousseux, sans relief, comme les pensées qui agitaient le cerveau de Roy. Il stationna l'appareil à l'endroit habituel pour que l'employé d'Aeroservice le tracte jusque dans le hangar, puis descendit du Beech, sa mallette à la main.

Les bijoux d'Evita…

La nature de ce trésor était la clé du problème. Il ne s'agissait pas simplement d'argent, butin anonyme dont le recel eût été facile, mais de symboles lourds de sens et d'histoire. C'est cette particularité, Kruger n'en doutait plus, qui brouillait les pistes et empêchait toute tentative de raisonnement logique. Il se dit qu'il allait lui falloir observer attentivement le trésor pour en comprendre le sens caché.

Désormais, Ortega et sa bande savaient qu'ils avaient été repérés. Qu'adviendrait-il si le tortionnaire quittait précipitamment les lieux avec Jane ? Mengele, le médecin d'Auschwitz, était passé d'un pays à l'autre, aidé par un réseau de complicités et de corruptions, et la Hermandad disposait certainement de ses propres relais en Amérique latine. À l'époque des dictatures militaires, quand les pays du sud du continent avaient formé une alliance baptisée Plan Condor, les services de chaque pays n'échangeaient-ils pas leurs informations et leurs prisonniers sous l'œil bienveillant de Washington ? Ainsi, l'Anglaise pourrait aisément être transférée au Paraguay ou au Brésil, dans une cache de la Hermandad. Il ne la retrouverait alors jamais, et tout serait perdu.

Comme Hector descendait de la passerelle, l'air abattu, Kruger tenta de lui remonter le moral.

— On va la sortir de là, ne t'inquiète pas !

— Méfiez-vous, ce pays a un double visage. Beaucoup de gens ont été mêlés à la répression. Je me souviens de ce gars qui devait témoigner dans un procès d'anciens tortionnaires. Il a disparu sans laisser de traces, alors sa famille a porté plainte pour enlèvement, mais on ne l'a jamais retrouvé. Eh bien, tout le monde pense que ce sont les gars de la Hermandad qui ont fait le coup...

Sur ces mots, l'Argentin s'éloigna, et Roy marcha rapidement vers le parking pour retrouver sa Jaguar.

Il sortit son portable pour appeler Marc, lui donna rendez-vous chez lui, puis quitta l'aéroport en remontant Libertador, cette avenue de plus d'une vingtaine de kilomètres de long qui traverse toute la banlieue colorée et bruyante de Buenos Aires, avant de déboucher dans des quartiers résidentiels aux somptueuses villas XIXᵉ entourées de gazon anglais et cachées dans des parcs.

Une demi-heure plus tard, après avoir refermé à double tour la porte de son appartement, Kruger se précipita dans le dressing, où il avait dissimulé les sacoches. Elles étaient toujours là, cachées sous une pile de chemises.

Tout était allé si vite qu'il n'avait même pas tenté de dresser l'inventaire des bijoux. Il s'était contenté d'y jeter un premier coup d'œil dans l'hydravion, puis dans l'appartement, juste avant de les cacher. Ensuite, Jane avait été enlevée, et tout s'était accéléré. Mû désormais par un étrange pressentiment, il voulait les voir de plus près.

Il sortit les sacs du placard, les transporta dans la chambre et étala leur contenu sur le lit.

Le butin d'Ortega se composait en réalité de trois parties distinctes, mais mélangées les unes aux autres. Des diamants à l'état brut, des parures et des bijoux appartenant à des familles juives, ainsi que diverses pièces de joaillerie qui portaient des symboles nazis.

Santa Evita, la madone des pauvres, qui adorait le luxe, vouait aux pierres précieuses un véritable culte. Certains témoins racontent qu'elle passait des heures à les admirer, à les choyer, plongeant ses mains dans les coffrets, portant les rivières de diamants à ses lèvres. Lors de son voyage en Espagne où elle devait rencontrer le général Franco, les diplomates espagnols avaient été stupéfaits devant le spectacle de sa garde-robe : une centaine de robes et de chapeaux, ainsi qu'un nombre incalculable de bijoux, pour une valeur de plusieurs millions de dollars.

À sa mort, tout ou presque avait disparu, mais ses joyaux réapparaissaient périodiquement dans des ventes, tel ce fabuleux collier de rubis birmans entourés de diamants que Christie's avait vendu aux enchères en 2003, à New York.

Aujourd'hui, une partie de cette fortune était là, étalée sur le lit de Roy. Des parures de citrines cognac et de turquoises, des colliers de perles au fermoir en diamants, une montre de dame Hermès des années 1930 avec un bracelet en or jaune...

Étrangement, ce luxe n'avait créé à l'époque aucune polémique, et une éventuelle révélation publique de ce trésor ne poserait pas non plus le moindre problème aujourd'hui. Les Argentins, conditionnés par la propagande péroniste, par les discours-fleuves du général et les grandes déclarations de son égérie, s'étaient laissé envoûter par la belle starlette, sans s'apercevoir que leur pays allait à la dérive. Et Evita resterait dans leur souvenir comme celle qui avait défendu les pauvres et les opprimés... D'ailleurs, ne disait-on pas que l'oligarchie avait sablé le champagne en apprenant sa mort, pendant que les serviteurs essuyaient leurs larmes dans les cuisines ?

— Tout cela ne pose aucun problème, se répéta Kruger à haute voix.

Evita provenant d'une famille très humble, les Argentins les plus défavorisés avaient été ravis de voir l'une des leurs se vêtir des plus riches parures. Elle était leur miroir, ce qu'ils auraient pu devenir ou ce qu'ils deviendraient peut-être. Un rêve vivant.

Les autres pièces du trésor, pierres à l'état brut ou diamants taillés, ne poseraient pas davantage de problème. Tout le monde connaissait la fabuleuse richesse des Perón, et personne ne s'en serait offusqué. Une question demeurait cependant : qu'est-ce qui avait bien pu pousser les dépositaires de cette fortune à cacher ces trésors dans une tombe ? N'aurait-il pas été plus simple de les vendre, puis de placer les fonds dans une banque suisse, comme le reste de la fortune du couple argentin ? Pourquoi les avoir enfouis sous le marbre ?

Kruger s'était posé la question à plusieurs reprises au cours des derniers jours. Il avait fini par trouver deux réponses.

D'abord, les admirateurs d'Evita avaient toujours fait preuve du plus grand fétichisme à son égard. Ainsi, en enfouissant tout près d'elle une partie de sa fortune, peut-être un admirateur anonyme avait-il voulu lui rendre un dernier hommage ?

Venait ensuite une explication bien plus prosaïque : ainsi caché dans le tombeau, le trésor restait à portée de main. Nul besoin de banques suisses, de réseaux ou de comptes numérotés : il suffit d'un secret bien gardé, qui ne se transmette que d'homme à homme, de génération en génération, pour que les héritiers spirituels de la starlette puissent un jour en faire l'usage qu'ils voudront.

Cherchant une idée, une piste quelconque, Roy déplaçait les parures, déposait les bagues et les pendants d'oreilles au milieu des colliers de perles, puis mélangeait l'ensemble dans des rivières de rubis et d'émeraudes, comme s'il s'était agi d'un puzzle.

Pourtant, aucun signe ne surgissait, ni rien qui pût être exploité pour obtenir la libération de Jane – à moins d'accepter de tout rendre au tueur, mais rien ne garantissait qu'Ortega tiendrait parole, d'autant que celui-ci aurait de toute façon intérêt à faire disparaître tout témoin. Ainsi, il tuerait sans doute son otage, même après avoir récupéré les bijoux.

Le reste du trésor – Roy en avait eu l'estomac serré quand il l'avait découvert à l'aéroport d'Esquina – était constitué de parures volées à des familles juives pendant la guerre et d'ornements nazis.

Bijoux nazis... Pièces d'orfèvrerie frappées de l'étoile de David...

Roy ressortit de la sacoche le presse-papier en or massif portant le nom de la famille juive que les nazis avaient certainement exterminée. Il en relut l'inscription ciselée sur le métal : *Für meinen lieben Vati. 4 Juli 1940. Heidelberg.* « Pour mon papa chéri, 4 juillet 1940, Heidelberg. »

Les relations entre les nazis et le couple Perón étaient chose connue. Des centaines de livres avaient été publiés sur le sujet, et Marc lui avait même donné des détails sur le trésor de la Reichsbank que Bormann, le bras droit d'Hitler, avait peu à peu transféré en Argentine. Beaucoup de nazis y avaient trouvé refuge après la guerre, ce que personne ne contestait plus depuis qu'Eichmann avait été enlevé à Buenos Aires par des hommes du Mossad.

Y avait-il, dans ces dernières pièces du trésor, un élément, un seul, qui pût aider Kruger ? Il avait beau réfléchir, rien ne lui venait à l'esprit.

« Je vais être obligé de négocier avec ce salaud », pensat-il en remettant les bijoux dans les sacs. Il imaginait déjà la scène : seul sur une route, dans la Pampa, lui avec les sacoches, Ortega avec Jane… Comment s'assurer que tout se passerait bien ?

Au cours des années passées à la DEA, Kruger avait été familiarisé avec ce genre de situations, mais les échanges avaient toujours eu lieu dans un espace balisé par les forces de l'ordre. Les rendez-vous n'étaient jamais solitaires, comme ce serait le cas avec Ortega. Néanmoins, si telle était la solution, il faudrait procéder ainsi. Il trouverait bien une formule pour avoir une chance de réussir, de s'assurer que son amie ne serait pas tuée.

Une idée lui vint alors à l'esprit.

Vu la configuration du rendez-vous qui serait fixé, l'Argentin ne s'attarderait sans doute pas à compter tous les bijoux. En avait-il d'ailleurs établi la liste ? Rien n'était moins sûr : il était alors bien trop pressé d'arriver à l'aéroport de San Fernando pour embarquer dans l'hydravion. Dans ce cas, Roy pourrait donc garder les bijoux ayant appartenu à des familles exterminées sans que l'Argentin s'en aperçoive. Dans ce sinistre scénario, c'était là un point positif – le seul, à vrai dire.

Kruger replaça les sacoches dans le dressing et regarda sa montre. Marc ne tarderait plus à arriver. Il passa ensuite à la cuisine pour avaler un grand verre d'eau minérale.

Il n'était pas content de lui. Sa réflexion avait un tant soit peu avancé, certes, mais la solution de l'échange ne lui disait rien qui vaille. C'était trop risqué, trop hasardeux.

L'interphone grésilla dans le hall d'entrée, et Barrington pénétra dans l'appartement. Il avait sa tête des mauvais jours, les yeux gonflés de fatigue et la barbe en épi. Il se débarrassa du sac à dos avec lequel il se promenait toujours et s'installa dans l'un des fauteuils de cuir gris du salon.

Sans perdre de temps, Roy lui expliqua que l'*estancia* était gardée par une milice, que ce serait donc une folie que de tenter d'y pénétrer seul. La seule solution était de négocier avec Ortega. Si l'on avertissait le ministère de l'Intérieur, le risque serait grand que les autorités cherchent à étouffer l'affaire et à éliminer le maximum de témoins, dont Jane. Pour la suite, ce serait facile : il suffirait au ministère de déguiser cette histoire en une prise d'otage qui aurait mal tourné…

— Je ne vois pas d'autre issue, dit Roy. Plus je décortique cette affaire pour essayer de trouver une clé, un levier, plus je m'enfonce dans des histoires abracadabrantes. Il faut revenir sur terre, être plus réaliste, oublier nazis et péronistes, se concentrer sur l'otage, la rançon et les conditions de l'échange. Il faut clarifier les choses au maximum pour commettre le moins d'erreurs possible. Et puis d'ailleurs, qu'est-ce qu'on sait des relations entre Perón et les nazis ?

Marc partit en direction de la cuisine. Il remplit un verre de glaçons tirés d'un gros réfrigérateur américain, puis revint s'asseoir avec une solide ration de Jameson à la main.

— Tout ce que je t'ai raconté l'autre jour : des histoires d'il y a soixante ans sur lesquelles les historiens continuent de s'écharper.

Kruger l'écoutait attentivement, puis son visage changea soudain d'expression. Se tapant le front, il s'exclama :

— Bon Dieu ! Comment n'y ai-je pas pensé plus tôt !

Il se leva, fit nerveusement quelques pas dans la pièce, puis, à la fois soulagé et stupéfait que l'on puisse passer si facilement à côté des données les plus évidentes d'un problème, il revint s'asseoir.

— Écoute. On sait que Perón a accueilli les nazis à bras ouverts, mais personne n'a jamais pu prouver qu'il avait été généreusement récompensé par les dignitaires du IIIᵉ Reich en fuite, pas vrai ?

— Absolument. On connaît seulement des bribes de l'histoire : les comptes suisses du couple Perón évaporés dans la nature, le décès suspect du frère d'Evita après un voyage à Genève…

Kruger lui coupa la parole :

— Le voilà, le levier qui nous manquait pour faire pression sur les Argentins et les obliger à libérer ta sœur à nos conditions ! « Nos » conditions, tu entends ? Tu ne comprends toujours pas ?

Barrington faisait la moue, ne sachant sur quel pied danser. Après tout, ils en étaient arrivés là par la faute de l'Américain, mais il se disait en même temps que Kruger était peut-être le seul à pouvoir sauver sa sœur. Et puis, pourquoi criait-il subitement victoire, après tout ce qu'il venait d'expliquer ? Il ne voulait rien en laisser paraître, mais Marc était énervé par les gesticulations de son ami.

— Voyons, Marc ! Tout le monde parle depuis des années du trésor nazi des Perón sans savoir, mais nous en avons maintenant la preuve !

Il se leva de nouveau, partit comme une flèche vers le dressing pour en revenir avec sa sacoche. Il en sortit la croix gammée sertie de diamants et les objets frappés de l'étoile de David, qu'il disposa sur la table.

— Voici la preuve que Perón a bien profité des richesses du IIIᵉ Reich ! Quelle autre hypothèse pour expliquer la présence de ces objets parmi les bijoux d'Evita ? Jane ne pèse rien face au symbole d'Evita, les Argentins seraient prêts à la liquider sans état d'âme pour ne pas salir leur idole, mais la preuve tangible, réelle, indiscutable de la collusion financière de leur Madone avec les bourreaux hitlériens vaut beaucoup plus que la vie d'une jeune Anglaise !

À ces mots, pris d'une paranoïa passagère, Kruger fit quelques pas vers la fenêtre, écarta les rideaux et jeta un coup d'œil dans la rue pour vérifier que tout était normal, avant de continuer :

— Ils ont parfaitement les moyens de cerner l'*estancia* et de libérer ta sœur, même s'il leur faut liquider quelques anciens paramilitaires. Leurs vies ne pèsent pas lourd face au danger de voir ridiculiser l'idéologie du pouvoir en place.

Marc ne comprenait pas où Roy voulait en venir.

— Et c'est là que tu interviens. Tu connais quelqu'un d'important au gouvernement ?

— Le ministre de l'Intérieur, Alvaro Santos. Enfin, « connaître » est un grand mot. Je l'ai interviewé pour un papier sur le trafic de drogue en Argentine. C'est un technocrate ambitieux. Il est mêlé à plusieurs scandales financiers mais s'en est toujours tiré sans qu'on puisse rien prouver. Une véritable crapule, sous son apparence courtoise !

— Une crapule intelligente est un partenaire idéal pour négocier.

Marc reposa brutalement son verre.

— Mais… on n'a rien à négocier !

— Bien sûr que si ! répondit Kruger en désignant la croix gammée et les autres insignes nazis. Nous avons la preuve, ici, sur cette table, qu'Evita avait bien récupéré une partie du trésor d'Hitler. Qu'est-ce que ça veut dire ? Que les adversaires du péronisme ont raison, que Perón et sa starlette étaient corrompus et se sont enrichis grâce à l'argent nazi ! Imagine que l'on découvre que des lingots d'or de la Reichsbank, cachés dans des caves du château de Windsor, ont servi depuis des années à financer les fantaisies de la famille royale anglaise. Tu ne crois pas que des voix s'élèveraient en Grande-Bretagne pour réclamer leur abdication ? Eh bien, transposons la situation en Argentine. Imagine que la presse – toi, en l'occurrence – révèle toute l'affaire : des fonds d'origine nazie cachés dans le tombeau d'Evita pour financer les activités du parti ! En pleine période électorale, le gouvernement ne s'en relèverait pas !

— Et moi non plus ! répondit Marc en se grattant la barbe. Ils me traiteraient de menteur, et je serais immédiatement expulsé…

— Pas du tout ! Ils ne pourront rien faire, puisque nous avons la preuve de ce que nous avançons. Ils seront pieds et poings liés, obligés d'accepter nos conditions. Et là, j'ai mon idée : en échange de l'envoi d'un commando à la Serena, qui prend le contrôle des installations et libère Jane, on leur rend les pièces à conviction, et, de ton côté, tu t'engages à ne pas publier une seule ligne sur cette affaire. Comme ça, tout le monde est gagnant. Sauf Ortega et sa bande, paix à son âme. Qu'est-ce que tu en dis ?

Barrington se grattait furieusement le crâne.

— Il va falloir jouer très serré. Santos est loin d'être un imbécile, il va chercher à nous piéger. Mais je suis d'accord.

Puis, raclant sa gorge irritée par le tabac :

— Il est trop tard pour l'appeler à son bureau, mais je lui demanderai un rendez-vous demain, à la première heure.

Quelle belle histoire il aurait pu écrire ! L'ombre d'un regret passa dans le regard de l'Anglais, mais tel était le métier de journaliste. Il arrivait souvent qu'on ne publie pas certaines informations, pour protéger une source ou pour ne pas mettre en jeu des intérêts supérieurs à celui, tout relatif, de quelques reprises dans la presse.

Mais Marc s'était résolu aux termes du marché parce qu'il avait aujourd'hui la meilleure des raisons de vendre son silence : la vie de sa sœur.

22

À la Serena, des *gauchos* galopaient à travers la Pampa pour rassembler les bêtes. Tandis que les sabots résonnaient sur la terre sèche, les cris des gardiens répondaient à ceux des oiseaux tournoyant dans le ciel brûlant.

Dans sa cellule, Jane eut par réflexe un mouvement de recul, serrant les lèvres pour combattre son angoisse. Ortega venait d'entrer, un sourire narquois aux lèvres.

Il dit à l'Anglaise sur un ton badin :

— Dommage que votre ami soit venu dans le coin, au lieu d'accepter mes propositions. Maintenant, je vais être obligé de vous transférer dans un endroit plus sûr, où personne ne pourra jamais vous retrouver.

Quand la jeune femme tira sur la chaîne qui la reliait au mur, la menotte pénétra encore plus profondément dans la chair de son poignet déjà ensanglanté. Elle avait demandé au rouquin de l'enchaîner à l'autre main, mais Patricio, le regard fixé sur la ligne de ses cuisses, avait refusé, sous le prétexte qu'elle n'avait pas été gentille avec lui dans la voiture.

Ortega s'assit sur un tabouret.

— Vous pensiez qu'il allait venir vous libérer, hein ? Mais personne ne s'est jamais échappé de la Casa de los Cariños[1].

---

1. La « Maison des caresses ».

C'est comme ça qu'on appelait l'*estancia* pendant la guerre...

— Quelle guerre?

— Celle contre les extrémistes. Les vaincus ont toujours tort, et on a écrit beaucoup de mensonges là-dessus. Je pourrais vous raconter des tas de choses sur cette époque...

Jane frémit. Elle ne comprenait pas parfaitement l'espagnol, mais elle connaissait *mi cariño*, « mon chéri », le mot des amoureux, et imaginait sans peine que les « caresses » auxquelles Ortega faisait allusion désignaient en réalité les coups de fouet et les décharges électriques que les détenus avaient dû recevoir ici sous le régime militaire.

— Détache-la! ordonna Ortega au rouquin, qui venait d'entrer. Et ne faites pas d'histoires, *señorita*, tout se passera bien.

Depuis l'incident dans le pick-up, le rouquin détestait la fille. Elle l'excitait sexuellement, mais le désir de l'humilier et de la brutaliser était encore plus fort. Il tira sur sa chaîne et la força à se lever comme un animal.

— Emmène-la au tunnel, et camoufle les grilles d'aération avec des branchages. Mais ne les bouche pas entièrement, qu'elle puisse respirer.

Jane trébucha et faillit tomber par terre. Ortega la retint par le bras, et l'Anglaise aperçut alors, par la fenêtre grillagée, un trou rectangulaire fraîchement creusé dans le sol, de deux mètres de long environ.

— Vous voyez, on a pensé à vous, au cas où ça tournerait mal... Mais tout se passera bien, ne vous inquiétez pas.

Pauvre fille... Il savait bien qu'elle n'avait aucun rôle dans cette affaire. Il aurait aimé lui expliquer qu'il en était vraiment désolé, mais qu'il était courant, dans la vie, que certains payent pour d'autres. Elle n'aurait certainement pas compris. Pendant la guerre contre la subversion également, on arrêtait des gens innocents pour les torturer – mais c'était la guerre, et ça, personne ne le comprenait non plus...

D'ailleurs, Ortega s'en moquait. Tout cela était bien loin. La seule chose qui l'intéressait désormais était de récupérer les sacoches que lui avait volées l'Américain. Pourquoi diable ce *gringo* ne voulait-il pas lui rendre ce qui lui appartenait ? Qu'il lui tienne rancœur de ce qui s'était passé dans l'hydravion, soit, mais pas au point de se transformer en voleur ! Ortega ne parvenait pas à s'expliquer l'attitude de l'Américain.

Plus tard, il liquiderait la fille, pour éviter qu'elle n'aille révéler ce qu'elle avait vu à la Serena. C'était un travail comme un autre, mais il ne l'accomplirait pas de gaieté de cœur. Il y était forcé. Il ferait en sorte qu'elle ne s'aperçoive de rien et souffre le moins possible. Un coup de pistolet dans la nuque, par exemple.

Le soleil se couchait déjà, mais l'Anglaise fut éblouie. Les *gauchos* criaient toujours pour regrouper les troupeaux, mais le rouquin ne lui laissa pas le temps d'en voir davantage. Il l'entraîna en direction d'un pavillon délabré dont la porte en bois n'avait plus qu'un seul battant et où étaient entassés des bûches et de l'outillage de jardinerie.

Le rouquin la poussa à l'intérieur, accrocha sa chaîne à une poutre et commença à dégager les bûches. Ainsi rangés, les morceaux de bois formaient une espèce de pyramide de deux mètres de hauteur, mais le monticule dissimulait un escalier s'enfonçant dans les profondeurs. C'était une ancienne cave à vins que les propriétaires de l'*estancia*, à l'époque de la junte, avaient mise à la disposition des militaires pour y enfermer des « disparus ». La cave avait été élargie, des cellules y avaient été creusées. L'air y pénétrait par des tuyaux de zinc donnant sur des bouches invisibles de l'extérieur car couvertes de feuillages. Sauf dans le couloir central, il n'y avait pas l'électricité.

Quand il eut fini de dégager les dernières bûches qui bloquaient l'entrée, Patricio détacha l'Anglaise.

— Descends bien sagement derrière moi, poupée, je vais te montrer le chemin.

Le « tunnel » était un boyau central de deux mètres de large reliant six cellules sans fenêtre. Le béton n'avait pas souffert, mais les fers étaient rouillés, et l'air raréfié puait la moisissure. Patricio mit en route l'électricité et s'engagea dans l'escalier.

Jane eut un frisson. Il faisait plus de 30 °C à l'extérieur, mais on grelottait sous terre.

Muni d'une lampe électrique, Patricio inspecta les cellules une à une. Certaines étaient encombrées de sacs remplis de documents, d'autres, de vieux générateurs, mais Ortega lui avait précisé qu'une cellule, au fond du couloir, à droite, était vide. Patricio en ouvrit la grille, jeta un coup d'œil au plafond pour vérifier que le tuyau d'aération n'était pas bouché, puis tira violemment sur la chaîne pour faire entrer l'Anglaise. Jane fut projetée au sol.

— Installe-toi là, *puta*! Et inutile de t'égosiller, personne ne t'entendra! Je t'apporterai tout à l'heure de quoi manger. Pour faire tes besoins, il y a un trou dans le sol, là, à droite.

Il lui colla un sparadrap sur la bouche et verrouilla la grille derrière lui. La jeune femme écouta ses pas résonner dans le couloir. Quand la lumière fut éteinte, les grosses chaussures de l'Argentin martelaient déjà les marches de l'escalier. Ensuite, ce fut le bruit des bûches que l'on tassait devant l'entrée du tunnel. Puis plus rien.

Le petit rai de lumière qui filtrait de l'extérieur permettait tout juste d'avancer à tâtons dans la cellule. Le trou d'aisance, grouillant d'insectes, dégageait une odeur nauséabonde. La jeune femme écrasa une araignée qui grimpait sur sa jambe et enfouit la tête dans ses mains. Puis elle se mit à sangloter.

23

Alvaro Santos se leva pour aller chercher une boisson gazeuse dans le petit réfrigérateur de son bureau, puis il se remit à travailler.

L'endroit lui paraissait encore plus sinistre que d'habitude. Les fauteuils dorés, des copies Louis XVI, qui garnissaient un coin de la pièce ne l'avaient jamais enthousiasmé, mais l'odeur d'encaustique accentuait aujourd'hui l'aspect vieillot de l'aménagement.

Après sa rencontre avec Casaletti à La Bourgogne, le ministre n'avait pas perdu de temps. Il avait demandé immédiatement la fiche de Roy au service des étrangers, puis mis sa ligne téléphonique sur écoute, et enjoint à Marco Stein, son âme damnée, de suivre tous les déplacements de l'Américain.

Le Président avait été catégorique : pas question, en cette période troublée, de rouvrir les pages sombres du passé. Santos avait reçu carte blanche pour faire disparaître toutes les traces de cette sombre affaire, et c'est le visage blême qu'il avait fini son entretien.

Les activités des paramilitaires toujours en liberté et les liaisons dangereuses du péronisme étaient deux ingrédients explosifs qui garantissaient une crise politique majeure. « On est toujours rattrapé par son passé… » Pour les partis politiques argentins, ce proverbe n'avait jamais été autant d'actualité.

Jetant un regard haineux sur les deux ordinateurs portables posés sur son bureau qui affichaient insolemment d'impressionnants graphiques concernant la réduction de la délinquance, Alvaro songea avec orgueil que l'informatique ne serait d'aucun secours dans cette affaire. Seule la mise en branle de sa matière grise saurait porter ses fruits.

Il déplaça de quelques centimètres la photographie qui trônait sur son bureau – sa femme et ses enfants à cheval pratiquant le polo –, puis vida son verre d'eau glacée.

— Récapitulons, dit-il à voix haute pour se donner de l'entrain. Priorité numéro un : étouffer cette affaire.

Qui était au courant ? Ce flic pourri, Bruno Casaletti, l'Américain, et puis cet ancien paramilitaire, sans compter la fille. Il n'était pas certain que l'Anglaise sût pourquoi elle avait été enlevée, mais mieux valait prendre des précautions. Au total, quatre personnes. Si on les éliminait, le problème serait réglé. Ensuite, on s'occuperait du fameux trésor. L'Américain devait l'avoir déposé dans un coffre : on s'arrangerait avec la banque, une fois qu'il serait mort.

Mort.

Santos dessina une petite croix en face du nom de Roy. Oui, on saboterait discrètement son avion pour qu'il s'écrase dans la Pampa. Et qu'il ait travaillé pour Washington n'allait pas lui sauver la vie ! Cette pensée n'était pas pour déplaire au ministre, qui, comme la plupart de ses compatriotes, rêvait de villas en Floride ou en Californie, mais jouait volontiers de mauvais tours aux *gringos*.

Le paramilitaire, lui, n'avait pas encore été retrouvé, mais c'était une question de jours. Le moment venu, on ferait d'une pierre deux coups en éliminant la fille en même temps que lui. Un enlèvement qui aurait mal tourné, voilà tout. Et on ne pourrait pas dire que la police n'avait pas fait son travail…

Quant au quatrième témoin, Casaletti, on trouverait bien un moyen de l'éliminer lui aussi.

Un, deux, trois, quatre…

Alvaro tapotait sur la table en chantonnant. Si ces quatre personnes étaient éliminées, personne ne saurait jamais ce qui s'était passé.

Ne restait plus qu'à régler les détails.

Mais où était donc Marco Stein ? Santos sortit son portable pour appeler le pachyderme, qui lui répondit d'une voix essoufflée : il était dans l'ascenseur, et il avait des informations intéressantes à lui livrer.

C'est livide et le visage couvert de sueur que Stein entra dans le bureau. Il se l'essuya soigneusement avec un mouchoir, puis se précipita sur une carafe d'eau pour remplir un verre.

— L'Américain est allé hier en province, annonça-t-il sans préambule. Il s'est posé dans un coin pourri, El Cruce, près de Bolivar, et en est reparti à 16 heures. J'ai obtenu son plan de vol.

— El Cruce ? répéta Santos, interloqué.

Stein essayait de refermer les boutons de sa chemise.

— Oui. J'ai mené ma petite enquête : les Services utilisaient jadis une *estancia*, dans le coin.

Santos écoutait sans mot dire. Le récit prenait une tournure intéressante. Si Ortega avait amené la fille là-bas, tout pourrait être réglé très rapidement. Le ministre, ravi à la perspective de pouvoir donner un coup de pied dans la fourmilière de ces anciens paramilitaires qui commençaient à lui chauffer les oreilles, y voyait là une occasion rêvée.

— À qui appartient-elle, maintenant ?

— À un holding brésilien, assez opaque.

— Elle pourrait être encore utilisée par d'anciens tortionnaires ?

La question fit sourire Stein.

— Officiellement, non. On n'a jamais rien prouvé. Toutes les commissions d'enquête, parlementaires ou autres, qui sont venues sur place s'y sont cassé le nez. Ce serait une exploitation agricole comme les autres, mais j'en doute...

Santos l'interrompit :

— Envoyons une équipe du SIDE pour liquider le maximum de monde, y compris la fille ! Je commence à en avoir marre, de tous ces gars !

Marco eut un mouvement de surprise. Le plus souvent, les solutions radicales étaient à son initiative, mais Santos le devançait pour une fois. Manifestement, le petit technocrate était fort pressé de gommer les aspérités qui troublaient ses projets, fût-ce au prix de coups de mitraillette et de corps déchiquetés.

— Oui, la fille, et tout le monde avec elle ! Les ordres viennent d'en haut, et nous serons couverts, ajouta-t-il en montrant du pouce la direction du bureau présidentiel. Les hommes du SIDE ne font pas dans la dentelle : si on ne leur recommande pas de négocier, ils tireront dans le tas, et cette fois on les en félicitera, au lieu de leur servir l'habituelle ritournelle sur les droits de l'homme. Tu me suis ?

— Parfaitement, souffla Stein.

Comme il s'attendait à une réaction enthousiaste de la part du pachyderme, Santos se fit soudain plus circonspect.

— Tu sembles réservé. Quelque chose dans ce plan te paraît risqué ?

Le ministre avait le pouvoir de décider et de planifier, mais Stein était l'homme de terrain, celui qui sait détecter bien souvent les embûches. Et puis, en dépit de son physique ingrat, il avait souvent de brillantes idées, auxquelles Santos lui-même n'aurait même pas songé.

Le pachyderme, souffrant de bronchospasmes, respira profondément pour reprendre son souffle. Sa matinée avait été éprouvante, il s'était donné du mal pour dénicher l'immatriculation de l'avion de Roy et son plan de vol.

— Quand voudrais-tu lancer l'opération ?

— Le plus tôt possible. Dès que tu auras choisi les hommes.

— Il faudra intervenir par hélicoptère. Surtout, la police locale ne doit pas être mêlée à l'affaire, ou il pourrait y avoir des risques de fuites. J'ai déjà quelqu'un en vue pour piloter l'opération et s'occuper ensuite de l'Américain. Sabotage, charge explosive dans la soute... Il y a l'embarras du choix. Je ne vois pas de problème particulier.

Stein aimait ce genre de travail.

— On laissera filtrer quelques indications sur son passage à la DEA, on suggérera qu'il a peut-être été victime des représailles de trafiquants de drogue.

Santos était ravi. Une fois lancé, Stein ne s'arrêtait plus, brisant tout sur son passage comme un bulldozer de l'armée. Il se leva, fit quelques pas en direction du placard où il entreposait son cognac, mais le téléphone sonna. Il revint alors vers son bureau et décrocha. Quelques secondes suffirent pour que l'expression de son visage se métamorphose.

— Il a donné un motif ? demanda-t-il, fébrile.

— Non, répondit-on au bout du fil, mais il a dit que c'était très urgent.

— Prenez ses coordonnées, et dites que je suis en réunion.

Il raccrocha, puis, se tournant vers Stein :

— On a un problème. L'Américain me réclame un rendez-vous d'urgence. Mais ce n'est pas le pire : il veut venir avec le frère de cette Anglaise, le correspondant d'Europa News...

Un lourd silence s'imposa dans la pièce, à peine troublé par le chuintement de l'air conditionné. Bien sûr, rien ne l'obligeait à recevoir Kruger et le frère de Jane, mais il risquait alors de passer à côté d'informations importantes. Que pouvaient bien mijoter les deux hommes ? Ce n'était certainement pas pour avoir l'adresse de la meilleure *parillada* de la ville qu'ils insistaient pour venir le voir !

— Qu'en penses-tu ? demanda-t-il à Stein.

— L'Américain veut certainement négocier quelque chose, mais je ne comprends pas pourquoi il rapplique avec ce journaliste. Peut-être parce qu'il est censé connaître le pays mieux que lui ? Barrington est en Argentine depuis pas mal de temps déjà.

— Bon, dit Santos d'un ton pressé. Je vais demander à ma secrétaire de les rappeler. Qu'ils viennent au plus vite. Comme ça, nous serons fixés. Ah ! j'oubliais...

Il hésita quelques secondes avant de continuer.

— Ils souhaitent me voir seul, en tête à tête. Tu ne t'en offusqueras pas, j'espère ?

— Pas du tout, je préparerai l'opération avec les gars.

Sitôt qu'une décision avait été prise, Stein aimait foncer, et pour lui la cause était désormais entendue : on allait éliminer les témoins, et tout serait réglé ! À ses yeux, le *gringo* ne pouvait rien offrir d'intéressant, hormis son silence. S'il reposait au fond d'un trou, sous deux mètres de terre, on serait du moins assuré de sa discrétion.

Peut-être faudrait-il également prévoir quelque chose pour le journaliste ? Une attaque à main armée, par exemple ? Après tout, il n'est pas rare que des habitants soient pris pour cible par des délinquants dans les rues de Buenos Aires. Le ministère de l'Information enverrait alors des fleurs.

Stein se leva en soufflant, remonta son pantalon et se dirigea vers la sortie en traînant les pieds.

Santos, après avoir demandé à sa secrétaire de lui faire monter un sandwich et une grande orange pressée, attaqua la pile des journaux du matin entassés sur son bureau. Il était pour le moment trop nerveux pour faire autre chose.

Ces derniers jours, les problèmes s'étaient accumulés. Deux jeunes femmes avaient été assassinées au volant de leur voiture ; le président du River Plate, l'un des clubs de football les plus prestigieux du pays, avait reçu des menaces de mort, et l'éditorial de *La Nación*, le grand quotidien conservateur, était plus virulent que jamais. Si l'affaire du trésor éclatait au grand jour, c'en serait fini de la carrière de Santos. L'opposition crierait haro sur le gouvernement et le Président le lâcherait. Heureusement, tout allait être réglé bientôt. Marco ne l'avait jamais déçu.

Le ministre tourna en rond dans le bureau une heure de plus, puis il alluma la télévision, se forçant à suivre un feuilleton brésilien pour se changer les idées. La *telenovela* racontait, en quarante épisodes, les aventures amoureuses d'un homme d'affaires de Rio et de sa femme de chambre. Le moment crucial où la soubrette se déciderait à lui annoncer qu'elle attendait un enfant était imminent. La scène se déroulait dans un luxueux appartement de Vieira Souto, avec en arrière-plan quatre Cariocas[1] soignant leurs biceps à la barre fixe et, plus loin, la plage d'Ipanema.

Santos n'eut pas le temps d'écouter la réaction de l'heureux père. On sonnait à l'interphone : ses visiteurs étaient arrivés.

Il éteignit rapidement le téléviseur, sortit d'un tiroir un petit miroir pour y vérifier qu'il était bien coiffé, puis demanda à son assistante de faire entrer les deux hommes.

---

1. Habitants de Rio de Janeiro.

L'Américain, dont il avait vu les photos dans le journal après son retour en plein orage, lui déplut instantanément. Dans son impeccable costume bleu marine, il avait l'air solide comme un roc. Son visage était lisse, et son regard mit tout de suite le ministre mal à l'aise. Avant de serrer la main de Santos, Kruger l'avait fixé dans les yeux, comme pour pénétrer son cerveau. Le ministre avait été obligé de détourner le regard.

Quant à l'autre, le journaliste, débraillé et vêtu d'une veste jaune et d'un pantalon marron foncé, il était fidèle à l'image que Santos se faisait de ses confrères.

— Que puis-je pour vous? commença-t-il en invitant ses hôtes à s'asseoir autour d'une grande table de réunion.

Puis, à l'attention de Marc, qui avait posé son sac à dos :

— Permettez-moi tout d'abord de vous assurer que nous faisons tout pour retrouver votre sœur.

Santos avait jeté un coup d'œil écœuré sur la besace. Décidément, ces journalistes ressemblaient tous à des clochards.

— Nous n'allons pas tarder à libérer votre sœur, et je me rendrai moi-même sur place pour m'assurer que tout se passe bien. Nous avons des problèmes, comme vous le savez, mon cher Marc, mais notre police est de plus en plus performante. Les éléments indésirables ne sont plus maintenant qu'une infime minorité, et je dois dire que…

Il esquissa un sourire mielleux.

— Vous autres journalistes avez tendance à exagérer, mais, je le sais, les informations positives n'intéressent personne.

Santos s'arrêta net, songeant que, en accaparant ainsi la conversation au lieu de laisser parler ses visiteurs, il avait commis une faute.

D'ailleurs, depuis qu'il était entré dans le bureau, Roy n'avait cessé de le dévisager sans mot dire. Le ministre l'avait exaspéré à la première seconde. Avec sa tête ronde, ses cheveux frisés, ses petites lunettes cerclées et ses perpétuels ronds de jambe, Alvaro était exactement le genre de personnage que Kruger trouvait ridicule. Mais Barrington l'avait prévenu : sous son allure de rat d'ambassade, Santos était une vipère, un habile manœuvrier qui évitait soigneusement les opinions tranchées, donnant toujours l'impression d'être en bons termes avec tout le monde.

Comme le serpent australien de la mort qui se cache le jour sous des feuilles en décomposition, Santos était l'un des plus dangereux reptiles de la politique argentine. Néanmoins, l'Américain le regardait avec une jouissance non feinte, persuadé que Santos courberait l'échine, résigné à accepter leurs conditions.

Barrington et lui s'étaient mis d'accord sur ce point : c'est Kruger qui parlerait. Roy ne lui avait jamais expliqué pourquoi, mais il craignait toujours que l'Anglais ne s'emmêle dans ses propos. Marc n'interviendrait qu'en fin de séance, pour assener le coup fatal.

— Sale affaire, *ministro*! dit finalement Kruger en regardant Santos d'un air ironique.

— Oui, les enlèvements ont quelque chose d'horrible...

Roy le coupa :

— Je ne parle pas de Jane, *ministro*, mais d'Eva Perón, de son tombeau, de son image, du péronisme et de tout ce que vous représentez dans ce pays.

Santos serra les dents pour ne rien laisser paraître de son malaise. Il prit l'air inspiré, se tourna un instant vers Barrington, qui ne bronchait toujours pas, puis revint vers Kruger.

— Eva Perón ? Que voulez-vous dire ?

— Ce serait très gênant pour vous si l'on apportait des preuves de sa collusion avec les nazis, non ? Surtout en ce moment, en pleine campagne présidentielle, alors que le candidat péroniste sillonne le pays...

— Ce sont de vieilles histoires, répondit Santos en toussotant. Rien n'a jamais été prouvé.

— L'opinion jugera, mais des millions de dollars de bijoux cachés dans son tombeau pour financer les activités de votre parti, ce n'est pas ce que j'appelle « de vieilles histoires ».

L'insolence de l'Américain était intolérable. Il osait venir le narguer jusque dans son bureau, comme s'il était assuré de son impunité. Mais pour qui se prenait-il ? Un coup de fil pouvait suffire à le faire expulser – sans parler de l'autre solution, son avion explosant en l'air dans une boule de feu.

La présence de Stein lui manqua soudain. Sa force écrasante, son calme assassin en auraient peut-être imposé au *gringo*.

— Quels bijoux ? Quels millions de dollars ? De quoi me parlez-vous ?

Kruger le fixait intensément.

— Je suis en possession du trésor d'Evita, ou tout au moins d'une partie de ce trésor, et je connais l'homme qui s'en est emparé.

À ces mots, Santos eut du mal à réfréner son envie de hurler qu'il connaissait cette information depuis quarante-huit heures et que son adjoint était à ce moment précis en train de planifier la mort de tous les témoins du casse. Mais le ministre devait garder cela pour lui, feindre la surprise, et même, pourquoi pas, aller jusqu'à le remercier. Oui, il devait lui exprimer, en toute humilité, sa reconnaissance et celle des autorités pour l'aide inestimable qu'il leur apportait.

— C'est une révélation extraordinaire que vous nous faites là, monsieur Kruger.

Faute de mieux, c'est la phrase qui lui était venue à l'esprit. Sans doute la nervosité l'empêchait-elle de raisonner. L'Américain l'ayant pris de court, sa machine intellectuelle accusait un retard. Il se mit alors à tapoter la table avec le capuchon de son stylo et s'aperçut que l'Américain l'observait toujours.

« C'est une révélation extraordinaire que vous nous faites là, monsieur Kruger. »

Il avait prononcé cela sans trahir le moindre trouble. Maintenant qu'il avait jeté cette formule toute faite et complètement insignifiante, il attendait de tirer le maximum d'informations des deux hommes pour pouvoir mieux les contrer ensuite.

De son côté, l'Américain se sentit à son tour mal à l'aise devant les questions qui affluaient d'un coup sous son crâne. Le ministre savait-il déjà que Roy était en possession du trésor et, dans ce cas, comment l'aurait-il appris ? Un élément leur avait-il échappé ? Et qui pouvait l'avoir mis au courant ?

Il jeta un regard vers Barrington, qui se grattait désespérément la barbe. Ayant noté lui aussi que quelque chose, manifestement, leur échappait, il décida de prendre la relève :

— Un sujet en or pour les médias, *ministro* ! laissa-t-il tomber d'une voix rauque. Souvenez-vous du scandale qu'avait provoqué l'arrestation d'Erich Priebke, cet officier SS accusé du massacre de trois cent trente-cinq civils italiens et qui coulait des jours heureux à Bariloche. Il y avait même ouvert une charcuterie allemande !

Le visage de Santos se contracta. Pourquoi diable orientaient-ils la conversation vers les nazis ? Quelles cartes pouvaient-ils bien avoir dans leur jeu ? Le ministre se sentit distancé d'un coup. Lui qui se croyait en position de supériorité parce qu'il savait déjà que l'Américain s'était emparé du butin d'Ortega, il venait de comprendre qu'un élément de première importance lui manquait, un élément qui, à en juger par l'assurance des deux hommes, pourrait le faire sombrer corps et biens.

Casaletti n'avait donné aucun détail sur la nature du trésor. Il lui avait simplement confié qu'il valait des millions de dollars. Santos se remémora leur conversation à La Bourgogne, revit Bruno se contorsionner en lui expliquant qu'il connaissait l'homme qui avait saccagé le tombeau, mais non, ce grand crétin n'en avait pas révélé davantage. « ¡ *Una fortuna, che !* » C'est la seule chose que sa mâchoire de cheval avait su articuler. Et voilà que le *gringo* semblait en savoir plus que lui.

— Pourquoi me parlez-vous soudainement de ces nazis ? Priebke a été extradé, que je sache. Je ne vois pas le rapport avec notre affaire…

Regrettant aussitôt d'avoir dit « notre affaire », ce qui pouvait laisser entendre qu'ils avaient un problème commun à régler, Santos enchaîna :

— Ne nous dispersons pas. L'important est que vous soyez venus nous parler de ce casse. D'ailleurs, comment êtes-vous entré en possession de ce trésor, comme vous dites ?

Le ton de Santos était maintenant plein de haine. Peut-être Kruger et Barrington avaient-ils commis une erreur en venant se jeter dans la gueule du loup. Santos était décidément un adversaire redoutable, et l'Américain, en outre, se rendait compte à l'instant qu'il était en train de défier un État. Passé le moment de stupeur, cette pensée, curieusement, lui remonta le moral.

Il en avait vu d'autres dans la jungle colombienne, et n'allait pas se laisser impressionner par ce minable de la catégorie de ceux qui accumulent sur une étagère leurs trophées de golf ! Et puis, si horribles soient-elles, les prisons argentines seraient pour lui des hôtels cinq étoiles, en comparaison des trous à rats dans lesquels l'avaient jeté les narcos.

Barrington sentit qu'il fallait calmer le jeu. L'heure n'était pas à la dispute, mais à la négociation. C'était le but de leur visite. Et puis, les Argentins ont le sang chaud : malgré son allure de technocrate anglo-saxon, Santos avait l'air de pouvoir basculer d'un coup dans l'irrationnel.

— Ce qui nous importe, c'est la vie de ma sœur, *ministro*. Or, vous pouvez la sauver car nous savons où elle se trouve. Mon ami ne fera aucune difficulté pour vous expliquer comment il est entré en possession de ce trésor, mais concentrons-nous sur l'essentiel, je vous prie.

Tandis que Barrington arrondissait les angles, Kruger enrageait. Ce salaud de ministre savait très certainement ce qui s'était passé au-dessus du Paraná, et d'ailleurs, il n'avait même pas cherché à lui poser de questions.

— Marc a raison, dit simplement Roy, et le temps presse.

L'affaire reprenant un tour classique, Santos retrouva sa sérénité. Les deux hommes étaient venus lui demander son aide pour libérer la jeune Anglaise, il allait leur assurer que rien ne serait négligé, et pouvoir exécuter son plan.

Il regarda sa montre. Depuis une heure qu'ils discutaient, Stein devait certainement avoir déjà configuré son équipe. Il accéléra le mouvement :

— Où se trouve-t-elle, selon vous ?

Kruger raconta alors sa visite à la Serena, l'interrogatoire du rouquin et leur accueil à coups de carabine lorsqu'ils s'étaient approchés de l'*estancia*.

En bon comédien, Santos faisait semblant d'entendre pour la première fois ce que l'Américain lui racontait. Tout correspondait aux renseignements recueillis par Stein. Ces paramilitaires tortionnaires étaient une vraie calamité, ils continueraient à empoisonner la vie du pays jusqu'à leur mort, mais la leçon qu'on allait leur donner les inviterait à réfléchir.

Tandis qu'il écoutait, le ministre s'imaginait le commando héliporté en train de réduire en cendres la Serena, et se sentit ragaillardi à cette perspective.

— Parfait, dit-il. Je vais donner des instructions. Quant à ce fameux trésor, eh bien, nous allons le rapatrier, si je puis dire, dans les meilleures conditions.

— Non, dit Kruger. Non, nous voulons être sûrs de récupérer Jane vivante.

— Comment pouvez-vous supposer…

— Je n'imagine rien. Mais écoutez-moi, vous allez tout comprendre…

L'Américain lui assena alors tout ce qu'il avait découvert : les étoiles de David, les croix gammées serties de diamants, les bijoux juifs pillés par les nazis, une réserve de guerre pour financer les activités du parti péroniste.

— C'est ma foi un beau trésor, pour l'idole d'un peuple ! Qu'en pensez-vous ?

Barrington renchérit.

— Cela ferait un excellent papier, *ministro*. Croyez-en mon expérience, j'ai trente ans de métier ! Je serais repris dans les médias du monde entier, de Washington à Hong Kong, les équipes de CNN et de Fox News débarqueraient dans les vingt-quatre heures… La rançon du succès, en somme. Evita a été si médiatisée…

Santos avait commencé à prendre des notes, mais il ralentit la cadence, s'agita sur sa chaise, se mordilla les lèvres, puis referma le capuchon du Montblanc. Après ce court flottement, il demanda enfin :

— Qu'est-ce que vous voulez, au juste ?

— La vie de Jane, contre notre silence.

Il n'y avait plus le moindre bruit dans le bureau. L'Américain et le journaliste avaient-ils deviné son plan, ou bien voulaient-ils simplement prendre des précautions ? Peu importe, le résultat était le même : il ne pourrait plus éliminer la fille. Il leur jeta alors un regard haineux.

— Et qui me prouve que vous tiendrez votre promesse et que vous ne dévoilerez rien de cette affaire après avoir récupéré la jeune femme ?

Kruger répondit en souriant :

— Je vous remettrai les sacoches de diamants à l'aéroport d'El Cruce dès que vous aurez libéré mon amie. Il faut des pièces à conviction pour instruire un procès ? Eh bien ! elles seront entre vos mains, et vous n'aurez plus rien à craindre ! Les diamants nazis contre Jane, notre silence contre sa vie : c'est un simple échange, en somme.

Le ministre sourit. Soit, il allait accepter. Mais l'échange ne se passerait certainement pas comme l'Américain le souhaitait.

24

Le commissaire adjoint Casaletti n'en menait pas large. Quand Marco Stein l'avait appelé, la veille, pour lui demander d'accompagner les forces spéciales à la Serena, il avait jugé sa voix mielleuse de mauvais augure.

— Vous connaissez l'homme, avait-il simplement dit au téléphone, ça facilitera les négociations.

Casaletti n'ayant pas pu refuser, il se trouvait le lendemain matin à bord d'un Huey II fonçant de toute la vitesse de ses pales au cap 200. Pendant quelques minutes, le pilote s'était amusé à faire du rase-mottes pour effrayer des troupeaux de bétail, mais, remonté ensuite à 3 000 pieds, il volait maintenant entre des couches nuageuses grises ou blanches.

Équipé de mitrailleuses lourdes et de lance-roquettes, l'appareil, inspiré des machines utilisées par les Américains au Viêtnam, transportait, outre l'équipage, cinq personnes.

À bord, dans le grondement des turbines, on ne s'entendait pas. Casaletti avait dû, comme tout le monde, enfiler un casque Clark pour communiquer avec l'équipage, qui ne lui inspirait pas confiance.

Le patron du commando, le capitaine Huascar Santibáñez, était un Indien petit et musclé, né près de la frontière bolivienne. S'il avait le teint cuivré de ses ancêtres et leur visage mince et émacié, illuminé par des yeux brillants, il ne connaissait en revanche que quelques mots de quechua, la langue de son peuple : *imaynallan ?* pour dire « comment vas-tu ? », *allillan-chu* pour répondre « bien ».

Pas bavard, ce Santibáñez. Bruno lui avait servi son plus beau sourire en embarquant dans le Huey, mais le capitaine, sans rien dire, avait juste répondu d'un salut militaire. Puis il s'était assis en face de lui dans l'hélico, à côté de caisses de munitions, et s'était mis à l'observer…

Casaletti, qui, exceptionnellement, avait mis un jean et enfilé un blouson de cuir, s'était demandé ce que sa tenue pouvait avoir de si bizarre, mais le policier n'avait pas trouvé de réponse.

Et pour cause : l'Indien se demandait simplement comment il allait le liquider.

— On dira qu'il a été tué dans l'affrontement, avait grogné Stein en donnant les consignes au jeune officier.

Santibáñez continuait donc d'observer Casaletti, en se demandant si l'intéressé se doutait de quelque chose. Mais le flic, ridicule dans ce gros blouson qui semblait rembourré de papier journal et le gênait dans ses mouvements, ne pressentait rien. Tout juste ressentait-il une inquiétude diffuse, mais sans présomption précise.

Il n'avait reconnu aucun des hommes de la division Antise-cuestros, le groupe qui intervenait habituellement dans ce genre d'affaires, et, excepté leur patron, qui arborait l'écusson des commandos parachutistes, aucun d'eux ne portait d'insigne. Étaient-ils des agents du SIDE, ou bien une unité des forces spéciales, ou encore des hommes provenant de divers services, un groupe composé spécialement pour la circonstance ? Casaletti n'avait pas osé se renseigner. C'étaient des militaires, il en était sûr ; pour le reste, mieux valait peut-être ne pas en savoir davantage.

Les hélicos portaient l'écusson de la police fédérale, mais Casaletti avait grimpé à bord à l'aéroport de San Fernando, où les appareils avaient fait une courte escale, sans même arrêter leurs rotors. Tout cela lui avait semblé bien louche.

Casaletti apercevait parfois le nez de l'autre Huey, qui volait à la même altitude, quelques centaines de mètres plus loin, puis l'appareil disparaissait dans des nuages. Un grand gaillard, des rubans de munitions sur le dos, était posté devant la porte latérale ouverte. Soudain, l'appareil sauta dans une turbulence, une rafale de pluie pénétra dans la carlingue. Le Huey fut secoué comme fétu de paille, mais cela semblait amuser tout le monde. Sauf Casaletti, bien sûr.

Bruno n'appréciait guère cette ambiance. Les commissariats, la petite délinquance, les interrogatoires à coups d'annuaire téléphonique, les accords crapuleux, il connaissait tout cela. Mais le grondement des turbines, les canons noirs des mitrailleuses et le mauvais remake d'*Apocalypse Now* qui semblait se jouer à bord de l'appareil ne le rassuraient pas. Avec son Beretta ridicule dans la poche, il était dépassé par les événements.

Et cet Indien qui continuait de le fixer de ses yeux noirs… Santibáñez hésitait entre deux formules : il pouvait lui tirer « accidentellement » une rafale de mitraillette dès que commenceraient les affrontements avec Ortega et sa bande, ou bien l'envoyer au casse-pipe en espérant que le preneur d'otage le tuerait lui-même.

Tout à ses pensées, Santibáñez observait le flic, boudiné dans son harnais de sécurité. À ses longs mollets étaient collées des chaussettes vert pâle. « Drôle de couleur », pensa l'Indien. Comment pouvait-on se déguiser de la sorte ? Santibáñez, lui, ne quittait jamais ses boots de toile.

Le Huey volait maintenant continuellement dans la couche de nuages et, l'équipage ayant laissé la porte grande ouverte, une fine bruine venait frapper les visages. Parfois, une bourrasque soulevait l'appareil et le penchait sur le côté, puis le vol en palier continuait dans un grondement de turbines et de bruits de ferraille. L'hélico sautait dans les trous d'air comme une Jeep dans un fossé, et toutes les pièces vibraient alors, des boulons des sièges aux tôles de la carlingue. Casaletti avait l'impression que l'appareil allait se disloquer.

Après une demi-heure de vol, l'Indien détacha sa ceinture et, se tenant à une sangle, s'approcha du poste de pilotage. Le pilote avait l'œil rivé sur son horizon artificiel et sur l'écran du GPS, qui indiquait la position d'El Cruce et la route de l'appareil.

— Que dit la dernière météo ? hurla Santibáñez à l'oreille du copilote, qui dégagea l'un des écouteurs de son casque.

— Bouché jusqu'à la cible vers 400-500 pieds. On tournera autour de l'objectif pour trouver une percée. Ce serait bien le diable si on ne localisait pas un trou dans la mélasse !

L'Indien leva le pouce en l'air pour signifier qu'il avait bien compris, puis revint s'asseoir face à Casaletti. Le flic commençait à avoir mal au cœur. L'absence de repère visuel dans le gris du ciel lui tournait la tête, et son estomac se révulsait. L'affreux café soluble ingurgité à San Fernando lui donnait des nausées.

— J'espère qu'il n'y a pas de lignes à haute tension ! dit Bruno pour essayer de détendre l'atmosphère.

— Ça arrive parfois, dit l'Indien en mâchonnant des feuilles de coca.

Dans son village natal, tous les paysans mastiquaient cette plante, qui aide à fournir des efforts et stimule le système respiratoire.

— Vous connaissez le preneur d'otage ? finit par demander Santibáñez en crachant la boule qu'il pressait entre ses molaires.

Santibáñez avait finalement opté pour la seconde solution : il demanderait à Casaletti de parlementer avec Ortega, en espérant que la négociation tournerait mal.

— Oui, un peu, répondit Bruno, ragaillardi par cette soudaine marque d'intérêt. Il n'a rien à perdre, c'est un dur à cuire, une bête…

Depuis que ce salaud d'Ortega avait voulu lui enfoncer une énorme fourchette dans la gorge, le flic rêvait d'avoir un dernier tête-à-tête avec lui. Maintenant, il était foutu, et c'est lui, Casaletti, qui le coincerait ! Quelle belle revanche !

Bruno aurait volontiers continué de décrire par le menu à Santibáñez les sourcils broussailleux de Luis et son regard de chacal, mais le Huey plongea dans une turbulence qui lui coupa la respiration. La bile remonta jusqu'à sa gorge. Il attrapa un sac en papier pour y vomir un liquide blanchâtre.

— Ça secoue, hein ? dit l'Indien dans un petit sourire. Mais on est presque arrivés !

Bruno avait noté un changement de régime dans les moteurs. L'hélico semblait désormais tourner en rond, et l'envie de vomir le reprit. Il expulsa de son estomac le reste de Nescafé, puis posa le sac entre ses deux jambes. Le Huey était arrivé au-dessus de l'*estancia,* il cherchait à descendre.

Les autres, en bas, avaient certainement entendu les grondements des turbines. Ils se défendraient par tous les moyens.

Bruno sentit ses intestins se contracter. Pourquoi diable avoir tout raconté à Santos ? S'il n'avait rien dit, il pourrait être en train de siroter tranquillement son café sur la place Dorrego, au lieu d'être ballotté dans des trous d'air, en compagnie de ces durs à cuire sortis tout droit d'un feuilleton américain ! Il voulut continuer de parler à Santibáñez pour se rassurer, mais l'Indien était trop occupé à regarder par la porte latérale de l'appareil.

— On est sur la cible, annonça la voix du pilote dans les écouteurs.

L'*estancia* semblait enfouie sous la crasse. Le sommet des peupliers disparaissait dans la masse grisâtre des stratus, et les écrans vidéo étaient inexploitables.

Zarate jouait aux dés dans la salle de contrôle avec l'un des gardiens, la porte ouverte claquant au vent, tandis que Radio Bolivar diffusait les derniers succès de La Mona Jiménez, un chanteur de Córdoba qui rythmait les bals populaires de ses frénétiques *Bum Bum.*

— Attends une minute, grogna Zarate en reposant le gobelet avec lequel il s'apprêtait à secouer les dés. On dirait des hélicos…

Les deux hommes se précipitèrent à l'extérieur. Aucun doute : des appareils bourdonnaient dans la couche nuageuse. On entendait le bruit des turbines et des pales, comme si les hélicos, en stationnaire au-dessus de leurs têtes, cherchaient à se poser.

Les dirigeants de la Hermandad venaient parfois à la Serena, mais ils s'annonçaient toujours quelques jours auparavant, pour qu'on leur prépare des chambres dans l'ancienne maison de maître. Ils débarquaient pour de mystérieuses conférences qui duraient vingt-quatre heures, arrivaient dans l'après-midi, se réunissaient dans l'ancienne bibliothèque et dînaient sur place. Ils demandaient qu'on leur prépare un barbecue – sanglier et bœuf, invariablement –, puis repartaient le lendemain, en laissant plusieurs centaines de dollars de pourboire.

Zarate ne connaissait aucun membre de la Hermandad, sauf son secrétaire général, un banquier brésilien qui avait quitté l'armée avec le grade de colonel.

— On n'attend pas de visite ? demanda l'administrateur.

— Aucune, *jefe*. Et le fax marche parfaitement, j'en ai reçu un ce matin de Buenos Aires.

Étrange… Des hélicos de l'armée s'entraînaient peut-être dans le coin, mais ç'aurait été une première. Non seulement il n'y avait aucune base militaire dans la région, mais la police de Bolivar ne disposait que de deux Jeep Toyota pour pourchasser les voleurs de bestiaux !

Zarate décapsula une canette de bière, en vida la moitié et s'essuya la moustache.

— Appelle donc l'une des tours de garde, au lieu de rester planté là sans rien faire ! Ils ont peut-être aperçu quelque chose.

Le gardien se précipitait sur son transmetteur VHF, quand la voix de l'un des guetteurs, tout excité, résonna dans l'un des haut-parleurs de la salle de contrôle :

— On a de la visite, *jefe* ! Deux hélicos qui tournent en rond au-dessus des installations. Je les ai aperçus entre les bancs de nuages, des Bell couleur marron.

Zarate s'empara de la VHF.

— Ne les perds pas de vue !

Puis, se tournant vers le gardien avec qui il avait joué aux dés :

— Et toi, envoie immédiatement un fax à la centrale pour leur signaler le problème.

L'homme courut vers la machine pour passer une télécopie, mais il s'aperçut que le circuit était coupé.

Zarate ouvrit le placard qui servait d'armurerie, attrapa un fusil d'assaut, enclencha un chargeur de trente balles, en fourra un autre dans sa poche, puis ressortit. On ne distinguait toujours rien dans le ciel, à l'exception d'oiseaux de proie tournant au-dessus de la propriété.

Ortega arriva en courant, suivi du rouquin.

— Qu'est-ce qui se passe ?

— Il se passe que je n'en sais rien, grommela Zarate, mais vous entendez comme moi : il y a du monde, là-haut. J'ai appliqué la procédure, j'ai voulu avertir la centrale, mais la ligne est interrompue. Il n'y a plus qu'à attendre…

— Qu'est-ce que tu as dans ton armurerie ?

— Ce fusil, et quelques M-16. Les gars dans les tours ont des carabines de précision.

— Eh bien ? Qu'est-ce qu'ils attendent pour descendre les appareils ?

— Attendez ! dit Zarate, qui se rendait compte qu'il risquait de perdre le contrôle de la situation. Les instructions sont très claires : on impressionne l'adversaire, mais on ne tire pas ! Imaginez que ces gars aient simplement un problème technique, ou que ce soit l'armée, ou la police fédérale…

— ¡ Idiota ! dit Ortega en le poussant brutalement sur le côté.

Qui pouvait venir rôder au-dessus de la Serena, si ce n'étaient des commandos ? De toute évidence, c'était une descente.

— Ramène-toi ! cria-t-il au rouquin. On va se servir !

Les deux hommes se précipitèrent vers l'armoire ou étaient rangés les M-16 et en prirent un chacun, sous les yeux médusés de Zarate.

— Fais bien attention, dit Ortega ! C'est toi le responsable de la sécurité. On ne se laissera pas faire, s'ils trouvent l'escalier et veulent visiter le tunnel. Tu diras à l'un de tes gars de remettre des bûches devant l'entrée pour bien la dissimuler.

— J'ai l'habitude, répondit Zarate, dont l'estomac se contractait de plus en plus au bruit des turbines.

Ortega haussa les épaules. Décidément, l'administrateur était un imbécile. Les gars dans les hélicos ne se laisseraient pas impressionner par ce grand dadais à moustache, même s'il avait un fusil d'assaut au bout du bras. D'ailleurs, savait-il seulement s'en servir ?

Lui, en tout cas, n'avait pas peur. Il vendrait chèrement sa peau. Si les gars s'aventuraient dans le tunnel, il les descendrait les uns après les autres.

Tous ces pseudo-commandos d'élite n'étaient que des bleus, comparés à lui ! Dès qu'ils verraient l'un des leurs au tapis, ils reculeraient. On l'avait bien constaté, pendant la guerre des Malouines : l'infanterie argentine s'était fait écraser par les Anglais, et il n'y avait guère eu que l'armée de l'air pour s'en tirer avec les honneurs en coulant des destroyers ennemis.

À 1 000 pieds au-dessus de la Serena, Santibáñez commençait à s'impatienter. Les hélicos avaient tout juste assez d'autonomie pour tourner encore quinze minutes au-dessus de l'*estancia*. Passé ce délai, ils devraient se dérouter sur Bolivar pour y reprendre du carburant.

Le ministre avait déjà appelé une fois pour savoir si l'opération avait démarré et annoncer son arrivée à El Cruce dès que la situation serait stabilisée. Santos l'avait confirmé : l'avion de l'Américain se poserait pour ramener la fille. Santibáñez connaissait la suite : le Beech exploserait quelques minutes après avoir décollé avec l'Anglaise.

L'Indien fixa la crasse blanchâtre qui entourait le Huey. Si on n'arrivait pas à se poser, personne ne le pourrait, ni l'avion du ministre, ni le Beech chargé de ramener la fille. Il se prépara une nouvelle boule de feuilles de coca et commença à la mâcher pour se remonter le moral.

— Il y a un trou dans les stratus, juste au-dessus de l'*estancia*, annonça soudain le pilote. Visuel sur un bâtiment et une surface dallée.

— Eh bien, allons-y ! dit Santibáñez. Et tout le monde dehors dès qu'on touche le sol !

L'Indien était soulagé que l'opération puisse commencer. D'abord, libérer la fille ; ensuite, liquider les preneurs d'otages ; enfin, se débarrasser du flic. Sans oublier la mission annexe : poser du plastic dans l'avion du *gringo*. Santibáñez avait rangé le matériel, explosif, détonateur et minuterie, dans une caisse métallique calée entre ses jambes.

L'autre Huey collationna, puis les hélicos foncèrent vers le sol. Un coup de pied sur le palonnier de droite, le manche en avant et le collectif au plancher.

Casaletti, qui avait compris qu'ils allaient passer à l'attaque, se cramponna à son siège, l'estomac en bouillie. Des arbres puis une antenne surgirent de la bruine, l'appareil frôla de grands peupliers puis rasa le toit d'un bâtiment en ciment. Pour la première fois de sa vie, Casaletti regretta de ne pas être croyant. Il se serait signé.

À l'*estancia*, Ortega et le rouquin s'étaient mis à l'abri dans le tunnel. Après avoir refermé la porte, Luis entendit l'un des gardiens remonter le tas de bois qui dissimulait l'entrée. Puis il alluma l'ampoule du plafond.

— Allons voir la fille, dit-il. Mais pas de bruit, on pourrait nous entendre.

Arrivés au fond du couloir, les deux hommes déverrouillèrent la grille de la dernière cellule. Assise dans l'obscurité, l'Anglaise poussait des cris plaintifs à travers son bâillon.

Quand Ortega alluma sa torche électrique, il eut une expression de dégoût. L'otage avait les jambes couvertes de morsures d'insectes, les bras et le cou constellés de pustules. Des débris de riz et de viande traînaient dans une assiette en carton envahie par les cafards et les fourmis.

— Saloperies ! dit Ortega en tapant du pied sur une colonne d'insectes qui remontait de la fosse septique. Je t'avais pourtant dit de t'occuper d'elle, continua-t-il à voix basse à l'intention du rouquin. Pourquoi la laisser dans cet état ? Ça ne nous apporte rien !

Ortega était furieux.

— Les insectes sont sortis du trou cette nuit, *jefe*. C'est la nourriture qui les a excités ! C'est elle qui a attiré les bêtes en jetant son assiette par terre. Je vous assure, *jefe*. Quand je lui ai apporté la viande hier soir, tout était propre.

— Tu me nettoieras tout ça quand l'alerte sera passée.

Il sortit un mouchoir de sa poche, le passa sous un filet d'eau et le tendit à Jane pour qu'elle puisse se nettoyer le visage.

— Désolé, *señorita*. C'est un mauvais moment à passer, mais tout sera bientôt terminé.

Puis les deux hommes regagnèrent le couloir.

La jeune femme, qui avait pris le carré de tissu, le passa doucement sur son cou. Les pustules enflammées commençaient à lui faire mal.

Quand le grondement retentit en surface, de la poussière et des détritus de feuilles tombèrent de la bouche d'aération. Le bruit était difficilement identifiable, mais ce n'était ni celui d'un moteur de voiture, ni… Des hélicoptères, peut-être ? Jane voulut hurler, mais sa gorge sèche ne put émettre que des sons inaudibles. Des larmes lui vinrent aux yeux.

À quelques mètres de là, Luis et Patricio avaient posé leurs armes et s'étaient assis par terre, dans une obscurité presque totale. En haut de l'escalier, un rai de lumière filait sous la porte d'entrée camouflée par les bûches.

— C'était inutile, répéta Ortega, inutile.

— Quoi, *jefe* ?

— Les insectes, les morsures… C'était inutile, tout ça, superflu !

Comme le rouquin ne semblait pas comprendre, Luis n'insista pas. Le tortionnaire avait pour grand principe de ne rien faire qui ne serve un objectif préalablement établi. Si l'on n'appliquait pas cette règle, les ennuis commençaient. C'est comme ça que les militaires, trente ans plus tôt, avaient eu des problèmes. S'ils s'étaient contentés d'éliminer les terroristes, personne n'y aurait trouvé à redire. Les guérilleros tuaient des gens, c'était la guerre, soit, mais ils avaient aussi torturé et massacré des personnes qui n'avaient rien à voir avec la guérilla, et alors les premiers problèmes étaient apparus. Torturer ou tuer ne sont des actes légitimes qu'en fonction d'un objectif précis : tant que les gens n'auraient pas compris ça, ils iraient droit dans le mur !

Et c'était le même raisonnement qui devait prévaloir au sujet de la fille. Comme elle était une monnaie d'échange, il était inutile, voire dangereux, de la laisser pourrir au milieu des insectes ! Quand elle ne servirait plus à rien, on la tuerait pour effacer les traces, mais, dans ce cas, l'exécution aurait sa raison d'être. Le rouquin était décidément trop bête pour saisir ces subtilités.

En surface, debout dans la cour de l'*estancia*, Zarate était tétanisé. Deux appareils avaient surgi de la couche nuageuse dans un bruit d'enfer, et s'étaient posés à quelques mètres des bâtiments administratifs, entre le centre de contrôle et la vieille maison de maître.

Une dizaine d'hommes lourdement armés avaient sauté à terre, leurs visages dissimulés par des passe-montagnes, accompagnés par un civil en tenue de week-end et d'un Indien, qui semblait être leur chef.

— Police fédérale! hurla Santibáñez en apercevant le fusil d'assaut de l'administrateur.

Zarate mit la main devant les yeux pour les protéger. Les pales avaient soulevé des nuages de débris végétaux, comme si une tornade s'était abattue sur l'*estancia*, les rotors n'étaient pas arrêtés, et les grands peupliers frissonnaient dans la bruine. Deux hommes le tenaient en joue.

— Vous m'avez fait peur, dit l'administrateur en baissant son arme, contre toute attente.

Il avait réfléchi. Une délégation de parlementaires était venue sur place, quelques mois plus tôt, accompagnés d'un juge, mais les députés n'avaient rien trouvé de suspect. À leur départ, Zarate leur avait même offert du miel et des fromages de chèvre! Pourquoi ne pas tenter de rééditer l'opération avec ces policiers? Vu qu'il lui était impossible de résister, c'était de toute façon la seule option envisageable.

Lissant sa moustache, il s'avança vers l'Indien en grimaçant un sourire.

— Jette ton arme! ordonna Santibáñez sans lui laisser le temps d'approcher.

Il avait le doigt sur la détente, et un regard cruel.

Zarate s'arrêta net. Ce petit Indien n'allait tout de même pas lui tirer dessus! Il n'avait rien à voir, lui, modeste employé, avec toute cette affaire.

— Attendez, les gars, il y a un malentendu. On est du même bord...

L'Indien arma son pistolet-mitrailleur et ses hommes engagèrent leurs chargeurs. Maintenant, ils étaient six autour de lui, sept en comptant cette grande andouille de civil en tenue de vacancier.

Zarate promena son regard de l'un à l'autre, espérant une réponse, puis se décida à laisser tomber son fusil d'assaut. Un des hommes le fouilla pour vérifier qu'il n'avait pas d'autres armes sur lui.

— Bien, dit Santibáñez en s'approchant avec un mauvais sourire. Tu as combien de gars sous tes ordres?

Zarate, les bras levés, compta sur ses doigts.

— Dix, très exactement. Mais vous n'avez rien à craindre...

— Dis-leur de dégringoler des tours et de remettre leurs armes. Où est le centre de contrôle ?

— Là, dans ce bâtiment !

— Bien. Va les avertir.

— Je peux baisser les bras ?

— Comme tu veux, j'en ai rien à foutre !

Zarate fit demi-tour en maugréant. Non content de lui donner des ordres, voilà que l'*Indio* l'insultait, maintenant ! Quelle sale race ! Heureusement, ils n'étaient pas nombreux en Argentine…

Tétanisé par la peur, le vigile avec lequel il avait joué aux dés avait lui aussi levé les bras en l'air, sans qu'on le lui demande. Son pantalon s'était affaissé, mais il n'osait pas le remonter.

Voulant montrer que la situation était sous contrôle, l'administrateur prit un ton de commandement :

— Appelle les gars, et dis-leur qu'ils jettent leurs armes à terre.

Le vigile se précipita sur la VHF pour transmettre le message.

— On n'a pas fini, continua Santibáñez. Où est la *gringa* ?

Le moustachu se frotta le menton. L'affaire prenait une tournure délicate. Ortega et le rouquin avaient-ils eu le temps de s'enfermer dans le tunnel avec la fille ? Zarate lissa lentement sa moustache pour réfléchir.

— Il n'y a pas d'étrangère ici, capitaine. Uniquement une femme du village qui prépare les repas et fait le ménage.

Pour toute réponse, Santibáñez lui flanqua un coup de crosse sur la tempe. Pris de vertige, Zarate vacilla un instant.

— Vous êtes tous cinglés ! *¡ Indio de mierda !* Tu ne comprends pas ce que je dis ? Il n'y a pas de *gringa* à la Serena !

Il porta la main à son front, puis, sentant qu'une partie de la peau en était arrachée, se précipita rageusement sur Santibáñez.

— Tu m'as entaillé la tête, *hijo de puta* !

Casaletti, qui avait jusque-là assisté à la scène sans intervenir, sentit que c'était le moment de faire son entrée. L'administrateur de l'*estancia* n'avait pas tort : cet Indien n'avait manifestement aucune idée de la façon dont on peut soutirer des informations à des prisonniers. Simple question de psychologie. Et, à la différence de ces brutes épaisses qui n'avaient pas échangé un mot avec lui pendant le vol, Casaletti connaissait bien les hommes.

— Attendez ! dit-il en s'interposant entre Santibáñez et Zarate. Inutile de s'énerver. Je suis sûr que notre ami va tout nous dire, pas vrai ?

Il poussa Zarate sur le côté, attendit calmement qu'il ait fini d'arranger sa coiffure… et lui flanqua une gifle avant de sortir son Beretta !

— J'ai quinze coups dans le chargeur. Deux balles pour les jambes, une pour tes parties intimes, une quatrième pour ton intestin, ça te va ? Par où on commence ?

Santibáñez hocha la tête, admiratif. Ce flic faisait preuve d'une belle technique et de beaucoup de style.

Bruno tira un coup de pistolet à quelques centimètres de la jambe de Zarate pour le convaincre qu'il ne plaisantait pas. Le moustachu bondit sur le côté.

— Une belle arme, dit Casaletti en soupesant son Beretta. Du 9 mm Parabellum. Un coup dans le genou, et hop ! tu seras bon pour des béquilles jusqu'à la fin de ta vie. Et même les putes ne te serviront plus à rien, parce qu'après…

Il soupesa lentement ses testicules.

— C'est là que je vais tirer.

Zarate tentait désespérément de faire le point. S'il refusait de parler, il risquait d'être handicapé à vie, mais, s'il trahissait l'Organisation, eux non plus ne le rateraient pas. La Hermandad le pourchasserait dans toute l'Amérique latine, et il finirait dans un dépôt d'ordures, une cagoule sur la tête et deux balles dans le cerveau. Que décider ?

Oui, la seule solution était de promener les gars dans l'*estancia*, comme il l'avait fait avec les parlementaires.

— Je vais vous guider, dit-il d'un ton décidé. Vous voulez que je fasse ouvrir les fenêtres de la vieille maison ? Beaucoup de calomnies circulent au sujet de notre exploitation, mais personne n'a jamais rien trouvé. Vous jugerez sur pièces.

Bruno écoutait sans rien dire. Ce type-là essayait de les embobiner avec de belles paroles. Certes, on n'avait rien trouvé lors des précédentes perquisitions, mais, Bruno le savait, il y a « perquisition » et « perquisition »…

Avant de quitter Buenos Aires, Casaletti avait jeté un coup d'œil sur le dossier de la Serena. Les services de renseignements savaient manifestement que l'*estancia* était un lieu de transit pour les protégés de la Hermandad, mais ils avaient toujours voulu étouffer l'affaire.

Santibáñez ne disait plus rien, suivant l'évolution de la situation. Il s'était imaginé une opération plus simple : une dizaine de gardiens commençant à tirailler sur les hélicos et lui, les liquidant en quelques minutes à la mitrailleuse.

Casaletti lui fit un signe de la main pour lui parler en aparté.

— Ortega a peut-être déjà filé avec la fille, mais en tout cas le type ment, son regard ne trompe pas. Les indices sont notre spécialité, à nous autres, flics ! Je peux vous assister ?

L'Indien songea qu'il n'avait rien à perdre à accepter la proposition du flic. Fouiner dans tous les coins ne le passionnait pas, et Bruno avait certainement plus l'habitude que lui de ce genre d'activité.

— Bon, dit Santibáñez, faisons le tour du propriétaire. Toi, le grand moustachu, tu vas nous piloter pendant la visite.

L'administrateur se frottait la tempe. Elle ne saignait plus, mais le coup de crosse l'avait sonné. Sa boîte crânienne résonnait bizarrement.

— Pardonnez-moi pour tout à l'heure, capitaine. Les mots sortent parfois de la bouche sans qu'on sache bien pourquoi...

— Arrête tes balivernes ! dit l'Indien en le poussant avec son fusil d'assaut. Par où on commence ?

Zarate montra les bâtiments où avaient dormi Ortega et l'Anglaise. Les nuages bas se morcelaient et de chauds rayons de soleil perçaient à travers les stratus. Les deux hélicos avaient stoppé leurs moteurs, et les hommes du commando promenaient leurs ombres devant la maison à colombages.

— Puis-je leur offrir un rafraîchissement ? demanda Zarate.

Santibáñez lui donna un nouveau coup de crosse, dans le dos, cette fois.

— Mes hommes n'ont jamais soif ! Venez, vous autres, dit-il à deux colosses masqués, accompagnez-nous ! Ça risque d'être plus long que prévu...

25

Dans le tunnel, à deux mètres sous terre, Ortega et le rouquin épiaient le moindre bruit. Luis sentit un insecte grimper le long de son cou, saisit l'animal et écrasa méticuleusement sa carapace. Un souffle d'air frais pénétrait par les bouches d'aération, mais l'odeur de pourriture, mêlée à celle de la fosse septique, était toujours aussi écœurante, relents de plâtre mouillé et de déjections qui imprégnaient le sol, les murs, le plafond et dégoulinaient le long des parois visqueuses.

Luis chercha à repérer précisément d'où provenaient les bruits de bottes qu'il percevait sur le sol, au-dessus de leurs têtes. Il en conclut que les hommes débarqués en hélicoptère avaient dû commencer l'inspection des lieux. Ils ne trouveraient rien d'intéressant dans leurs chambres, en tout cas aucun indice qui leur permettrait de trouver leur cache. Ortega se sentait en sécurité.

Le linge découvert sur les lits, avait expliqué Zarate, appartenait à des ouvriers agricoles.

— Et ça? avait demandé le flic en apercevant une chaîne scellée au mur, dans la pièce où Jane avait passé ses premiers jours à l'*estancia*.

— C'est pour attacher les chiens, avait répondu le moustachu. Voyez, il y a encore des restes de nourriture.

Des assiettes en carton traînaient par terre.

— Oui, les ouvriers agricoles passent la nuit ici quand ils reprennent le boulot à l'aube.

— Possible, grogna Casaletti en remuant une pile de vêtements.

Il nota pourtant qu'il ne s'agissait pas de tenues de travail, mais d'habits de ville.

Bruno continua un instant de fouiller dans un tas de linge sale, puis quitta la pièce, quelque chose sous le bras.

— Ils ont eu de la visite, dit-il à voix basse à Santibáñez. Regardez ce que j'ai trouvé dans l'une des pièces.

Il lui tendit une vieille chemise, achetée aux Galerías Pacífico, un centre commercial de la rue Florida.

— Les gens du coin ne s'habillent certainement pas à Buenos Aires...

L'Indien commençait à apprécier Casaletti. Cette crapule avait du métier. Il retournait les chemises et les chaussettes qui traînaient par terre, inspectait les cols, soulevait les chaussures pour examiner les semelles et vérifier les éventuelles traces de boue. C'est ce qu'on pouvait attendre d'ouvriers agricoles empruntant des chemins de terre. Un vrai professionnel !

Santibáñez ôta ses Ray-Ban et les glissa dans la poche de sa chemise. Le flic prenait vraiment son boulot au sérieux. Il en venait presque à regretter d'avoir à le liquider.

Le temps s'était de nouveau couvert, comme si les stratus, s'accrochant à la Pampa, refusaient d'être avalés par le ciel. Heureusement, les hélicos étaient équipés pour le vol aux instruments ; sinon, ils auraient été bloqués ici.

Bruno ressortit du bâtiment avec Zarate, puis le laissa à l'écart pour s'approcher de l'Indien :

— J'ai l'impression qu'ils ont filé. À moins qu'ils se soient cachés quelque part et que le moustachu soit sûr qu'on ne découvre pas la planque...

Le bâtiment administratif, en torchis blanchâtre, s'élevait à quelques dizaines de mètres sur la gauche, derrière une haie de lauriers-roses. En face, à l'autre extrémité de la cour, se dressait la grande maison à colombages, et, à quelques dizaines de mètres, une bâtisse à demi effondrée marquait le début des pâturages.

— Et là-bas ? demanda Bruno à Zarate en désignant le bâtiment d'un signe de tête.

— Une vieille remise, répondit l'administrateur en haussant les épaules. Un vrai bric-à-brac plein de toiles d'araignées, avec des réserves de bois et des pièces de machines agricoles.

Casaletti se dirigea vers la bâtisse et ouvrit la porte d'un coup de pied pour y faire pénétrer la lumière. Des chambres à air accrochées aux murs, un moteur de tracteur, des outils, une débroussailleuse et une carcasse de tondeuse à gazon. Un tas de bois remplissait la moitié de la pièce. Les bûches venaient sans doute d'être livrées, elles étaient encore parfaitement sèches.

Casaletti, suspicieux, se tourna vers Zarate :

— Vous ne vous chauffez pourtant pas au bois, j'ai repéré une citerne de fuel à l'entrée.

— Rien ne vous échappe, commissaire ! On utilise ces rondins dans les salamandres, pour chauffer certaines pièces, et pour les *parilladas*. Les patrons exigent toujours des barbecues quand ils viennent à la Serena.

Son débit s'était accéléré, comme s'il était soudain devenu nerveux, mais Bruno s'arrêta, puis fit demi-tour pour revenir vers la bâtisse. Quelque chose lui avait-il échappé ? Il pénétra de nouveau dans la remise, souleva quelques caisses de bouteilles vides et, de dépit, donna un coup de pied dans un amoncellement d'écrous et de pièces détachées.

Zarate ne le lâchait plus d'une semelle. En l'observant, Bruno avait noté que sa physionomie avait changé. Lorsqu'ils avaient passé au crible les chambres, l'administrateur avait un ton presque goguenard, mais, dès qu'ils étaient entrés dans cette remise, son discours était devenu plus soigné, plus appliqué.

Casaletti quitta pour de bon l'abri à bois pour tomber sur Santibáñez, qui refermait son portable.

— C'était le ministre, dit le capitaine. Il avait l'air furieux.

— Eh bien ! qu'il vienne lui-même, *che* !

Ce petit freluquet de Santos ! Ah ! Ces technocrates sont tellement bornés qu'ils oublient que la vie comporte toujours des zones d'incertitude.

— ¡ *Boludo*[1] *!* grogna Bruno. Je ne parle pas de vous, bien sûr, capitaine, mais de l'autre, là, à Buenos Aires, qui croit tout pouvoir régler par le raisonnement !

L'Indien ne répondit rien, songeant qu'il avait peut-être, décidément, de vrais points communs avec ce flic.

La façade arrière de la bâtisse donnait sur les pâturages. L'herbe était coupée à la débroussailleuse sur quelques centaines de mètres, puis le terrain remontait en pente douce vers les tours de guet, dont le sommet était à peine visible dans le crachin.

Bruno s'arrêta, pensif. L'herbe n'avait pas poussé de manière homogène autour du bâtiment. Elle était drue à certains endroits, mais plus clairsemée à d'autres, et la zone où la pousse donnait l'impression d'être ralentie correspondait grossièrement à un rectangle d'une vingtaine de mètres de long, sur deux ou trois de large. La ligne partait à angle droit de la bâtisse, comme si l'on avait posé une canalisation.

Une canalisation ? Casaletti songea à ces tuyaux d'évacuation d'eau posés sous terre. Sous terre. Et s'il y avait autre chose ? Un bunker ? Un abri souterrain ? Bruno jugea que c'était sans doute une pensée stupide, mais il continua d'examiner le sol. À certains endroits, la terre était presque à nu, seulement recouverte de débris végétaux et d'orties. Il s'arrêta, donna un coup de talon, et mit au jour, soudain, une petite grille métallique.

Santibáñez arriva, excédé.

— Pressons-nous ! dit-il, n'ayant encore rien repéré. On en a pour plusieurs heures, si l'on veut tout passer au peigne fin, et je n'ai pas envie de dormir sur place…

Bruno se pencha à son oreille :

— Je ne pense pas que ce sera nécessaire, il y a un souterrain là-dessous. Regardez.

Il donna d'autres coups de pied dans l'herbe, qui firent apparaître de nouvelles bouches d'aération.

— L'entrée doit se trouver derrière nous, sous le tas de bûches, dans l'abri.

Santibáñez courut aussitôt vers Zarate.

---

1. « Crétin ! »

— Menotte-le ! dit-il au molosse qui le gardait. Il nous a menés en bateau depuis le début !

Dans la pénombre du souterrain, Ortega avait entendu que quelqu'un grattait le sol. Il reconnaissait maintenant la voix qui jappait au-dessus de sa tête : Casaletti ! Ce grand dadais vaniteux et efféminé de Casaletti ! C'est lui, certainement, qui avait repéré les arrivées d'air en surface.

Ortega le revoyait dans son bureau, quand le flic avait désespérément cherché à en savoir davantage, puis dans son appartement, la bouche ouverte, terrorisé à l'idée de se faire transpercer la gorge par une fourchette en argent. Ce grand fainéant n'était pas si bête que ça, finalement. Il l'avait sous-estimé.

Mais Luis n'eut pas le temps de s'appesantir. Des bruits sourds résonnaient déjà derrière la porte du souterrain. On dégageait les bûches qui bloquaient l'entrée, et des hommes n'allaient pas tarder à dévaler l'escalier.

Patricio transpirait à grosses gouttes. L'angoisse s'était emparée du rouquin dès les premiers bruits de bottes, mais elle avait atteint un paroxysme avec le crépitement de la terre tombée dans le tunnel. Sa respiration était devenue saccadée, il ne tenait plus en place, croyant sentir en permanence des insectes grouiller sur sa peau.

Ortega chercha à le rassurer :

— Ils ne savent pas où nous sommes, mais nous connaissons leur chemin. Fais exactement ce que je te dirai, et nous nous en sortirons.

Casaletti et les autres seraient obligés de descendre à l'aveuglette dans le boyau, et c'est à ce moment qu'ils interviendraient. Combien pouvaient-ils être ? Une dizaine, peut-être, voire plus, mais sans possibilité d'attaquer à la grenade, sous peine de mettre la vie de l'otage en danger. Peut-être parviendrait-il à les persuader de négocier pour sauver l'Anglaise ? Il pourrait exiger de partir en hélico avec la fille et se faire déposer dans une zone urbanisée, puis disparaître avec le rouquin.

Et après ? Après, ils voleraient une voiture et se cacheraient aussi longtemps qu'il le faudrait.

Ortega donna un coup de coude à Patricio.

— Tu vas souvent au cinéma voir des films d'action, pas vrai ? Pense aux Japonais pendant la guerre du Pacifique. Ils étaient enterrés dans leurs bunkers, et les *gringos* mouraient par milliers. Eh bien ! nous sommes comme les Japonais ! Les gars, au-dessus, sont les *gringos*, mais ils n'ont pas de lance-flammes, et nous, nous avons la fille ! Tu as bien compris ?

— Oui, *jefe*, balbutia le rouquin, dont le bras dévoré par le chien redevenait soudain douloureux.

— On va s'en tirer, petit, fais-moi confiance !

L'image des Japonais résistant à l'invasion américaine l'avait dopé. Plus il y pensait, plus Luis se persuadait qu'ils avaient une chance de s'en tirer. Dans la vie, tout est une question de volonté.

Des coups de masse ébranlèrent la porte. Le tas de bois avait été dégagé, et Santibáñez se tenait désormais à côté de l'entrée, avec Casaletti, le Beretta à la main, toujours vêtu de son énorme blouson. À plusieurs reprises, l'Indien s'était fait la remarque que c'était là un accoutrement bien étrange pour quelqu'un qui porte des mocassins, mais il n'avait pas poussé l'investigation plus avant. Après tout, c'était son problème, s'il étouffait de chaleur… Mais tout de même, c'était étrange.

Quand l'un des molosses qui maniait la masse donna un dernier coup sur la porte en bois, celle-ci vola en éclats et mit au jour un escalier de ciment qui filait au sous-sol.

Lui désignant le trou, Santibáñez regarda Casaletti.

— Vous allez descendre en premier, commissaire. Vous connaissez l'individu, essayez de le raisonner.

Bruno fit la moue. Les gars qui accompagnaient l'Indien intervenaient dans des hold-up, des enlèvements, prenaient d'assaut des maisons pour délivrer des prisonniers… Alors, pourquoi lui ?

— S'il est possible de négocier quelque chose, vous serez le mieux placé.

Casaletti hésitait encore. Il regarda l'Indien, les autres membres du commando, leurs fusils d'assaut, leurs passe-montagnes. Son Beretta semblait bien inoffensif face à cette artillerie.

— Descendez, commissaire ! insista l'Indien.

Casaletti se pencha vers le trou noir, sentant que Santibáñez s'était subitement rapproché de lui.

— Luis ! Réponds-moi !

Il n'eut pas le temps de continuer sa phrase. L'Indien l'avait poussé dans l'escalier, et une rafale de coups de feu jaillit du boyau. Bruno, pris d'une horrible douleur aux jambes, dégringola sur les marches du tunnel.

Ortega rechargea son arme et tira une deuxième fois. On était tombé dans l'escalier : il avait entendu le bruit sourd d'un corps qui s'écroule. Était-ce le flic, ou quelqu'un d'autre ? Peu importe, il lui fallait tous les descendre un par un quand ils pénétreraient dans le boyau. Comme les Japonais dans leurs tunnels !

De son côté, l'Indien mitrailla à l'aveuglette, rechargea son arme, arrosa de quelques rafales encore le passage, pendant que les autres policiers tiraient au fusil d'assaut. Puis il s'arrêta et tendit l'oreille.

Le flic devait être mort. Il ne l'entendait pas gémir.

Santibáñez eut un petit pincement à l'estomac. Casaletti était ridicule, certes, avec ses grands sourires maniérés, mais teigneux comme un chien dès lors qu'il s'agissait de découvrir une planque. La mission qu'avait reçue Santibáñez était un meurtre pur et simple, mais il se rendit compte qu'il avait souhaité que Casaletti pût sauver sa peau. Il était maintenant trop tard. Comment le flic aurait-il pu survivre à un tel déluge de feu ?

Patricio respirait de plus en plus difficilement. Il s'était calé le dos contre le mur, les bras appuyés sur le ciment, et sentait des débris végétaux sous ses mains. Le rouquin détestait tout ce qui grouille dans le sol, insectes ou vers de terre. Quelque chose bougea subitement sur son bras. Un cafard, sans doute, ou bien une araignée. Il tapa à l'endroit de la démangeaison, mais la bête continuait de grimper. C'était une araignée, il en était sûr ! Elle allait passer sous son T-shirt et redescendre sur sa poitrine, l'envelopper tout entier de ses pattes velues, sans qu'il puisse bouger. Ses quatre yeux, horribles, ces petits globes marron encadrés de pinces venimeuses, se glisseraient alors sous son aisselle pour courir le long de son torse et remonter vers son visage.

Patricio poussa un cri d'effroi. L'araignée filait sur sa peau, et la terre qu'il pétrissait du bout des doigts était pleine d'insectes qui viendraient certainement le piquer. Attirés par l'odeur du sang, d'autres allaient accourir dans l'obscurité, des centaines de fourmis grimperaient le long de sa poitrine, pénétreraient dans ses narines et rempliraient ses paupières…

La panique l'envahit complètement. Il se leva, terrorisé, repoussa Luis violemment, attrapa son fusil et courut vers la lumière en tirant au hasard, comme un fou, pour forcer le passage, remonter à la surface, tuer l'animal qui remuait sur sa poitrine, se débarrasser de ces milliers, de ces millions de bêtes immondes qui grouillaient sur son corps.

L'un des hommes de Santibáñez aperçut la silhouette de Patricio. D'une rafale de mitraillette, il le cloua sur place. Patricio chuta de tout son poids sur le ciment, gémit quelques instants, puis ce fut le silence.

— Rends-toi, Luis ! criait une voix à l'extérieur. Tu n'as aucune chance !

Sans répondre, Ortega se glissa lentement, adossé au mur, vers le fond du couloir, en direction de la cellule de Jane. Il voulait ouvrir la grille, puis le cadenas de la chaîne qui retenait la fille à l'anneau, mais avait-il encore la clé ? En sentant le trousseau dans sa poche, il se sentit soulagé.

La fille ! Il s'imaginait déjà remontant l'escalier en se servant de Jane comme d'un bouclier, puis marchant vers l'un des hélicoptères, le canon de son revolver braqué sur la tempe de l'Anglaise.

Dans le couloir, on n'entendait plus rien. Seulement d'imperceptibles frottements le long de la paroi. Santibáñez se pencha prudemment en avant, mais il ne put rien distinguer. Il se retourna alors vers ses molosses en passe-montagnes.

— Arrosez tout le couloir ! De haut en bas, le long des murs, au milieu, sur le côté !

Ortega était plaqué contre la paroi quand les premières balles ricochèrent à ses pieds, puis un projectile lui perça le genou. Il haleta, s'arrêta un instant, puis continua son avancée le long du mur en luttant contre la douleur, quand une nouvelle volée de 9 mm lui transperça la gorge.

Il sentit le sang envahir sa bouche dans une sensation d'étouffement. Il porta la main à son cou et s'effondra bientôt sur le sol, tandis que les fusils d'assaut continuaient de le cribler de balles. Curieusement, il ne sentait déjà plus rien, juste un froid glacial qui remontait de ses jambes et venait envahir sa poitrine.

Il chercha à reprendre son souffle, mais s'étrangla avec le sang et des morceaux de chair. Il ferma les yeux, pour se retrouver sur son bateau, balancé par la houle de l'Atlantique. La mer le berçait doucement...

Le crépitement des armes se prolongea quelques minutes, puis, d'un signe de la main, Santibáñez demanda à ses hommes de cesser le feu. Le silence était total. Aucun bruit ne sortait plus du souterrain.

— Ils sont tous morts, dit Santibáñez.

L'Indien sortit une torche de sa poche et descendit prudemment l'escalier, suivi par ses molosses. Il aperçut d'abord les corps de Casaletti et du rouquin, tombés sur les premières marches, puis, balayant le passage de son faisceau lumineux, vit le cadavre de Luis sur le ciment, au milieu d'une mare de sang.

Comme il entendait des gémissements monter de l'extrémité du couloir, l'Indien courut au bout de la galerie.

Une fille aux cheveux courts, recroquevillée sur elle-même dans un cul-de-basse-fosse, les dévisageait, un sparadrap sur les lèvres. Santibáñez appela deux de ses hommes et leur ordonna de prendre soin de la jeune femme, puis il regagna la surface et ouvrit son portable pour prévenir le ministre.

Santos décrocha immédiatement.

— J'ai la fille, dit l'Indien. Tous les autres sont morts.

— Parfait! répondit Santos. L'Américain ne va pas tarder à venir la chercher. Ne lui remettez pas l'otage avant que je sois sur place, c'est bien compris?

— Bien sûr, répondit Santibáñez, agacé.

— Et l'explosif? glapit Santos. Êtes-vous sûr de son efficacité? Comment allez-vous le placer dans l'avion du *gringo*?

— Il est assez puissant pour réduire en poussière un immeuble de dix étages, *ministro*, alors imaginez son effet sur un petit bimoteur ! Je monterai à bord une fois que vous m'aurez donné le feu vert, et je poserai moi-même la marchandise au meilleur endroit. Ce n'est pas plus gros qu'une boîte d'allumettes…

Santos raccrocha, un sourire victorieux aux lèvres.

Le triomphe de l'Américain allait être de courte durée.

26

Depuis son départ de Buenos Aires, le Beech volait dans une couche grisâtre de nimbostratus. Roy avait l'œil rivé sur son horizon artificiel. La masse nuageuse montait jusqu'à 25 000 pieds et, en bas, pluie et stratus bouchaient la vue du sol. Pourtant, dans un quart d'heure, il faudrait se poser à El Cruce pour récupérer Jane.

Marc était assis à la place du copilote, un casque Clark sur les oreilles et les sacoches de pierres précieuses entre les jambes. Il jetait de temps en temps un coup d'œil inquiet par le hublot, puis regardait l'altimètre. C'était le seul instrument qu'il savait interpréter, et l'appareil avait commencé à changer d'altitude.

Kruger demanda au contrôle de Buenos Aires de poursuivre la descente, puis poussa en avant sur le manche.

— Poursuivez vers 5 000 pieds QNH 1010, Romeo Tango.

La Mora, la *Minimum Off Route Altitude*, l'altitude minimale à respecter, était de 2 300 pieds dans le secteur de la Serena. Kruger avait donc encore de la marge, mais la base des nimbostratus était encombrée de nuages bas qui réduisaient la visibilité à quelques centaines de mètres. Comment allait-il repérer la piste ?

Il avait calculé sa position en se calant sur deux balises VOR et était tout juste dans l'axe, mais il devrait bientôt apercevoir la bande de terre d'El Cruce ; sinon, ce serait une remise de gaz et une nouvelle approche…

Le pilote automatique était désengagé, 10 degrés de volets, l'indicateur de vitesse affichait 130 nœuds.

— Avez-vous visuel ? demanda le contrôle de Buenos Aires, qui ne voulait pas abandonner son client sans être sûr qu'il trouverait l'aérodrome.

— Affirmatif, Zoulou Romeo Tango.

« Visuel » ? Barrington ne connaissait rien à la phraséologie aéronautique, mais il avait la vague intuition que le contrôleur avait demandé à Roy s'il apercevait le terrain. Or, l'avion était toujours dans la mélasse.

Marc se tortilla sur son siège, se tourna vers Kruger en espérant que celui-ci le rassurerait, mais Roy, qui avait encore réduit les gaz, sortait maintenant le train.

Altimètres, pression vérifiée. Volets, OK. Train, position basse, vérifiée. Phares, allumés. Marc l'entendit faire la checklist d'atterrissage, et sentit des fourmis dans les jambes. Ils étaient à 1 000 pieds, et toujours dans la crasse.

Les passagers en cabine ne s'étaient heureusement aperçus de rien. Kruger et Marc avaient préparé une surprise au ministre : ils n'étaient pas seuls…

Au sol, Santos attendait avec Santibáñez l'arrivée de l'appareil. Le ministre avait utilisé un bimoteur de la police fédérale, qui avait réussi à se poser à la faveur d'une éclaircie et s'était garé sur un terrain vague contigu à la piste d'atterrissage. Les habitants des maisons voisines avaient été évacués, et un cordon de sécurité interdisait aux villageois d'approcher la zone.

C'est à l'abri, dans l'une de ces maisons, en compagnie de deux molosses des forces spéciales qui lui avaient préparé une infusion de maté, que Jane attendait l'arrivée de Roy. Elle avait enfilé des vêtements propres, et commençait à se sentir mieux.

Mais pourquoi diable s'était-elle retrouvée ici ? Contre quoi voulait-on l'échanger ? Ah ! Roy allait l'entendre, dès qu'ils seraient dans l'avion ! Cet Américain était un fou, un dangereux insouciant, mais c'était certainement grâce à lui qu'elle était encore en vie. Le traîner dans la boue ou se jeter dans ses bras ? En une seconde, Jane passait d'un sentiment à l'autre.

Roy, ses cheveux blonds, son beau visage et ses yeux bleus si clairs… Qui était-il vraiment ? Il n'était certainement pas que cet épicurien qui l'emmenait en cabriolet à Mar del Plata. Cette aventure les avait rapprochés. Elle avait tant pensé à lui, dans son trou à rat, guettant les bruits de moteur d'avion à travers le soupirail… Dans quelques minutes, il allait être là, et avec son frère ! Les larmes lui vinrent aux paupières, mais elle se ressaisit, par pudeur devant les deux militaires.

Pour se protéger de la bruine, Santos et Santibáñez s'étaient abrités sous un arbre. Le ciel s'était rebouché, on n'apercevait même plus le seuil de piste, à quelques centaines de mètres de là.

Santibáñez jeta un coup d'œil à son chronomètre.

— C'est pas gagné, déplora-t-il.

Santos le dévisagea, l'air furieux. Il était impatient de récupérer ce trésor compromettant et de voir exploser en vol l'avion de Kruger et tous les témoins.

— Vous venez pourtant de me dire qu'ils ont bien décollé de Buenos Aires !

— Décoller est une chose, se poser dans cette crasse en est une autre.

— Et les avions de ligne ? glapit le ministre. Ils atterrissent bien à Ezeiza par temps de pluie ! Alors, qu'est-ce que vous me racontez là ?

Santibáñez fixa Santos à son tour, d'un regard froid. Il avait détesté le personnage dès leur première rencontre. S'il avait accepté la mission, c'est parce que Stein avait réussi à l'en convaincre en lui faisant miroiter un avancement fulgurant. Avec le gros Stein, Santibáñez se sentait à l'aise, les deux hommes parlaient le même langage, mais ce freluquet de ministre lui donnait la nausée.

— À Ezeiza, il y a des aides à l'atterrissage, *ministro*, répondit l'Indien. Tandis qu'ici les pilotes n'ont que leurs yeux…

Le ronronnement d'un moteur interrompit leur conversation. Un avion en finale se rapprochait. La manche à air déchirée pendait le long du mât. À l'est, où devait apparaître l'avion, stratus et pluie fine réduisaient le plafond à une centaine de pieds.

Le bruit des turbines se faisant entendre de mieux en mieux, Santibáñez scruta le ciel. Les deux hommes entendirent bientôt un grondement au-dessus de leurs têtes, dans cette mélasse grise qui recouvrait la Pampa.

— Qu'est-ce qui se passe ? demanda Santos, exaspéré.

— C'est une remise de gaz, *ministro*. L'Américain n'a pas vu la piste.

Roy avait poussé la manette de puissance vers l'avant et tiré le manche vers l'arrière pour reprendre de l'altitude. Train rentré, vario positif, paramètres de montée affichés.

Barrington avait les jambes en compote, mais il se sentit soulagé en observant l'altimètre grimper. 500 pieds, 1 000 pieds. Ils l'avaient échappé belle.

— *Shit !* grogna l'Américain en reprenant de l'altitude.

Dans une procédure de vol aux instruments, la manœuvre ne présente aucune difficulté, le commandant préparant toujours la procédure avant de s'aligner en finale. Il suit alors un itinéraire balisé d'aides radioélectriques pour se repositionner en finale. À bord du Beech, la situation était différente : Roy ne disposait d'aucun repère instrumental ni visuel. Pourtant, l'aérodrome était bien quelque part dans le secteur, ses instruments ne pouvaient pas se tromper.

Kruger déclencha son chronomètre. La piste d'El Cruce faisait 800 mètres de long. Il allait virer sur la gauche et exécuter un tour de piste « standard » au cap et à la montre, pour se repositionner en finale et tenter une nouvelle approche.

100 nœuds.

Roy mit l'appareil en palier, attendit quelques secondes, puis vira sur la gauche à un cap perpendiculaire, l'œil toujours fixé sur son horizon artificiel. Quelques secondes plus tard, nouveau virage à gauche, nouveau déclenchement du chronomètre pour remonter la piste en vent arrière, et virer une dernière fois, encore sur la gauche, pour s'aligner en finale.

Il pouvait y arriver. Il devait y arriver.

Jane était en bas. Il avait la monnaie d'échange et plusieurs heures d'autonomie. S'il le fallait, il recommencerait autant de fois que nécessaire, jusqu'à ce qu'il trouve un trou dans la mélasse.

Quand Santibáñez et le ministre entendirent le grondement de l'avion s'éloigner dans les nuages, Santos trépigna de fureur. Son plan s'effondrait si l'Américain n'atterrissait pas.

Et où était Stein ? Il aurait dû lui demander de venir avec lui, Marco avait toujours de bonnes idées. Il serra les dents, eut envie de l'appeler sur son portable, mais jugea que c'était trop tard, que c'était déjà inutile, que tout était raté.

Il allait devoir ramener la fille à Buenos Aires sans récupérer les diamants du Reich… Et que se passerait-il si le *gringo* posait d'autres conditions ? Il serait alors en position d'infériorité, sans monnaie d'échange.

— Il refera une tentative, dit Santibáñez. Ce gars-là n'a pas froid aux yeux.

L'Indien ne connaissait pas l'Américain, mais il avait du respect pour lui. Le *gringo* avait manifestement du cran. Patron de restaurant ? Admettons, mais, quoique le ministre ne lui ait rien dit, l'Indien restait persuadé que l'Américain n'avait pas passé sa vie au-dessus des fourneaux.

— Écoutez, écoutez ! dit soudainement Santos, tout excité. J'ai l'impression qu'il revient !

Kruger s'était de nouveau positionné en finale.

Train sorti. Volets atterrissage.

1 000 pieds. 900 pieds.

Marc, les yeux rivés sur l'altimètre, n'avait pas échangé un seul mot avec Roy pendant le tour de piste dans les nuages.

100 nœuds.

Barrington se haussa sur son siège pour regarder au-delà du capot de l'avion, en piqué vers El Cruce.

500 pieds-minute.

400 pieds.

Kruger chercha à se remémorer le village : les maisons étaient basses, il n'avait pas repéré de poteaux électriques dans le secteur et les tours de guet de l'*estancia* étaient loin, à quelques kilomètres sur la gauche.

300 pieds.

L'Américain sentait ses mains devenir moites. Il continua la descente.

200 pieds.

Barrington agitait fébrilement les jambes. L'espace d'un instant, il avait complètement oublié les sacoches, mais elles étaient bien là, entre ses jambes, pleines à craquer de ces maudits diamants qui risquaient de leur coûter la vie.

Kruger attendit quelques secondes, se préparant à remettre les gaz encore une fois, quand il crut apercevoir, à travers les stratus, des silhouettes de maisons, à quelques centaines de mètres sur la droite. Puis une longue bande de terre apparut, à moitié estompée par les nuages.

La piste d'El Cruce était là, juste devant eux.

Barrington ferma les yeux, vidé par la tension nerveuse.

— Le voilà ! cria Santos.

Les phares du Beech avaient percé la mélasse, et le bimoteur se posa dans un grondement, à quelques mètres du seuil de piste. Roy inversa la poussée, l'appareil s'immobilisa à mi-parcours. Il donna de nouveau de la puissance, fit demi-tour pour finalement stopper à quelques dizaines de mètres des deux hommes.

Le ministre, qui avait retrouvé sa morgue, se tourna vers Santibáñez :

— Dès qu'il sera descendu de l'avion, je l'emmènerai voir la fille. Pendant ce temps, montez à bord pour placer les explosifs, ni vu ni connu !

Santos s'avança en direction de Roy avec son plus beau sourire. Tout s'était passé comme il l'avait prévu. Il revoyait la mine narquoise du *gringo* quand celui-ci était venu le voir dans son bureau, avec le frère de la fille, il entendait encore ses menaces voilées... Eh bien ! tout ce petit monde allait maintenant être liquidé !

Casaletti était mort, Ortega et son acolyte avaient été tués. C'était le tour de Jane, de l'Américain et de son frère. Une mystérieuse explosion en vol. Peut-être un règlement de comptes. Comme convenu, Stein s'occuperait d'orienter les médias vers la piste des narcos. Kruger n'avait-il pas contribué à démanteler le cartel de Baranquilla ? Le ministre n'en savait rien, au juste, mais c'est ce qu'on dirait à la presse ! Les journalistes gobaient n'importe quoi, pourvu que ce n'importe quoi soit dans l'air du temps.

La porte du Beech s'ouvrit, Santos aperçut la silhouette de l'Américain et celle de Marc. Puis son visage se figea.

Qui étaient ces autres personnes qui suivaient les deux hommes ? Une dizaine d'inconnus, armés de caméras et d'appareils photo, pataugeaient dans la boue. Des journalistes ? Impossible !

Le *gringo* les précédait, des sacs à la main.

— Empêchez-les d'avancer ! glapit Santos à Santibáñez.

L'Indien s'éloigna alors pour appeler ses molosses, mais Santos le rappela soudain, maintenant tout à fait affolé :

— Les explosifs ? Où sont les explosifs ?

— Dans l'un des hélicos.

— Ne les sortez pas ! Ne les sortez surtout pas ! Imaginez le scandale ! On ne peut pas faire sauter l'appareil avec toute la presse de Buenos Aires à bord ! Dites à l'un de vos hommes de conduire le frère de l'Anglaise auprès de sa sœur, j'ai quelque chose à dire à l'Américain.

Le ministre se précipita vers Roy.

— Vous aviez promis que tout ceci resterait entre nous, et voilà que vous débarquez avec les médias, comme s'il s'agissait d'une conférence de presse ! Où vous croyez-vous ? En Afrique, dans une république bananière ? Vous pensez être au-dessus des lois parce que vous êtes américain ? Vous allez le payer très cher !

Kruger haussa les épaules.

— Où est Jane ?

— En bonne santé. Regardez, la voilà !

Roy aperçut la jeune femme, qui s'avançait au bras de son frère.

— Eh bien, voici les sacoches, dit Kruger en posant devant lui les sacs d'Ortega. Voulez-vous vérifier ?

Santos aperçut la croix gammée sertie de diamants, les pierres précieuses, puis il referma les sacs.

— Vous aviez promis de ne jamais rien révéler.

— Je m'étonne qu'un homme comme vous ne saisisse pas une telle occasion. Vous avez libéré un otage, démantelé une organisation criminelle d'anciens tortionnaires, nettoyé l'Argentine de ses mauvais souvenirs, et vous vous plaindriez, *ministro*, de la présence de la presse ?

Santos se raidit, mais Kruger conclut :

— Vous êtes le héros du jour, *ministro*! Profitez-en !

Santos posa les sacs d'Ortega au sol et réfléchit quelques secondes, les yeux baissés, avant de relever timidement la tête.

— Vous êtes très malin, pour un *gringo*, monsieur Kruger. Comment avez-vous eu cette idée ?

— Il ne faut jamais faire confiance à ses adversaires.

Santos, qui ne voulait pas s'avouer vaincu, demanda sur le ton de la confidence :

— Et qui nous empêcherait d'organiser, disons dans quelques semaines, un regrettable accident, pour vous et vos amis ?

— L'histoire du trésor d'Evita est dans un coffre, loin de Buenos Aires. S'il nous arrivait malheur, le chargé de pouvoir de la banque remettrait aux médias l'inventaire du trésor, des photographies des reliques nazies et des bijoux volés aux juifs, le tout certifié conforme aux pièces originales par un huissier de toute confiance venu spécialement de Londres. Votre gouvernement ne voudrait pas courir ce risque, n'est-ce pas ?

Sans répondre, Santos hocha la tête, puis tourna les talons. La meute de journalistes était tenue à distance par les molosses de Santibáñez.

— Que fait-on ? demanda-t-il.

— Je vais parler à la presse, dit Santos, songeant déjà à la façon dont il allait « communiquer » avec transparence.

Puis il ajouta à voix basse :

— J'ai changé d'avis à propos des explosifs. Nous n'en aurons pas besoin.

Le ministre s'éloigna vers les caméras, tandis que Jane et Marc couraient vers Kruger. La jeune femme caressa un instant le visage de Roy, avant de se jeter dans ses bras en sanglotant.

Pendant ce temps, les hommes des forces spéciales descendaient dans le tunnel pour en évacuer les cadavres, quand ils entendirent un gémissement. Casaletti n'était pas mort. L'énorme blouson qui avait tant intrigué le capitaine Santibáñez recouvrait un gilet pare-balles.

Malin, ce Casaletti ! En apprenant la nouvelle, Santibáñez se précipita auprès de son brancard pour le réconforter.

*

Personne n'a jamais rien su du trésor des Perón, mais les descendants d'une famille juive émigrée aux États-Unis reçurent quelques semaines plus tard un appel d'un Américain, qui voulait leur remettre des bijoux arrachés à leurs ancêtres avant leur départ pour les camps de la mort.

Kruger, naturellement, n'avait pas rendu à Santos tous les bijoux d'Evita.

*

Un an plus tard, guéri de ses blessures aux jambes, le commissaire adjoint Bruno Casaletti, que tout le monde appelait commissaire, était nommé ambassadeur au Panamá. Il avait lui-même choisi ce poste en échange de son silence.

Il restait tant de choses à faire, dans ce pays, pour quelqu'un de sa stature…

CHEZ LE MÊME ÉDITEUR

Clinton McKinzie
LA GLACE ET LE FEU

À 4 000 mètres d'altitude...

L'agent spécial Antonio Burns, un flic passionné de montagne, traîne la réputation d'avoir la détente facile. Depuis qu'il a abattu trois dealers dont il avait infiltré le gang, sa carrière suit une mauvaise pente.

Au cœur des Rocheuses...

Pour ne rien arranger, son frère toxicomane vient de s'évader de prison et Burns se laisse séduire par Cali Morrow, la fille d'une star hollywoodienne victime de harcèlement, dont il doit assurer la protection.

Un tueur guette sa proie.

Qui en veut à Cali ? Son ex-petit ami ? Un déséquilibré ? Seule certitude, Burns n'aura d'autre choix que d'affronter son adversaire sur un terrain dangereux, les plus hauts sommets des Rocheuses. Sur les pics enneigés du Wyoming cernés de vallées dévastées par les flammes, le moindre faux pas peut vous précipiter dans l'abîme.

Clinton McKinzie a exercé de multiples professions – chauffeur, moniteur de ski ou encore garde du corps – avant de devenir procureur. Ce passionné d'alpinisme vit aujourd'hui dans le Colorado. Son premier roman, Au-dessus du gouffre *(L'Archipel, 2004), a été salué par Michael Connelly : « Aussi poétique que féroce, ce thriller signe la naissance d'un écrivain. »*

« Un roman qui donne le vertige. »
Chicago Tribune

ISBN 978-2-8098-0024-1 / H 50-5561-1 / 374 pages / 22 €

Douglas Preston
T-REX

Le T-Rex...

Avant de mourir dans ses bras, un chasseur de trésors confie à Tom
Broadbent un carnet couvert de chiffres mystérieux.

Mort il y a 65 millions d'années...

Débute alors une aventure qui mènera Tom dans les canyons du
Nouveau-Mexique sur la piste de la plus grande découverte scienti-
fique de tous les temps.

... il peut encore tuer aujourd'hui.

Mais il n'est pas seul. Un paléontologue fou et son redoutable bras
droit, une mystérieuse agence gouvernementale et un moine, ancien
agent de la CIA, veulent retrouver le fossile du T-Rex, dont certaines
cellules sont toujours actives... Gare au réveil du monstre !

*Né à Cambridge (Massachusetts) en 1956, Douglas Preston a d'abord
travaillé au Museum d'histoire naturelle de New York avant de collaborer
au* National Geographic. *Il est l'auteur de* Codex *(L'Archipel, 2007). Avec
son complice Lincoln Child, il a publié cinq thrillers aux éditions de l'Archipel dont* La Chambre des curiosités *et* Danse de mort.

« On pense inévitablement à Michael Crichton.
Mais l'élève Preston a dépassé le maître. Frissons garantis. »
Library Journal

ISBN 978-2-8098-0022-7 / H 50-5199-0 / 440 pages / 22 €

James Patterson
PROMESSE DE SANG

La vengeance ?

Nick Pellisante, responsable de la section C10 du FBI de New York, a réussi l'impossible : mettre la main sur Dominic Cavello, le *capo di tutti i capi*, le chef de toutes les mafias.

Un plat qui ne peut se manger...

Mais, même derrière les barreaux, celui-ci parvient à faire exploser le bus qui mène les membres du jury à la salle du tribunal. Un répit dont Cavello profite pour se faire la belle...

... que saignant !

Débute alors une chasse à l'homme pour laquelle Pellisante reçoit l'aide d'Annie DeGrasse, jurée rescapée de l'attentat qui n'a plus qu'une idée en tête : se venger...

Dès sa parution, Promesse de sang *a été propulsé au premier rang des ventes aux États-Unis et en Grande-Bretagne. Presque la routine pour James Patterson, l'homme aux 130 millions de livres vendus dans le monde et n° 1 du suspense toutes catégories confondues. Parmi ses romans récents, parus aux éditions de l'Archipel*: Lune de miel *(2006) et* Garde rapprochée *(2007).*

« Une écriture très visuelle. Le lecteur a vraiment l'impression qu'un film se déroule sous ses yeux. »
Michael Connelly

« Patterson est tout simplement le meilleur.
Nous, ses fans, n'avons qu'un mot à la bouche : encore ! »
Larry King, *USA Today*

ISBN 978-2-8098-0004-3 / H 50-5182-3 / 374 pages / 22 €

*Cet ouvrage a été composé
par Atlant'Communication
aux Sables-d'Olonne (Vendée)*

Impression réalisée sur CAMERON par

C P I
Brodard & Taupin

La Flèche

*en mars 2008
pour le compte des Éditions de l'Archipel
département éditorial
de la S.A.R.L. Écriture-Communication*

Imprimé en France
N° d'impression : 46670
Dépôt légal : avril 2008